KB150302

영산강유역 마한사회와 백제의 유입

전남문화재연구소 연구총서 007

영산강유역 마한사회와 백제의 유입

2020년 4월 20일 초판 1쇄 인쇄
2020년 4월 29일 초판 1쇄 발행

엮은이 (재)전라남도문화관광재단 전남문화재연구소

펴낸이 권혁재

편집 조혜진
인쇄 성광인쇄

펴낸곳 학연문화사
등록 1988년 2월 26일 제2-501호
주소 서울시 금천구 가산동 371-28 우림라이온스밸리 B동 712호
전화 02-2026-0541~4
팩스 02-2026-0547
E-mail hak7891@chol.com

ISBN 978-89-5508-411-5 93900

영산강유역 마한사회와 백제의 유입

(재)전라남도문화관광재단 전남문화재연구소 엮음

학연문화사

호남 고대사의 근간이자 삼국시대 이전에 분명히 실존했던 삼한시대, 그 중에서도 가장 번영해 오랜 시간 존속했던 마한. 그 찬란했던 역사를 밝혀 줄 7번째 마한 관련 총서를 발간하게 된 것을 매우 기쁘게 생각합니다.

저희 전남문화관광재단 전남문화재연구소에서 발간하는 이 총서는 2019년 7월 5일에 담양에서 개최한 '영산강유역 마한사회와 백제의 유입' 학술대회와 11월 13일 서울 국회에서 개최한 '마한 역사문화권의 진흥과 지역발전' 학술포럼의 결과를 모아 새롭게 정리하여 발간한 것입니다.

1부인 '영산강유역 마한사회와 백제의 유입'에서는 전라남도의 역사가 시작된 영산강유역의 토착세력인 '마한'이 새로운 외부 세력인 '백제'를 받아드리는 과정에서 나타나는 '저항'과 '순응', 그리고 그 속에서 치열하게 변화하는 사회·문화적 양상에 대해 역사학과 고고학을 망라하여 조사하고 연구한 결과물들을 담았습니다.

이어서 2부 '마한 역사문화권의 진흥과 지역발전'은 영산강유역 마한역사문화권이 대한민국의 고대 역사 속에서 어느 정도의 무게감과 위치를 점하고 있는지, 더 나아가 왜 '마한역사문화권 특별법'이 제정되어야 하는지에 대해서도 담아내려고 노력했습니다.

우리 문화재연구소는 여기서 만족하지 않고 앞으로도 영암 내동리 쌍무덤, 함평 금산리 방대형고분 등 영산강유역 마한 유적에 대한 꾸준한 조사·연구·학술활동을 통해 전라남도의 유구한 역사와 문화를 밝게 빛내줄 역사의 뿌리를 더 깊고 촘촘하게 발굴해 나아가고자 합니다.

이를 통해 전라남도의 역사를 통시적·공시적으로 살펴 '가야'에 비해 소외된 '마한'을 새로운 블루자원의 하나로써 문화관광과 연계해 사회적 가치를 구현해 나갈 것을 약속드립니다.

끝으로 학술대회와 총서발간을 위해 힘써주시고 학술포럼에 참석해 자리를 빛내주신 김영록 도지사님, '마한역사문화권 특별법' 제정을 위해 법안 대표발의를 해주신 서삼석 국회의원님, 학술대회에 특별강연을 맡아주신 목포대 최성락 교수님과 서울대 권오영 교수님, 발표와 토론을 흔쾌히 맡아주신 여러 연구자분들게 지면으로 나마 감사의 말씀을 드립니다. 또한 이 연구총서가 간행 될 수 있도록 애써준 문화재연구소 연구원분들, 편집과 디자인 · 출판을 맡아주신 학연문화사 관계자 여러분께도 감사드립니다.

우리와 함께 고고하게 흐르고 있는 유구한 역사인 '마한', 최근 두드러진 마한에 대한 연구 성과에 힘입어 사회 · 정치적 관심이 어느 때보다 높은 지금입니다. 모쪼록 이 총서가 마한 54개국이 활동했던 경기 · 충청 · 전라를 넘어 대한민국 역사의 본류이자 동아시아 속 하나의 당당한 고대 국가로써 새롭게 평가 받아 그 소중한 역사적 가치를 현재에 다시 꽃 피울 수 있는 계기가 되기를 염원합니다.

감사합니다.

2020. 4. 16.

전라남도문화관광재단 대표이사

목　차

부록 - 마한역사문화권의 진흥과 지역발전

영산강유역의 마한과 백제

최성락 (목포대학교)

Ⅰ. 머리말

영산강유역에서는 대략 10만 년 전인 중기 구석기시대부터 사람들이 터전을 잡고 살아왔다. 특히 이 지역은 고인돌의 밀집 분포, 옹관고분의 성행, 그리고 전방후원형고분의 존재 등 고고학적으로 독특한 문화 요소가 자리잡았던 곳이다. 이러한 고고학 자료들을 통해 이 지역 고대사회의 실체를 파악하려는 노력은 오래전부터 계속되어 왔지만 결코 쉬운 작업이 아니다. 이것은 풍부한 고고학 자료에 비하면 이 지역에 대한 문헌자료가 절대적으로 부족하여 고대사회의 실상을 파악하는데 장애요소를 작용하고 있기 때문이다.

이러한 이유로 인하여 영산강유역 고대사회의 실체에 대하여 일찍 倭人說이 제기되었고, 이후 百濟의 馬韓 征服說이 자리잡았지만 새롭게 馬韓論이 등장하는 등 여러 견해들이 공존하고 있다. 다소 혼란스러운 양상을 보여주는 영산강유역의 고대사회를 바로 이해하기 위해서는 고고학 자료의 연구성과를 바탕으로 이 지역 고대사회에 대한 인식을 재검토할 필요성이 대두되고 있다.

따라서 본고에서는 그 동안 제기된 영산강유역의 고대사회에 대한 다양한 인식을 살펴보고, 특히 논란이 되고 있는 마한론을 검토한 다음에 영산강유역 고대사회와 백제와의 관계를 고고학 자료와 연결지어 살펴보고자 한다.

Ⅱ. 영산강유역 고대사회의 인식

영산강유역은 역사적으로 보면 처음 馬韓에 속하였던 곳으로 어느 시점부터 百濟의 영역에 포함되다가 백제의 지방으로 편입되었다. 이 과정에서 특히 논란이 되는 시기는 4세기부터 6세기 중엽까지의 사회이다. 이 시기의 사회와 관련하여 처음 제기된 주장은 일본 연구자들에 의한 倭人說이다. 이후 우리 연구자들에 의한 百濟 近肖古王의 征服說이 주장되었고, 고고학 연구자들을 중심으로 6세기 중엽까지 영산강유역에 마한이 자리잡았다는 馬韓論이 제시되었다. 그리고 1980년대 중반경 전방후원형고분이 발견되자 다시 倭人說이 대두되었다. 이와 같이 영산강유역 고대사회의 실체를 어떻게 볼 것인가 하는 문제는 여전히 논란의 초점이 되고 있다. 우선 이러한 견해들을 좀 더 구체적으로 살펴보면 다음과 같다.

먼저 영산강유역 고분의 피장자가 倭人이라는 소위 '倭人說'이다. 처음에 제기된 것은 일제강점기 때의 일로 옹관고분이 倭人의 무덤이라는 것이다. 즉 谷井濟一은 나주 반남면 덕산리 3호분과 대안리 9호분의 墳形과 周溝의 존재 그리고 埴輪圓筒類品을 통해 이 고분들이 '倭人의 무덤'이라고 주장하였다(朝鮮總督府 1920). 그리고 1938년에 이 지역의 고분을 조사한 有光敎一(1940)은 신촌리 6호분과 덕산리 2호분의 墳形이 日本의 '前方後圓墳'과 유사점이 있고, 埴輪圓筒類品도 존재한다고 지적한 바 있어 일본과의 관계가 있음을 언급하였다.

한편 일본의 고대사학자 井上秀雄(1977)은 倭人의 근거지가 日本 九州지역뿐만 아니라 한반도 남부지역까지 포함된다고 주장하였다. 이러한 견해, 즉 倭가 한반도 남부에 위치한다는 설은 任那日本府說이 점차 힘을 잃어갈 때 江上波夫의 騎馬民族說과 함께 출현한 것으로 任那日本府說의 변형이라고 볼 수 있다(이기동 1992).

그런데 일부 국내학자들은 任那日本府의 근거가 되었던 '廣開土大王碑文'과『三國史記』등 일부 문헌을 근거로 4세기말경의 반남고분의 주인공들이 일본으로 넘어가기 전 한반도 내에 자리 잡았던 倭라고 주장하였다(이덕일 · 이희근 1999; 설성경 1998). 그러나 이러한 견해는 타당성이 없는 주장이다. 3세기 후반에 만들어진『三國志』魏書東夷傳 倭人條의 기록에 당시 倭가 일본열도에 자리 잡았다고 되어 있다. 고고학적으로 보더라도 옹관고분의 발생이 일본의 영향이 아니라 3세기 말 영산강유역에서 주구토광묘로부터 자체적으로 발생한 것이다(최성락 2002). 당시 일본적인 요소가 조금이라도 보이는 곳으로는 옹관고분의 마지막 단계인 신촌리 9호분을 들 수 있는데 이를 제외하면 거의 전무하다. 현재 일본학자들조차도 옹관고분의 주인공을 倭人으로 보는 경우가 거의 없다. 따라서 과거 일본학자들의 주장을 신중한 검토도 없이 그대로 받아들여 영산강유역의 옹관고분을 倭와 관련된다고 주장하는 것은 잘못된 것이다.

倭人說이 다시 등장한 것은 바로 1980년대 중반 前方後圓形古墳이 발견된 이후이다. 이 고분의 주인공에 대한 한 · 일연구자들의 관심은 매우 크다. 특히 일본연구자들은 처음에 영산강유역에서 발견된 고분이 '前方後圓墳'인지 아닌지에 대하여 논란이 많았다(森浩一編 1984; 江坡輝彌 1987). 이것은 전방후원분이 '日本의 古墳'으로서 일본 내에서만 분포한다는 선입견을 쉽게 뿌리치지 못하였기 때문이다. 이후 이 고분에 대한 발굴조사가 이루어지면서 한 · 일연구자들의 관심이 점차 높아져 갔다. 영산강유역에 분포된 전방후원형고분의 피장자를 보는 견해는 크게 다섯 가지로 분류된다. 즉 재지세력 혹은 백제와 관련된 재지세력설, 일본과 관련된 재지세력설, 왜계 백제관료설, 왜인설, 그리고 피장자를 다양하게 보는 절충설 등이 있다(최성락 2004, 2008). 이 중에서 재지세력설로 보는 견해 보다는 왜인설 혹은 왜계 백제관료로 보는 견해들이 다수를 차지하고 있다. 특히 일본연구자들을 중심으로 왜인설이 주장되고 있고, 일부 한국연구자들도 이를 받아들이고 있다.

다음으로 영산강유역에 대한 百濟 征服說은 近肖古王이 마한을 병합하였다는 것이다. 이러한 기록의 근거는『三國史記』에는 나타나지 않으나『日本書紀』에 반설화적으로 남아있다. 이병도(1959)는 이를 근거로 近肖古王의 父子가 369년 전남지역에 원정하여 마한의 잔존세력을 토벌한 것으로 해석하였다.[1] 이 학설은 고대사학계에서 통설로 받아들여지고 있으나 수정된 주장들도 제기되고 있다. 그 중에서 가장 대표적인 견해는 4세기 후반에 백제의 지배방식은 간접지배의 형태였으며 5세기 말에 비로소 직접지배로 전환되었다는 것이다(권오영 1986). 이후 백제의 영산강유역에 대한 직접지배가 5세기 중엽 혹은 6세기 전반이라는 견해도 있다. 하지만 이러한 견해들도 4세기 후반부터 영산강유역은 백제와 관련되고 있다고 보는 것이다.

마지막으로 馬韓論은 주로 고고학 연구자들에 의해 주장되었다. 처음 고고학 연구자들의 관심은 마한의 고고학적 자료가 무엇인가에 집중되었다고 볼 수 있다. 즉 고인돌과 청동유물을 통해 마한의 성격을 이해하려고 하였고(최몽룡 1978; 이현혜 1984). 또 옹관고분이 마한의 잔존세력의 무덤으로 보았다(성낙준 1983). 그리고 馬韓의 目支國을 나주 반남면 일대로 비정하려는 주장이 있는데 이는 중부지역의 마한이 백제세력이 성장함에 따라 영산강유역으로 이동되었다는 것이다(최몽룡 1986, 1988). 마한의 영역을 한강유역을 제외한 안산만 이남에서 영산강유역에 이르는 지역으로 보면서 마한을 전기(기원전 200~기원후 200경)와 후기(기원후 200~369)로 나누는 견해가 제시되었다(김원용 1990). 이와 같이 고고학 연구자들도 백제가 전남지역을 통합하기 전까지 마한이 존재하였다는 개념을 받아들이게 되었다.

---

1) 이렇게 해석하게 된 것은 1~3세기의 역사를『삼국사기』에 의거해 인식하지 못한데 그 원인이 있다. 만약『삼국사기』의 기록을 따른다면 마한은 기원후 1세기경에 백제에 의해 정복되었다고 보아야 한다.

이러한 인식을 바탕으로 마한이 6세기경까지 존재하였다는 확대된 마한론이 제시되었다. 먼저 전남지역에 마한이 기원전 3세기로부터 기원후 6세기 중반까지 자리잡았다는 견해를 제시한 임영진(1995, 1997a, 1997b, 1997c)은 옹관고분 축조시기인 5세기 후반까지 전남지역에는 독자적인 정치체, 즉 마한이 존속하였다는 견해를 제기하였고, 뒤이어 초기 석실분의 단계인 6세기 전반까지도 마한에 속한다고 주장하였다. 이 중에서 특히 문제가 되는 것은 마한의 소멸시기 문제로 전남지역에 백제계 석실분이 나타나고, 백제의 한 지방으로 편입된 6세기 중엽 이전까지 마한이라는 정치체가 존재하였다는 것이다.

그리고 최완규(2000a, 2000b, 2002a, 2002b)는 호남지역의 주구묘 혹은 분구묘와 충청지역의 주구토광묘를 계통적으로 구분하면서 주구묘가 포함된 분구묘를 마한의 대표적인 무덤으로 인식하였다. 나아가 '마한의 분구묘'로 언급되면서 6세기 전반까지 호남지역에서 마한이 지속되었다는 것이다(최완규 2005, 2006; 이택구 2008). 이러한 분위기에서 기원전 2세기부터 기원후 5~6세기의 주거지를 마한의 주거지로 보는 견해도 제시되었다(김승옥 2000). 따라서 마한의 시기적인 폭이 확대되면서 영산강유역에 자리잡았던 고대사회가 곧 마한이라는 인식이 일부 연구자들뿐만 아니라 일반인들까지 확산되는 현상을 보여주고 있다.

마한론은 기본적으로『三國志』魏書東夷傳에 근거를 둔 것이다. 그러나 마한의 존재를 기원전 3세기로부터 기원후 5~6세기경까지로 잡는다면 마한의 역사는 7~800년으로 확대되게 된다. 이러한 확대된 마한론은 기본적으로 百濟 近肖古王의 마한 정복설에 기초를 두고 있다. 이것은 문헌 기록의 근거가 전혀 없음에도 불구하고 백제 정복설이 近肖古王 24년(369년) 이전까지 영산강유역에 마한이 자리잡았다는 점을 인정하였기 때문이다.

이러한 확대된 마한론은 문헌적인 뒷받침 없이 고고학 자료를 바탕으로 주장된 것으로 이 지역의 고고학 자료가 백제의 것과 다르므로 마한의 존재를 인정할 수 있다는 것이다(강봉룡 2000; 최성락 2001). 이와 같이 영산강유역 고대사회는 여전히 논란의 대상이 되고 있는데 연구자들의 시각에 따라 마한의 존속시기가 다르게 주장되고 있다.

Ⅲ. 마한에 대한 인식

1. 마한에 대한 문헌사적 인식

馬韓은 辰國에 뒤이어 변한과 진한과 함께 三韓을 이루었는데 그 형성시기가 기원전 3~2세기경이다. 그 근거는 중국의 陳壽(233~297)가 편찬한 『三國志』魏書東夷傳에 있다. 이 기록에 의하면 조선의 準王이 衛滿에 밀려 남쪽으로 내려왔다고 한다. 그 때가 기원전 194년으로 늦어도 기원전 2세기 초부터 韓의 존재를 인정할 수 있다. 한편 일부 연구자들은 韓社會가 그 이전에 이미 형성되었을 것으로 보아 기원전 3세기경부터 마한의 존재를 주장하고 있다. 또 삼한의 위치는 과거 다양한 견해가 제시되었으나 현재 마한이 경기 · 충청 · 전라지방, 진한이 낙동강의 동쪽, 변한이 낙동강의 서쪽으로 정리되었다. 또 마한은 目支國을 중심으로 얼마동안 삼한의 주도권을 행사하였던 것으로 기록되어 있다.

마한에 대한 기록은 한국, 중국, 일본의 문헌에서 각각 다르게 나타나고 있다. 먼저 우리나라 문헌기록에 의하면 마한은 한강유역에 자리잡은 북방계의 백제 세력에 의해 기원후 1세기경에 소멸되었다. 즉 『三國史記』에 의하면 온조왕 26년(기원후 8)에 마한의 國邑을 습격하여 병합하였다는 기록과 온조왕 27년(기원후 9)에 드디어 마한이 멸망하였다는 기록이 있다. 여기에서 나타나는 마한과 관련된 기록들은 후대에 의도적으로 온 조왕대로 올려놓은 것으로 해석되고 있고, 실제로 중부지역의 마한이 백 제에 편입되는 시기는 3세기 말일 것으로 추정된다(노중국 1987).

다음으로 중국 문헌인 『三國志』와 『後漢書』東夷傳 이외에 『晋書』東夷 傳 馬韓條에는 咸寧 3년(277)으로부터 太熙 원년(290)까지 마한이 晋國 에 사신을 보냈다는 기록이 있어 마한세력이 건재하였음을 알 수 있다. 하지만 연구자들 사이에 이 기록을 그대로 인정하는 입장과 그 주체가 마 한의 目支國이 아닌 伯濟國으로 보는 입장으로 구분되고 있다.[2] 그리고 『진서』권36 張華傳에는 다음과 같은 기록이 있다.

> 동이마한 신미제국은 산에 의지하고 바다를 끼고 있었으며 幽州와 4천여
>
> 리였는데, 역대로 내부하지 않던 20여국이 함께 사신을 보내 조공을 바쳐
>
> 왔다.[3]

여기에 나오는 新彌國은 『삼국지』에 나오는 마한의 54국과는 다른 이 름이다. 이를 서해안지대에 분포한 마한 제국읍의 하나로 보는 견해(이병 도 1959)가 제시된 이래로 일부 연구자들은 新彌諸國을 영산강유역의 세 력으로 보고 있다. 한편 신미제국을 '신미의 여러 나라'란 의미로 『삼국지』

---

2) 『진서』의 조공기사에 대한 상반된 견해가 제시되고 있듯이 『삼국지』위지동이전에 나타나는 몇몇 기사는 『삼국사기』백제전에도 나오고 있어 역시 상반된 해석을 하 고 있다. 하나의 사례로 帶方郡의 崎離營에 공격의 주체가 마한의 辰王 혹은 臣濆 沽國인지, 아니면 백제의 古爾王인지가 역시 논란이 되고 있다(윤용구 1998; 노중 국 2003; 박현숙 2016).

3) "東夷馬韓 新彌諸國 依山帶海 去州四千餘里 歷世未附者二十餘國 並遣使朝獻."(『晋 書』卷36 張華傳)

마한조의 마한과는 별개의 정치체로 보면서 이를 해남지역으로 비정하는 견해도 있다(강봉룡 2006).

그리고 일본 문헌 기록에는 마한이 처음부터 존재하지 않고 백제만 존재할 뿐이다. 다만 『日本書紀』神功紀 49년에 반설화적으로 남아있는 다음과 같은 기록이 있다.

> 이에 병사를 서쪽으로 이동시켜 古奚津에 이르렀다. 南蠻 枕彌多禮를 없애고 백제에 주었다. 이때 왕 肖古와 왕자 貴須가 역시 군사를 이끌고 나아가 맞으니 比利辟中布彌支半古四邑이 스스로 항복하여 왔다. 백제왕 부자와 黃田別 木羅斤資 등이 모두 意流村(州流須祇)에서 서로 즐겁게 만났다.

이 기사를 처음 해석한 이병도(1959)는 일본의 응원군이 와서 더불어 경략하였다는 것에는 의문의 여지가 있으나 近肖古王의 父子가 전남지역에 원정하여 마한의 잔존세력을 토벌한 것으로 보았다. 나아가 노중국(1987)은 '忱彌多禮'를 『진서』에 나오는 '新彌國'으로 연결지어 근초고왕의 마한 정벌설에 동조하고 있다. 또 김태식(2007)은 침미다례를 신미국이 위치하였던 해남 현산면일대로 비정하면서 당시 내부한 布彌支를 담양 금성읍으로, 半古를 나주 반남면으로 비정하고 있다. 하지만 이 기사는 여러 연구자들에 의해 다양하게 해석되고 있다.

그밖에 『宋書』의 倭 5王에 대한 기록에 나타나는 慕韓이 있다. 즉 438년 倭王 珍은 '使持節 都督倭百濟新羅任那秦韓慕韓六國諸軍事 安東大將軍 倭國王'이라는 작호를 자칭하게 된다. 즉 왜·백제·신라·임나·진한·모한 등 6국에 대한 통솔권을 자임한 것을 의미한다. 그 후 계속 對宋외교를 집요하게 하여 倭王 濟는 451년에 百濟가 빠지고 加羅가 첨가

된 6국의 安東大將軍으로 가호를 받게 된다. 또한 478년 倭王 武는 '使持節 都督倭百濟新羅任那加羅秦韓慕韓七國諸軍事 安東大將軍 開府儀同三司倭國王'이라 자칭하였으나 '使持節 都督倭新羅任那加羅秦韓慕韓六國諸軍事 安東大將軍 倭王'이라고 책봉을 받았다. 즉 백제가 고구려의 공격을 받아 漢城이 함락되자 倭王이 백제를 임의로 포함시켰으나 中國이 이를 제외하고 책봉한 것이다. 그러나 당시 宋과 외교관계가 없었던 新羅·任那·加羅와 같은 실존의 국가나 秦韓·慕韓과 같은 가공의 국가 이름을 나열한 작호의 사용을 허용한 것이고, 백제에 대해서는 현실적인 세력 관계를 분명히 따져서 제외시켰던 것으로 모한의 존재를 부정하는 견해가 일반적이다(강봉룡 1998).

결국 우리나라 문헌 기록에는 기원후 1세기경에 백제가 마한을 정복하였다고 되어 있으나 일본 문헌 기록에는 마한이 처음부터 존재하지 않았다. 이에 비하여 중국 문헌 기록에는 기원후 300년경까지 마한에 대한 기록이 나오고 있어 서로 차이를 보여주고 있다. 우리나라 연구자들은『삼국사기』초기 기록을 불신하는 반면 주로『삼국지』위서동이전 등 중국 문헌 기록을 취신하면서 삼한의 실체를 기원후 3세기말까지 대체로 인정하는 경향이다.

그렇다면 문헌 기록에 나타나는 다양한 마한은 어떠한 의미로 해석되고 있나? 강봉룡(1999)은 마한을 충청지역 目支國을 중심으로 결집되었던 실체적 정치 단위체를 지칭하거나 경기-전라도에 걸치는 지역 일대를 지칭하는 막연한 지역 개념으로 나누어지고 있다고 보았다. 실체적 정치 단위체를 지칭하는 마한은 3세기 후반경 晉 왕조에 사신을 파견하여 백제를 견제하고자 하였으나 결국 3세기 말경에 백제에 완전 멸망하고 말았고, 반면 막연한 지역적 개념을 의미하는 마한 지역에는 몇 개의 독자적인 정치체가 있었을 가능성이 크다고 보았는데 그 중 하나의 흔적이 영산강유역의 '옹관고분'이라는 것이다.

한편 권오영(2010)은 각 문헌에 나타나는 마한의 위치가 다양한 형태라고 인식하고 있다. 즉 『삼국지』의 마한은 일반적으로 경기-전라에 분포하는 50여국의 소국으로 구성된 마한이고, 『삼국사기』의 마한은 아산-직선에 위치한 목지국을 중심으로 하는 마한으로 본 반면에 『진서』에서 나오는 중국에 조공하는 마한을 중부지역에 위치한 伯濟國을 중심으로 보았고, 『송서』에 나오는 慕韓이 영산강유역의 반남-다시 세력을 지칭하는지 아니면 허구인지는 더 검토해 보아야 한다고 하였다.

결국 문헌사학자들은 그들 사이에 다소의 견해 차이를 보여주고 있지만 대체로 마한이 기원전 3~2세기부터 4세기 후반까지 존재하였다고 보고 있다. 즉 백제의 국력이 신장되면서 중부지역의 마한은 소멸되었고, 그 잔존세력이 전남지역에 자리잡았지만 근초고왕 24년(369년)에 백제에 의해 병합되었다는 것이다.

2. 마한에 대한 고고학적 인식

먼저 영산강유역에서 마한과 관련된 연구자 최근 활발하게 이루어지고 있다. 특히 백제학회(학연문화사 2013, 2014)와 마한연구원(학연문화사 2015, 2016, 2017a, 2017b). 그리고 전남문화재연구소(2019a, 2019b) 등이 개최하는 학술대회에서 이 문제를 집중적으로 다루어지고 있는데 영산강유역에서 마한이 6세기 전반까지로 지속되었다는 주장들이 제기되고 있다.

다음은 최근 간행된 『마한고고학 개설』(중앙문화재연구원 2018)에서 나타나는 마한에 대한 인식이다. 이 책에서 성정용(2018)은 마한의 시·공간적 범위를 언급하면서 4단계로 나누었다. 즉 조기(기원전 5~4

세기에서 기원전 3세기), 전기(기원전 2세기 초에서 기원 전후), 중기(기원 전후에서 기원후 4세기 전반), 후기(기원후 4세기에서 6세기 중반) 등으로 구분하면서 호서지역에서 목지국 중심의 연맹체는 4세기 전반에 해체되었지만 영산강유역에서의 마한은 6세기 중반까지 존재하였다고 보았다. 같은 책에서 노중국(2018)은 마한이 목지국(천안 아산만 일대), 건마국(금강 및 만경강 일대), 신분고국(임진강 예성강 일대), 나해국(안성지역), 신미국(영산강유역) 등을 중심으로 지역연맹체가 형성되었다고 보면서 백제가 충남지역을 3세기 후반에 장악하였고, 전북지역을 비류왕대(304~344)에, 영산강유역을 369년에 병합하였다고 보았다.

2019년 국립청주박물관의 특별전은 호서지역 마한 문화를 주제로 열렸는데 그와 연계된 학술대회에서도 역시 호서 마한의 대외교류 문제를 집중적으로 다루고 있다(국립청주박물관 · 한국상고사학회 2019). 이 학술대회에서 김기섭(2019)은 호서지역이 백제로 병합된 것이 4세기 무렵이고, 영산강유역이 백제의 직접지배를 받게 된 것이 5세기 중엽경으로 보고 있다. 또한 과거 호서지역의 유개대부호나 철기가 영남지역에서 파급된 것으로 보았으나 이 학술대회에서는 호서지역의 유개대부호가 영남지역으로 파급되었을 것이라는 견해가 제시되었다(박형열 2019).

그리고 2019년도 호남고고학회(2019)는 『마한, 가야, 백제』를 주제로 학술대회를 개최하였는데 유구나 유물을 통해 이를 마한문화, 가야문화, 백제문화로 구분하는 시도가 이루어졌다. 특히 기조강연을 담당한 김승옥(2019)은 마한의 시 · 공간적인 면을 언급하면서 전북지역에서는 4세기 후반까지, 영산강유역에서는 6세기 전반까지 마한이 잔존하였음을 언급하였다.

이상과 같이 호남지역에 6세기 전반까지 마한이 존재하였다는 확대된 마한론이 여전히 주장되고 있는 반면에 약간의 인식 변화가 감지되고 있다. 즉 호서지역의 마한은 3세기 말까지, 그리고 전북지역의 마한은 4세기 후반까지 그 존재가 인정되면서 그 이후로 백제문화의 영향이 확대되었다고 한다. 하지만 이 경우에도 여전히 영산강유역에서 마한은 6세기 전반경까지 존재하였다고 보는 것이다.

이러한 견해에 대하여 몇 가지 의문이 제기될 수 있다. 첫째, 마한의 존재를 6세기 전반경까지로 언급할 수 있는 문헌적 근거가 있는가 하는 것이다. 앞에서 살펴보았듯이 한국, 중국, 일본 등 어느 나라의 문헌 기록에도 300년 이후에 마한이 존재하지 않는다. 다만 倭五王과 관련된 慕韓이라는 것을 제외하면 나타나지 않는다. 이것은 중국 문헌에 倭王의 주장을 그대로 기록하여 놓은 것으로 신뢰할 수 없는 것이다. 또 삼한 중에서 진한과 변한은 300년 이전부터 신라와 가야로 인식되고 있는 반면에 유독 마한만이 늦게까지 존재하였다고 보기도 힘들다.[4] 혹시 마한이 고대국가로 성장한 기록들이 전부 사라졌다고도 가정해 볼 수 있지만 이것도 역시 역사적인 상상일 뿐이다. 따라서 4세기 후반에서 6세기 전반까지 영산강유역의 토착세력이 존재하였다는 것과 이를 마한으로 불려야 하는 것은 별개의 문제이다.

둘째, 영산강유역에서 5세기에서 6세기 전반에 걸쳐 나타나는 독자적인 문화를 마한으로 볼 수 있을까 하는 의문이다. 이러한 독특한 문화를 마한으로 보기 위해서는 마한이 소국들의 구성된 집합체가 아니라 어느 수준의 통합된 정치체로 발전되었다고 보아야 하고, 또 중부지역의 마한 중심세력이 전북지역을 거쳐 전남지역으로 내려왔을 것이라고 전제되어

---

4) 삼한과 삼국(백제, 신라, 가야)과의 관계에 대하여 前期論(김태식 1993)과 前史論(노중국 2018)으로 입장이 나누어지는데 진한과 변한 연구자들은 주로 전기론을 주장하는 반면에 마한 연구자들은 전사론에 가깝다. 즉 마한 연구자들은 마한의 정체체를 인정하면서 어느 기간 백제와 공존하였을 것으로 보고 있다.

야 한다.[5] 마치 한성백제가 붕괴된 이후 웅진으로 천도한 것과 같은 중심 세력의 이동이 필수적이다. 그러나 마한의 중심세력이 남천하였다는 증거는 문헌 기록뿐만 아니라 고고학 자료로도 분명하지 않다. 그럼에도 불구하고 일부 연구자들은 북쪽으로부터 백제의 영역이 넓어지면 마한의 영역이 점차 축소되었으므로 중부지역의 마한이 남부지역으로 자연스럽게 이동하였을 것이라는 가정을 그대로 받아들이고 있다. 하지만 마한이 통합된 정치체로의 발전이나 마한 중심세력의 이동을 증명할 수 없다면 영산강유역의 잔존세력을 마한으로 부를 수 있을지 의문이다.

셋째, 호남지역에서 마한의 형성과 변천 과정에서 철기시대 전기(초기 철기시대)의 유적에 뒤이어 일정시간의 공백을 어떻게 설명할지가 문제이다. 일부 연구자들은 이 시기에 공백이 있어 문화적인 단절을 언급하고 있다(김승옥 2007; 김장석 2009). 이것은 마한이 호남지역에 자리잡고 지속적으로 변화·발전되었다는 가정에 하나의 걸림돌이 되고 있다. 당시 문화적인 단절과 더불어 수장층의 부재가 설명이 되어야 한다.

그런데 영산강유역에서는 기원전 1세기에서 기원후 3세기경까지 여러 지역에서 소국으로 추정될 수 있는 유적들이 확인되었지만 어디에서도 마한 정치체의 중심지로 추정해볼 수 있는 곳은 아직 확인되지 않고 있다. 이 시기에 수장급 무덤, 즉 위신재를 부장한 분묘가 본격적으로 등장하지 않고 있어 당시 영남지역의 문화양상과는 차이를 보여주고 있다.

---

5) 마한 전기 중심이 목지국에서 후기 중심이 신미국으로 변화되었다는 견해(노중국 1988)는 마한 중심세력의 이동뿐만 아니라 마한의 영도권 혹은 주도권의 이동으로 해석되고 있어 비교적 학계에 널리 통용되고 있다. 하지만 필자의 관점에서 보면 이것은 마한이 369년까지 존속되었다는 것을 보완하는 견해로 보인다. 반면 중부지역의 마한 목지국이 영산강유역으로 이동하였다는 주장(최몽룡 1986, 1988)은 진정한 의미에서 마한 중심세력의 이동설로 볼 수 있지만 학계에서 널리 수용되지 못하고 있다. 이 학설이 성립될 수는 있다면 영산강유역의 소국들을 마한이라고 부를 수 있으나 중심세력의 이동에 대한 뚜렷한 근거가 제시된 것은 아니다.

결국 영산강유역에서 마한은 백제에 의해 소멸된 것이 아니다.[6] 처음부터 영산강유역에서는 마한의 중심적인 정치체가 존재한 바가 없었으며 단지 여러 소국들로 구성되어 있었을 뿐이다. 설사 4세기 이후에도 영산강유역의 토착적인 세력이 지속적으로 발전된다고 하더라도 중부지역의 마한이 백제에 통합된 4세기 이후에는 이 지역을 백제의 영역으로 인식되어야 한다고 보는 것이다. 따라서 마한을 결정하는 가장 중요한 요인은 물질적인 자료가 아니라 어느 시기부터 백제로 볼 것인가 하는 역사 인식의 문제인 것이다(최성락 2017a).

IV. 영산강유역과 백제

1. 영산강유역에 대한 백제의 지배방식

백제는 4세기 후반 이후 영산강유역과 관련이 있었다고 볼 수 있는데 백제의 지배방식이 어떠한 형태인지 살펴볼 필요가 있다. 먼저 369년부터 백제가 영산강유역을 직접지배하였다는 입장이다. 노중국(1988, 2012)은 한국 고대사회에서 국가의 발전 단계를 읍락 단계 - 국 단계 - 국연맹 단계 - 부체제 단계 - 중앙집권적 국가체체 단계로 파악하고, 공납을 매개로한 정치적인 상하관계가 형성된 국연맹단계부터 간접지배와 같은 지배가 이루어졌다고 보았고, 부체제단계에서 연맹체의 중심국이 주

---

6) 영산강유역에서 자리잡았던 세력은 특별히 중심세력이 없었기 때문에 백제를 위협할 만한 수준에 이르지 못하였을 것이다. 왜냐하면 백제에 편입되면서 백제와 전쟁을 수행하였다는 기록도 없거니와 고고학적으로 보아 영남지역과 같이 무기가 발달되지 않아서 전쟁을 치를만한 능력도 없었기 때문이다.

변의 국을 점차 통합하면서 맹주국이 정치적 중심지였던 국읍이 수도로서 기능하게 되면서 중앙은 직접지배, 지방은 간접지배를 하게 된다고 보았고, 중앙집권체제에서는 지방 통치조직이 설치되면서 직접 지배가 이루어지는 단계로 보았다. 또 그는 영산강유역의 신미제국(침미다례)은 마한의 맹주국으로 마한 목지국을 대신한 백제국과 경쟁하다가 369년에 백제로 편입되었으며, 이 지역을 담로제로 통치하다가 금동관이 보이는 5세기 중후반부터 왕후호제를 실시하였다고 보고 있다.

이와 달리 영산강유역에서 백제의 진출시기와 지배방법에 대한 다양한 견해들이 제시되었는데 크게 두 그룹으로 나눌 수 있다. 하나는 기존의 4세기 후반설을 따르지만 지배방식의 경우, 직접지배가 아닌 다른 방식으로 해석하는 견해들이다. 즉 영산강유역 세력은 4세기 후반 이래로 백제의 간접지배를 받다가 6세기 중엽경에 비로소 직접지배를 받았다는 견해(권오영 1986)가 처음 제기된 이후, 영산강유역 세력과 백제와의 관계를 공납적 지배, 담로제에 의한 통치, 왕후제등 다양한 형태로 주장되었다.

한성백제 시기의 지배방식은 공납제의 가능성이 가장 많이 제기되었다(주보돈 1996).[7] 이도학(1995)은 근초고왕의 남정이 일회성 강습에 불과하고, 전남지역을 공납관계에 의해 간접지배하였다고 보았고, 김주성(1997)도 5세기대 영산강유역에 대하여 백제의 통치방식을 매년 일정한 공납을 요구하는 대신 다른 사항은 독립적 권한을 보장해주는 방식으로 보았다.

다음으로 담로제와 왕후제가 시행되었을 것으로 보고 있다. 담로란 '담을 두룬 땅', 혹은 '지방의 치성'으로 해석하면서 담로제는 자체종족에 봉

---

7) 공납적 지배란 중앙국이 복속지역에 대해 상당할 정도의 자치를 보장해주고 공납이라는 복속의례를 통해 통치하는 방식이다(주보돈 1996).

하는 제도이며 강력한 중앙집권적인 성격의 제도로 근초고왕 때부터 실시될 가능성이 있다고 보았다(유원재 1999). 하지만 담로제는 국경지역이나 전략적 중요성이 인정되는 곳, 교통상의 중심지 등의 거점성을 중심으로 자제나 종족을 파견한 직접지배 방식의 지방통치제제로 보고 있다(박현숙 1998). 담로제는 영산강유역에서 고고학적 근거인 백제의 치성을 찾을 수 없어 받아들이기 어렵다. 반면 동성왕 490년 南齊에 보내는 上表文과 495년 上表文에 王侯가 나타나고 있다. 이들 왕후의 위치가 대개 전남지역에 위치하는 것으로 보고 있다(김태식 2007). 왕후제의 경우, 전남지역에서 보이는 금동관의 존재를 통해 유추되기도 한다(문안식 2007).

고고학 자료를 바탕으로 백제와 영산강유역의 관계를 '지배적 동맹관계'라고 보는 주장도 있다. 박순발(1998, 2000)은 신촌리 9호분 을관 피장자로 대표되는 한성기 영산강유역 정치체가 백제에 의한 간접지배 단계라기보다는 백제에 경도된 지배적 동맹관계로 보았다. 또 그는 백제↔영산강유역↔九州勢力↔倭王權이라는 구도가 九州에서 있었던 527-28년 筑紫君 磐井의 亂을 개기로 백제↔야마토정권이라는 구도로 재편되었다고 보았다. 그러나 일본에서 야마토 정권과 九州세력 사이의 관계를 설명하는데 사용된 '지배적 동맹관계'라는 용어가 한국사에서 사용할 수 있는 적절한 용어인지 의문이다. 결국 이러한 지배방식을 언급한 연구자들은 영산강유역의 세력이 6세기 이전부터 어떤 형태로든 백제와 관계가 있다고 보는 것이다.

다른 하나는 영산강유역의 백제로의 편입 시기를 늦게 보려고 하는 견해들이다. 즉『일본서기』침미다례의 기사를 4세기 후반이 아니라 5세기 이후의 것으로 해석하면서 전남지역의 토착세력이 늦게까지 존재하였음을 주장하고 있다. 이러한 주장들이 출현한 배경으로 이기동은『일본서기』신공기의 기사를 백제가 영산강유역 전역을 군사적으로 점령한 것으로 보지 않고, 백제의 일회성 강습으로 해석하였다(이기동 1994). 이후 다른 연구자들도 강진 · 해남지역의 해양 교역루트의 개설을 위한 거점을 확보한 것에 불과한 것으로 보았다(이현혜 1988; 이도학 1995; 김영심 1997).

그런데 이영식(1995)은 백제가 주체가 된 군사행동이고, 왜가 지원을 한 것에 불과하였는데 후대에 각 씨족들이 야마도 정권에 제출한 기록물의 제작 단계에서 창작, 과장한 것이라고 보았다. 그는 백제가 전남지역에 적극적으로 진출하기 시작한 것은 475년에 고구려로부터 큰 타격을 받아 웅진으로 천도한 이후일 것으로 보았다. 또 김기섭(1995, 2000)은 이 기사의 연대가 4세기 후반임을 부정하고 5세기 중엽의 일이 소급된 것으로 보았고, 이근우(1997)와 田中俊明(1996)도 5세기 후반에 이루어진 마한 정복이 4세기 후반으로 소급된 것으로 보았다.

더구나 연민수(2002)는 『梁職貢圖』에 나열된 국명들과 신공기에 나오는 가야 7국을 비롯한 침미다례가 상통한다는 점에서 6세기 전반 백제의 가야제국에 대한 세력권 확장 사실을 일본이 주체가 되어 가야제국을 평정했던 것처럼 그 시기를 소급해서 신공기에 위치시켰다고 보았다. 그리고 정재윤(2006)은 신공기 기사의 가야 7국 평정과 고해진 · 침미다례 · 다사성 등의 사여가 근초고왕이 정벌한 전북 일원과는 구분되어야 한다고 보았다. 또 그는 전북 일원이 영역화되었지만 다른 지역의 경우, 영역 확장이 아니라 백제-가야-왜로 이어지는 교역 거점을 확보하여 경제적 이익을 취하고 배후 세력을 확보하는 것이 목적이라고 보았다.

이와 같은 신공기의 기사를 5세기 후반이나 6세기 전반으로 해석하는 경우에 대부분의 연구자들은 그냥 마한 세력 혹은 마한 잔존세력으로 부르고 있는데 영산강유역의 경우에 별다른 국의 명칭이 없기 때문인지 마한을 편의적으로 사용하고 있다고 생각된다.

2. 백제의 진출에 따른 고고학적 양상

일반적으로 영산강유역의 고대사회를 마한 시기와 백제 시기 등 두 단계로 구분하고 있다. 여기에서는 4세기 이후의 영산강유역의 고대사회를 다섯 단계로 구분하여 나타나는 고고학적 양상을 검토해 보고자 한다. 각 단계의 기준 시점은 목지국의 소멸(3세기 말), 근초고왕의 남정(369년), 한성백제의 붕괴(475), 동성왕의 무진주 친정(498년), 백제의 지방편제 확립(6세기 전엽) 등으로 나누어 볼 수 있다(최성락 2017b).

첫 번째 단계는 여전히 독자성을 유지하는 시기(300~369년)이다. 이 시기에는 영산강유역에서 백제적인 요소가 거의 발견되지 아니한다. 이 시기에 영산강유역에서는 목관고분과 더불어 옹관고분이 새로이 등장하였다. 다수의 연구자들은 영산강유역의 옹관고분을 마한의 무덤 혹은 마한의 잔존세력의 무덤으로 보고 있지만 마한의 전통적인 무덤인 토광묘(목관묘)와 다르다는 점에 유의하여야 한다. 필자는 옹관고분이 목관고분과 뿌리가 같은 주구토광묘에서 변화된 무덤으로 자체적인 발전으로 보이지만 옹관고분을 중부지역에서 시작되어 이동된 것이 아니라 영산강유역에서 처음 출발되었기 때문에 마한의 무덤으로 단정하기에는 문제가 있다고 본다. 즉 목관고분과 옹관고분은 당시 한반도 각 지역에서 형성된 고분의 등장과 맥을 같이 하고 있다는 것이다(최성락 2009a). 고분의 등장은 고대사회에서 큰 변화를 상징하는 것으로 이를 바탕으로 삼한 단계에서 삼국시대 고분단계로 변화되었다고 보는 것이 일반적이다. 따라서 필자는 이 시기에 마한이 이미 해체되었다고 보기 때문에 영산강유역에는 마한 잔존세력인 소국들이 남아 있었던 시기로 보고자 한다. 이 소국

들은 '馬韓諸國'이 아닌 '新彌諸國'으로 보는 것이 타당하다고 본다.[8]

두 번째 단계는 이 지역이 백제와 관련이 시작되는 시기(369~475년)이다. 『일본서기』신공기의 기사는 백제가 과거 전남지역을 직접지배하였던 근거로 해석되었지만 최근 해로를 확보하기 위하여 백제 근초고왕 때 이 지역에 대한 일회성 강습으로도 해석되고 있다. 설사 이 기사를 인정하지 못한다고 하더라도 근초고왕대의 대외활동을 고려한다면 전남지역까지 진출하였을 개연성은 충분하다(박현숙 2016). 또 문헌 기록에 의하면 백제의 전지왕 원년(405), 5년(409), 14년(418), 비유왕 2년(428)에 倭國과의 공식적인 교섭이 이루어졌다고 한다. 그렇다면 당연히 전남 서남해안 지역을 경유하였을 것으로 추정되고 영산강유역의 세력들도 백제와 관련성이 있었을 것이다.

그런데 4세기 후반경부터 백제계 유물이 나타나고 있다고 보고 있다. 즉 직구평저호를 중심으로 한 백제계 토기의 등장(서현주 2012), 나주 화정리 마산고분 5-1호 옹관 출토 금동제이식(이정호 2013), 영암 신연리 9호분 5호 토광묘 출토 중층유리옥(이한상 2014) 등이 언급되고 있다. 그리고 3A형식의 전용옹관의 출현, 복합제형분의 대형화 현상, 분형의 원형·방형화 경향(김낙중 2012) 등도 백제의 영향으로 보고 있다.

5세기에 접어들면 백제의 영향이 더 많이 나타나고 있다. 즉 영산강유역에서는 목관고분이 사라지고, 새로운 형태의 고분, 즉 수혈식 석곽분과 횡구식 석실분이 새로이 등장하면서 분구의 규모가 커진 고총고분이 등장하게 된다. (최성락·김민근 2015; 한옥민 2016) 또 5세기 중엽경부터

---

8) 『진서』장화전에 나오는 '歷世未附者二十餘國'이 중국에 未附者로 되어 있지만 백제에 未附者로도 해석될 수 있어 당시 백제가 이 지역을 장악하지 못하였다고 볼 수 있다. 또 '東夷馬韓 新彌諸國'에서 이러한 소국들을 묶어서 馬韓으로 보기 보다는 과거 마한지역에서의 소국들로 보는 견해(강봉룡 2000)가 적절하다고 판단된다.

백제양식의 주거지, 즉 철자형 주거지가 영산강유역에서 찾아볼 수 있으며 거점취락을 중심으로 변화·발달되었다(이영철 2015). 반면 5세기 초 조성된 것으로 보이는 풍납토성의 우물터에서 영산강유역의 토기, 즉 장군과 같은 기형의 토기가 깬 형태로 발견되어 제사행위가 있었던 것(한신대학교박물관 2008)으로 보아 두 지역 사이에 관계가 있었을 것이다. 따라서 이 시기에 영산강유역과 백제 사이에는 빈번한 문화교류가 있었을 것이며 적어도 이 지역의 토착세력들은 백제와 일정한 관계를 유지하였을 것으로 추정된다.

한편 백제에서 서남해안을 거쳐 일본에 이르는 해상루트가 확보되면서 영산강유역과 일본지역과의 문화교류가 활발하였다. 영산강유역 4세기대의 주거양식과 적갈색연질토기 등이 九州지역으로부터 近畿지역에 이르기까지 5세기대의 유적들에서 대규모로 확인되고 있다(최영주 2009; 김종만 2010; 武末純一 2008; 松永悅枝 2009). 역으로 기원후 4세기 대에는 일부 가야문화가 전남 동부지역에 유입되었고(이동희 2007), 5세기대에 이르면 전남 서부지역에도 일본 문화요소가 유입되었다(서현주 2004, 2007). 특히 해남반도에서는 영산강유역보다 빠르게 그리고 다양한 대외교류의 증거들이 나타나고 있다. 즉 해남 현산면 고현리 일대에서 발견된 가야계 토기를 시작으로 북일면 신월리 즙석분, 외도 고분 등과 가야계, 신라계, 왜계 유물들이 나타나고 있다. 이렇게 다양한 유구와 유물이 나타난 것은 활발한 해양교류의 산물로 해석된다(최성락 2009b).

이 시기의 사회를 여전히 마한 사회로 규정하는 주장도 많지만 백제와 관련된다고 보는 견해도 적지 않다. 즉 성낙준은『일본서기』신공기에 나오는 사건이 오히려 영산강유역의 사회를 자극하여 독자적인 발전을 보았고, 나아가 대형옹관묘의 존재는 재지세력의 것으로 백제와의 관계 속에서 조영되었다고 파악하였다(성낙준 1997). 그리고 근초고왕의 남정

이후 결속이 해체되고 소국들이 서로 대등한 상태에서 개별정치체로 존속하였다고 보는 견해(이현혜 2000)도 있다. 필자는 이 시기부터 백제의 영향력이 미쳤다고 보지만 그 이전부터 자리잡았던 소국들이 이 시기까지 지속되었다고 보는 것이다.

세 번째 단계는 백제의 통제력이 일시적으로 약해졌던 시기(475~498년)이다. 한성백제가 붕괴되면서 백제의 힘이 약화되자 영산강유역에서는 다른 지역과의 문화교류가 매우 활발해지면서 독자적인 문화양상이 강하게 나타난다. 즉 5세기 말경에는 횡혈식 석실분과 전방후원형고분이 새로이 등장하였고, 백제뿐만 아니라 가야, 신라, 일본과 관련된 문화요소들이 함께 공존한다.

그런데 이 시기에 나타나는 독특한 문화양상은 한성백제의 붕괴에 따른 일시적인 현상으로 해석한다. 하나의 사례로는 나주 신촌리 9호분 출토 금동관에서 帶冠의 존재이다. 금동관에서 대관이 있는 것은 근동신발 등 다른 장신구와 다르게 백제가 아닌 가야와 관련되는 것으로 해석된다(최성락 2014). 그리고 전방후원형고분의 축조와 원통형토기의 발달은 왜계 이주민에 의해 이루어진 것이 아니라 토착세력에 의해 받아들여지거나 자체적으로 발전된 것으로 해석된다(최성락 2011; 최성락 · 김성미 2012). 따라서 필자는 이러한 현상을 한성백제의 붕괴에 따라 토착세력들이 자구책으로 비백제적인 요소가 증대되었다고 해석한다.

네 번째 단계는 백제의 통제력을 회복하는 시기(498년~6세기 전엽)이다. 즉 498년 동성왕의 武珍州로의 親征을 기점으로 다시 백제의 지배하에 편입되었다고 볼 수 있다. 동성왕은 탐라가 조공을 받치지 않았다는 명분으로 친정을 하였다고 한다. 그렇다면 그 이전은 이 지역 세력이 백제에 조공을 하였다는 의미일 것이다. 그 이전은 언제일까? 아마도 475년 이전인 한성백제 시기이거나 웅진 천도직후일 것으로 추정된다. 아무

튼 6세기에 접어들면서 백제적인 요소들이 곳곳에 나타나기 시작한다. 즉 신덕 1호분에서 보이는 철못과 관고리로 구성된 목관, 입구에서 보아서 석실 왼쪽 편에 위치한 棺臺, 銀被 裝飾釘의 출토 등이 있고, 초기 석실분에 개와 배신을 세트로 한 공헌토기를 사용하는 점을 들고 있다(吉井秀夫 1996). 함평 마산리 표산고분과 해남 용두동 고분 등에서 발견된 錢文陶器도 백제지역에서 보이는 특징적인 요소이다. 또 웅진식 석실분인 나주 송제리 고분9)과 영광 학정리 대천고분 등이 영산강식 석실분(전반후원형고분 포함)보다 연대가 늦지 않다는 견해(조근우 1996; 이정호 1999; 박영훈 2009)가 있으며 광주 동림동 유적을 비롯한 나주 장등, 광주 평동, 산정동, 장흥 지천리 등에서의 취락형태에서도 백제의 문화양상을 일부 보여주고 있다(이영철 2015). 하지만 이 지역의 독자적인 문화가 바로 사라지는 것이 아니고, 일정기간 지속되었음을 알 수 있다. 즉 특징적인 고분인 웅관고분이나 전 시기에 시작된 전방후원형고분은 6세기 전반까지 축조되었다.

그리고 6세기 전반 『양직공도』의 주변 소국 중에 일부가 영산강유역에 위치하고 있어 이 시기까지 소국들의 존재가 있음을 알 수 있다. 다만 이를 근거로 독자적인 세력, 즉 마한의 존재를 언급할 수 없으며 이미 백제의 지배를 받았던 시기로 보아야 한다. 이 지역에 대한 백제의 지배방식은 간접지배에서 직접지배로 전환되었으며 그 형태가 왕후제일 가능성이 있다. 즉 5세기 중엽경의 고흥 길두리 안동 고분에서 백제계 금동관과 금동신발이 출토된 것은 백제와 관련이 깊은 수장층의 무덤임을 보여주면

---

9) 나주 송제리 고분은 국립나주문화재연구소(2019)에 의해 발굴조사 결과 6세기 전반경으로 추정되고 있어 석실의 구조만으로 추정된 연대(5세기 후반)와 차이를 보이고 있다. 이러한 차이는 추가장으로 인하여 생긴 것인지 아닌지 세밀한 조사결과를 지켜보아야 할 문제이다.

서 왕후제로 보는 근거가 되고 있다. (임영진 2010; 문안식 2007) 또 5세기 후엽~6세기 초의 나주 복암리 3호분과 정촌고분에서 금동신발 등이 출토된 것으로 보아 이러한 관계가 웅진시대에도 지속되었음을 알 수 있다.

다섯 번째 단계는 백제의 지방으로 편입된 시기(6세기 중엽~660년)이다. 백제가 전남지역을 지방으로 편입한 것은 사비천도 후 五方制를 실시한 6세기 중엽경으로 보고 있다(김영심 1997; 강봉룡 1998). 즉 백제가 웅진에 천도할 당시 백제의 편제 대상은 충청도의 웅주, 전북지역의 전주, 전남 지역의 무주(무진주)에 각각 대등되는데 웅주는 13군, 전주는 10군, 무주는 13군으로 구성되어 있고, 웅주와 전주의 군들만 합치면 23군으로 22담로와 비슷하다는 것이며 여기에 무주 13군을 합치면 36군으로 백제 멸망시의 37군과 근사하다는 것이다. 사비시대 백제의 지방통치는 方-郡-城체제이다. 즉 5방 37군 200성으로 구성되었다. 五方 중에서 西方이나 南方은 전남지역에 비정되고 있다.

이 시기가 되면 본격적으로 백제계 석실분이 영산강유역에서 나타나는 등 고고학적 자료에서도 백제적인 문화요소가 대규모로 나타나고 있다. 즉 나주 복암리 고분군 주변에서 출토된 목간들은 당시 백제의 문화 양상을 잘 보여주고 있다(김성범 2010; 김창석 2012).

V. 맺음말

영산강유역에서는 일찍부터 독특한 문화가 자리잡았다. 특히 논란이 되는 것은 4세기 후반에서 6세기 전반까지의 고대사회이다. 이 시기에 대해서는 왜인설, 백제 정복설, 그리고 마한론이 존재한다. 왜인설은 과거 옹관고분의 피장자를 왜인으로 보는 것으로 시작되었으나 이후 이것이 부정되었지만 1980년대 중반 전방후원형고분이 확인되면서 새롭게 대두되었다. 백제의 마한 정복설은『일본서기』신공기 기사를 근거로 백제 근초고왕 24년(369)에 이 지역이 백제에 편입되었다는 것이다. 그런데 이 기사에 대한 해석이 달라지면서 영산강유역에 대한 백제의 직접지배는 5세기 중엽 혹은 6세기 전반 사이에서 다양하게 제시되고 있다.

그리고 마한이 6세기 전반까지 호남지역에 자리잡았다는 확대된 마한론은 최근 전북지역을 제외한 영산강유역에 한정되는 경향이 있다. 하지만 이 경우에도 몇 가지 의문이 제기된다. 첫째, 과연 이러한 주장을 뒷받침하는 문헌자료가 있는가 하는 것이다. 실제로 한·중·일 고대 문헌기록에는 기원후 300년 이후에 마한이 나타나지 않는다. 둘째, 영산강유역에서 5세기에서 6세기 전반의 독특한 문화를 마한에 속한다고 볼 수 있는가 하는 문제이다. 이를 뒷받침하기 위해서는 마한이 통합된 정치체로 발전되었어야 하고, 중부지역에서 이동되었다는 것이 증명되어야 한다. 셋째, 영산강유역에서는 기원후 1세기~3세기경까지 수장층을 나타내는 무덤이 발견되지 못하고 있다. 이를 어떻게 설명할 수 있을지도 의문이다.

백제가 영산강유역을 4세기 후반부터 직접지배를 하였다고 보기는 어렵다. 그렇다면 4세기 후반에서 6세기 전반까지 옹관고분을 비롯한 고총고분의 등장 등 독특한 문화양상을 마한의 문화로 볼 것인지 아니면 백제의 지방문화로 볼 것인지 여전히 논란의 대상이 되고 있다. 필자는 이 시기에 백제의 문화요소가 점진적으로 증가하는 경향을 볼 수 있고, 문헌적인 근거를 찾을 수 없기에 마한으로 볼 수 없다는 입장이다.

【참고문헌】

강봉룡 1998, 「5~6세기 영산강유역 '옹관고분사회'의 해체」, 『백제의 지방통치』(한국상고사학회편), 학연문화사.

강봉룡 1999, 「3~5세기의 영산강유역 '옹관고분사회'와 그 성격」, 『역사교육』 69, 역사교육연구회.

강봉룡 2000, 「영산강유역 고대사회 성격론-그간의 논의를 중심으로-」, 『영산강유역 고대사회의 새로운 조명』, 전라남도 · 역사문화학회.

강봉룡 2006, 「고대 동북아 연안항로와 영산강 · 낙동강유역」, 『가야, 낙동강에서 영산강으로』(제12회 가야사국제학술대회), 김해시.

국립나주문화재연구소 2019, 「나주 송제리 고분 발굴조사 지도위원회 자료」.

권오영 1986, 「초기백제의 성장과정에 관한 고찰」, 『한국사론』15, 서울대학교 국사학과.

권오영 2010, 「마한의 종족성과 공간적 분포에 대한 검토」, 『한국고대사연구』 60, 한국고대사학회.

김기섭 1995, 「근초고왕대 남해안 진출설에 대한 재검토」, 『백제문화』24, 공주대학교 백제문화연구소.

김기섭 2000, 『백제와 근초고왕』, 학연문화사.

김기섭 2019, 「백제의 마한 병합과 호서지역」, 『호서 마한의 대외 관계망 형성』(2019년 특별전 연계 학술심포지엄), 국립청주박물관 · 한국상고사학회.

김낙중 2012, 「영산강유역 고대사회의 성장과 변동과정-3~6세기 고분자료를 중심으로」, 『백제와 영산강』, 학연문화사.

김성범 2010, 「나주 복암리 출토 백제목간의 고고학적 연구」, 공주대학교 박사학위논문.

김승옥 2007, 「금강유역 원삼국-삼국시대 취락의 전개과정 연구」, 『한국고고학보』65, 한국고고학회.

김승옥 2019, 「호남지역 마한과 백제, 그리고 가야의 상호관계」, 『마한, 백제 그리고 가야』(제27회 호남고고학회 정기학술대회), 호남고고학회.

김영심 1997, 「백제 지방통치체제의 연구-5~7세기를 중심으로-」, 서울대학교 박사학위논문.

김원용 1990, 「마한고고학의 현상과 과제」, 『마한 · 백제문화』12, 원광대학교 마한 · 백제문화연구소.

김장석 2009, 「호서와 서부호남지역 초기철기시대 · 원삼국시대 편년에 대하여」, 『호남고고학보』33, 호남고고학회.

김종만 2010, 「일본열도의 마한 · 백제계토기」, 『21세기의 한국고고학』3(최몽룡편), 주류성출판사.

김주성 1997, 「영산강유역 대형옹관묘 사회의 성장에 대한 시론」, 『백제연구』27, 충남대학교 백제연구소.

김창석 2012, 「나주 복암리 木簡을 통해 본 영산강 유역의 戶口와 農作」, 『백제와 영산강』, 학연문화사.

김태식 1993, 『가야연맹사』, 일조각.

김태식 2007, 「가야와의 관계」, 『백제의 대외교섭』(백제문화사대계연구총서9), 충남역사문화연구원.

노중국 1978, 「백제왕실의 남천과 지배세력의 변천」, 『한국사론』4, 서울대학교 국사학과.

노중국 1987, 「마한의 성립과 변천」, 『마한 · 백제문화』10, 원광대학교 마한 · 백제연구소.

노중국 1988, 『백제정치사연구』, 일조각.

노중국 2003, 「마한과 낙랑 · 대방군과의 군사 충돌과 목지국의 쇠퇴」, 『대구사학』71, 대구사학회.

노중국 2012, 「문헌 기록을 통해 본 영산강유역-4-5세기 중심으로-」,『백제와 영산강』, 학연문화사.

노중국 2018, 「문헌사에서 본 마한의 연구동향」,『마한고고학개론』, 중앙문화 재연구원 학술총서 40, 진인진.

문안식 2007, 「고흥 길두리고분 출토 금동관과 백제의 왕·후제」,『한국상고 사학보』55, 한국상고사학회.

박순발 1998, 「전기 마한의 시·공간적 위치에 대하여」,『마한사 연구』, 충남 대학교 출판부.

박순발 2000, 「백제의 남천과 영산강유역 정치체의 재편」,『한국의 전방후원 분』, 충남대학교 출판부.

박영훈 2009, 「전방후원형 고분의 등장배경과 소멸」,『호남고고학보』32, 호남 고고학회.

박현숙 1998, 「백제 사비시대의 지방통치와 영역」,『백제의 지방통치』, 학연 문화사.

박현숙 2016, 「3~4세기 백제의 대외관계와 왕권」,『한국 고대의 왕권』, 제29 회 한국고대사학회 학술토론회.

박형열 2019, 「원삼국시대 토기로 본 중서부와 영남지역의 대외교류」,『호서 마한의 대외 관계망 형성』(2019년 특별전 연계 학술심포지엄), 국립 청주박물관·한국상고사학회.

서현주 2004, 「유물을 통해 본 백제지역과 일본열도의 관계-4~6세기를 중심 으로-」,『백제시대의 대외관계』, 제9회 호서고고학회 학술대회.

서현주 2007, 「호남지역의 왜계문화」,『교류와 갈등-호남지역의 백제, 가야, 그리고 왜-』, 제15회 호남고고학회 정기학술대회.

서현주 2012, 「영산강유역의 토기 문화와 백제화 과정」,『백제와 영산강』, 학연문화사.

설성경 1998, 「한·일 국학갈등의 원천을 해체한다-한반도 내의 '왜'의 존재 가능성을 중심 으로-」(제287회 국학연구발표회 발표요지), 연세대 국학연구소.

성낙준 1983, 「영산강유역 옹관묘 연구」, 『백제문화』15, 공주사범대학 백제문화연구소.

성낙준 1997, 「백제의 지방통치와 전남지방 고분의 상관성」, 『百濟의 中央과 地方』, 충남대학교 백제연구소.

성정용 2016, 「마한·백제지역 분구묘의 출토유물과 성격」, 『선사와 고대』49, 한국고대학회.

성정용 2018, 「마한의 시간과 공간」, 『마한고고학개론』, 중앙문화재연구원 학술총서 40, 진인진.

신석열 2016, 「신라의 지방통치과정과 연산동고분군」, 『연산동 고총고분과 그 피장자들』, 부산광역시 연제구청·부산대학교박물관.

연민수 2002, 「고대 한일 외교사-삼국과 왜를 중심으로-」, 『한국고대사연구』27, 한국고대사연구회.

유원재 1999, 「백제의 마한정복과 지배방법」, 『영산강유역의 고대사회』, 학연문화사.

윤용구 1998, 「『삼국지』한전 대외관계기사에 대한 일검토」, 『마한사연구』, 충남대학교출판부.

이근우 1997, 「웅진시대 백제의 남방경역에 대하여」, 『백제연구』27, 충남대학교 백제연구소.

이기동 1992, 「기마민족설에서의 한·왜연합왕국론 비판」, 『한국사시민강좌』11, 일조각.

이기동 1994, 「백제사회의 지역공동체와 국가권력」, 『백제사회의 제문제』, 제

7회 국제학술대회, 충남대학교 백제문화연구소.

이남석 2013, 「마한 분묘와 그 묘제의 인식」, 『마한·백제문화』22 (고전영래 교수추도특집).

이덕일·이희근 1999, 『우리 역사의 수수께끼』, 김영사.

이도학 1995, 「마한제국의 성장과 백제국의 복속과정-해남지역을 중심으로-」, 『백제의 고대국가연구』, 일지사.

이동희 2007, 「남해안 일대의 가야와 백제문화」, 『교류와 갈등-호남지역의 백제, 가야, 그리고 왜-』, 제15회 호남고고학회 정기 학술대회.

이병도 1959, 「백제의 흥기와 마한의 변천」, 『한국사-고대편』, 진단학회.

이영식 1995, 「백제의 가야진출과정」, 『한국고대사논총』7, 가락국사적개발연구원.

이영철 2015, 「영산강유역 고대 취락 연구」, 목포대학교 박사학위논문.

이정호 1999, 「영산강유역의 고분변천과정과 그 배경」, 『영산강유역의 고대사회』, 학연문화사.

이정호 2013, 「고분으로 본 전남지역 마한 제국의 사회 성격」, 『전남지역 마한 제국의 사회 성격과 백제』, 2013년 백제학회 국제학술회의, 백제학회.

이택구 2008, 「한반도 중서부지역의 마한 분구묘」, 『한국고고학보』66, 한국고고학회.

이한상 2014, 「한성백제의 중앙과 지방 관계를 보여주는 고고자료」, 『백제의 왕권은 어떻게 강화되었나』 '쟁점백제사' 집중토론 학술회의IV, 한성백제박물관.

이현혜 1984, 『삼한사회 형성과정의 연구』, 일지사.

이현혜 1988, 「4세기 가야사회의 교역체계의 변천」, 『한국고대사연구』1, 한국고대사학회.

이현혜 2000, 「4~5세기 영산강유역 토착세력의 성격」, 『역사학보』166, 역사
학회.

임영진 1995, 「마한의 형성과 변천에 대한 고고학적 고찰」, 『삼한의 사회와
문화』(한국고대사학회편), 신서원.

임영진 1997a, 「나주지역 마한문화의 발전」, 『나주 마한문화의 형성과 발전』,
나주시 · 전남대박물관.

임영진 1997b, 「전남지역 석실봉토분의 백제계통론 재고」, 『호남고고학보』6,
호남고고학회.

임영진 1997c, 「마한 소멸시기 재고」, 제15회 마한역사문화연구회 학술대회.

임영진 2010, 「백제의 남해안지역 진출-침미다례 문제를 중심으로-」, 『호남
동부지역의 가야와 백제』, 제18회 호남고고학회 학술대회.

전남문화재연구소 2019a, 『영산강유역 마한문화 재조명』, 학연문화사.

전남문화재연구소 2019b, 『영산강유역 마한사회의 여명과 성장』, 학연문화사.

정재윤 2009, 「백제의 섬진강유역 진출에 대한 고찰」, 『백제와 섬진강』, 서경
문화사.

조근우 1996, 「전남지방의 석실분연구」, 『한국상고사학보』21, 한국상고사학
회.

주보돈 1996, 「마립간시대 신라의 지방통치」, 『영남고고학』19, 영남고고학회.

중앙문화재연구원 2018, 『마한고고학개론』, 중앙문화재연구원 학술총서 40,
진인진.

최몽룡 1978, 「전남지방소재 지석묘의 형식과 분류」, 『역사학보』78, 역사학회.

최몽룡 1986, 「고고학적 측면에서 본 마한」, 『마한 · 백제문화』9, 원광대학교
마한 · 백제연구소.

최몽룡 1988, 「반남면 고분군의 의의」, 『나주 반남면 고분군』, 국립광주박물관.

최성락 2000, 「영산강유역 고대사회의 형성배경」, 『지방사와 지방문화』3-1,

역사문화학회.

최성락 2001, 「마한론의 실체와 문제점」, 『박물관연보』9, 목포대박물관.

최성락 2002, 「삼국의 성립과 발전기의 영산강유역」, 『한국상고사학보』37, 한국상고사학회.

최성락 2004, 「전방후원형 고분의 성격에 대한 재고」, 『한국상고사학보』44, 한국상고사학회.

최성락 2008, 「영산강유역 고대사회의 실체-해석의 관점에 대한 논의-」, 『지방사와 지방문화』11-2, 역사문화학회.

최성락 2009a, 「영산강유역 고분연구의 검토 -고분의 개념, 축조방법, 변천을 중심으로-」, 『호남고고학보』33, 호남고고학회.

최성락 2009b, 「해양교류의 시작, 해남반도의 고고학적 연구성과」, 『해양교류의 시작』, 목포대학교박물관 특별전.

최성락 2011, 「영산강유역 고대사회의 실체」, 『고고학지 17-허공한병삼관장 10주기 추도집』, 국립중앙박물관.

최성락 2014, 「영산강유역 고분연구의 검토 II-고분을 바라보는 시각을 중심으로-」, 『지방사와 지방문화』17-2, 역사문화학회.

최성락 2017a, 「호남지역 철기문화의 형성과 변천」, 『도서문화』49, 목포대학교 도서문화연구원,

최성락 2017b, 「영산강유역 고대사회와 백제에 의한 통합과정」, 『지방사와 지방문화』20-1, 역사문화학회.

최성락·김성미 2012, 「원통형토기의 연구현황과 과제」, 『호남고고학보』42, 호남고고학회.

최성락·김민근 2015, 「영산강유역 석관분의 등장과정과 그 의미」, 『지방사와 지방문화』18-2, 역사문화학회.

최영주 2009, 「삼국시대 토기연통 연구-한반도와 일본열도를 중심으로-」, 『호

남고고학보』31, 호남고고학회.

최완규 2000a, 「마한묘제의 최근 조사 및 연구동향」, 『삼한의 마을과 무덤』, 제9회 영남고고학 학술발표회.

최완규 2000b, 「호남지역 마한분묘 유형과 전개」, 『호남고고학보』11, 호남고 고학회.

최완규 2002a, 「백제의 형성과 발전기의 금강유역」, 『삼국의 형성과 발전기의 남부지방』, 제27회 한국상고사학회 학술발표대회.

최완규 2002b, 「전북지방의 주구묘」, 『동아시아의 주구묘』, 호남고고학회.

최완규 2005, 「분묘유적에서 본 익산세력의 전통성」, 『고대 도성과 익산 왕궁 성』, 제17회 마한ㆍ백제문화 국제학술대회, 원광대학교 마한ㆍ백제 문화연구소.

최완규 2006, 「분구묘 연구의 현황과 과제」, 『분구묘ㆍ분구식 고분의 신자료와 백제』(제49회 전국역사학대회 고고학부 발표자료집), 한국고고학회.

학연문화사 2013, 『전남지역 마한 소국과 백제』(백제학회편).

학연문화사 2014, 『전남지역 마한 제국의 사회성격과 백제』(백제학회편).

학연문화사 2015, 『마한 분구묘 비교 검토』(마한연구원 총서1).

학연문화사 2016, 『마한 분구묘의 기원과 발전』(마한연구원 총서2).

학연문화사 2017a, 『마한ㆍ백제토기 연구 성과와 과제』(마한연구원 총서3).

학연문화사 2017b, 『동북아시아에서 본 마한토기』(마한연구원 총서4).

한신대학교박물관, 2008, 「서울 풍납토성 경당지구 2차 지도위원회의 자료」 (유인물).

한옥민 2016, 「영산강유역 고분의 분형과 축조과정 연구」, 목포대학교 박사 학위논문.

호남고고학회 2019, 『마한, 백제 그리고 가야』(제27회 호남고고학회 정기학 술대회).

江坡輝彌 1987, 「韓國に前方後圓墳は存在するのか」, 『知識』72.

吉井秀夫 1996, 「橫穴式 石室墳의 收用樣相으로 본 百濟의 中央과 地方」, 『百濟의 中央과 地方』, 제8회 백제연구 국제학술대회. 115-160쪽.

武末純一 2008, 「일본 출토 영산강유역 관련 고고학 자료의 성격」, 『고대 영산강유역과 일본의 문물교류』, (사)왕인박사현창협의회.

森浩一編 1984, 『韓國の前方後圓墳』, 社會思想社.

松永悅枝 2009, 「고분출토 취사용 토기로 본 고대 한일장송의례의 비교-일본열도 瀨戶內地域을 중심으로-」, 『영남고고학』50, 81-109쪽.

有光敎一 1940, 「羅州潘南面古墳の調査」, 『昭和十三年度古蹟調査報告』, 朝鮮古蹟調査研究會.

田中俊明 1996, 「百濟 地方統治에 대한 諸問題-5~6세기를 중심으로-」, 『百濟의 中央과 地方』, 제8회 백제연구 국제학술대회, 163-182쪽.

井上秀雄 1977, 『東アジア民族史』1, 平凡社.

朝鮮總督府 1920, 『大正六年度 朝鮮古蹟調査報告書』.

문헌사료로 본 백제의 마한 통합과정

정동준 (성균관대학교 사학과 BK21+사업단 연구교수)

Ⅰ. 머리말

백제사의 전개과정에서 빠뜨릴 수 없는 요소 중 하나가 마한과의 관계이다. 백제사 자체가 마한의 극복과 통합과정이라고도 볼 수 있을 정도로, 마한의 일부로 출발하였던 백제가 마한 지역 전체를 지배하는 국가로 성장하기까지의 과정은 지난한 것이었다.

그러나 이러한 지난한 과정을 전하는 문헌사료인『三國史記』百濟本紀, 中國正史의 마한 및 백제관련기록,『日本書紀』등은 어느 한 자료를 중심으로 백제와 마한의 관계를 설명하기도 어렵고, 충돌되는 부분이 많아서 셋을 종합하여 설명하기도 쉽지 않다.『三國史記』百濟本紀의 경우 관련사료가 온조왕대에 집중되어 있어 연대의 신뢰성에 문제가 있다. 中國正史의 마한 및 백제관련기록의 경우『三國史記』와 충돌되는 동시에 일부는 서술대상연대가 불분명하여 내용의 정확성에 의문이 있는 부분이 적지 않다.『日本書紀』의 경우 관련사료 중 특정한 목적 아래에 서술된 부분이 많아서 내용의 신뢰성에 의문이 있는데다가, 내용을 신뢰한다 하더라도 사료의 연대가 논쟁이 되는 부분이 적지 않다.

문헌사료의 상황이 이러하기 때문에 문헌사료에만 의존하여 백제와 마한의 관계를 설명하기는 어렵다. 그에 따라 관련연구는 고고학 자료를 중심으로 하거나 문헌사료와 고고학 자료를 결합시키는 형태로 진행되어 왔다. 옛 백제 및 마한 지역에 대한 한국학계의 고고학적 조사는 1970년대에 무령왕릉 발굴을 계기로 시작되었지만, 자료가 축적되어 조사결과가 관련연구에 큰 반향을 일으키게 된 것은 대체로 1990년대부터였다.

※ 이 글은 2019년 7월 5일에 담양리조트 송강홀에서 개최된 "영산강유역 마한사회와 백제의 유입" 학술대회에서 발표한「문헌사료로 본 백제의 마한 통합과정」을 수정·보완하여『백제학보』29에 게재했던 것이다.

그 결과 1980년대까지는『三國史記』와『日本書紀』에 의거하여 4세기 중반의 근초고왕대에 백제가 마한 통합을 완료하였다는 것이 통설이었지만, 1990년대 이래로 5~6세기 영산강 유역 등의 문화적 독자성을 보여주는 고고학 자료가 증가하면서 통설이 위협받게 되었다.

현재는 여전히 기존의 통설을 고수하는 견해, 문헌사료와 고고학 자료를 결합하여 백제의 점진적 영역확대를 주장하며 마한 통합시기를 통설보다 늦춰보는 견해, 고고학 자료 중심 또는『日本書紀』의 신뢰성 비판에 기초하여 영산강 유역의 정치적 독자성을 강조하고 백제의 마한 통합시기를 6세기 중반의 성왕대로 파악하는 견해 등이 대립하고 있다고 할 수 있다. 기존의 통설을 고수하는 견해에서는 정치적 지배와 문화적 차이가 별개임을 강조하고, 점진적 영역확대를 주장하는 견해에서는 정치적 지배와 문화적 차이 사이에 발생하는 시차를 강조하며, 영산강 유역의 정치적 독자성을 강조하는 견해는 정치적 지배와 문화적 차이의 관련성을 강조하거나 기존 통설의 사료 해석에 문제가 있음을 지적하였다.

지금까지의 연구사가 이러하기 때문에, 본래대로라면 백제와 마한의 관계 문제를 다루기 위해서는 문헌사료와 고고학 자료 양자 모두를 다루어야 한다. 그러나 필자는 고고학 자료에 대한 해석 능력을 갖추지 못하여 지금까지 이 문제를 연구한 적이 없었다. 대신 문헌사료 비판의 입장에서『일본서기』관련사료의 문제점을 지적한 적이 있었을 뿐이다.[1] 그렇기 때문에 굳이 제대로 할 수 없는 부분을 억지로 다루기보다는, 기존 연구의 연장선상에서 이 문제와 관련된 문헌사료와 관련연구를 전반적으로 살펴보고 문제점 및 향후 과제를 제시해 보고자 한다.

위와 같은 문제의식을 가지고 이 글에서는 먼저 통설에서 문제가 되었

---

1) 정동준, 2018,「백제 근초고왕대의 마한 영역화에 대한 사료 재검토」,『한국고대사연구』91.

던 근초고왕대 백제와 마한의 관계에 대한 사료와 관련연구를 재검토하고자 한다. 그 후, 특히 논쟁의 되었던 현재의 전라도 지역을 둘로 나누어 금강 이남 노령산맥 이북, 영산강 및 섬진강 유역의 순서로 사료와 관련연구를 검토하고자 한다. 이러한 검토의 결과로 관련 문헌사료의 전반적인 상황을 파악하는 것은 물론 향후 연구에 새로운 시각을 제시할 수 있다면, 특별한 결론을 내리지 못하더라도 연구사적 의의가 있는 글이 되지 않을까 기대해 본다.

Ⅱ. 근초고왕대 관련사료의 재검토

근초고왕대 백제와 마한의 관계에 대한 문헌사료는『日本書紀』神功紀 49년조가 사실상 유일하다고 할 수 있다. 다만『三國史記』에도 백제와 마한의 관계를 보여주는 사료가 百濟本紀 溫祚王 부분에 다수 포함되어 있는데, 대략적인 내용을 살펴보기 위해 제시하면 사료 A와 같다. 사료상으로는 온조왕대로 되어 있지만 이 중 일부를 근초고왕대 사실의 소급으로 파악하는 견해가 있어,『日本書紀』神功紀 49년조에 앞서서 검토하는 것이다. 사료 A는 전거가 모두『三國史記』卷23, 百濟本紀1 溫祚王이기에 전거 제시를 생략하였다.

A-1. 10년 가을 9월에 왕이 전렵을 나가 신이한 사슴을 얻어서, 馬韓에 보냈다.

A-2. 13년 8월에 馬韓에 사신을 파견하여 천도를 알렸다. 마침내 강역을 획정하여, 북쪽으로는 浿河에 이르고, 남쪽으로는 熊川에 한정되며, 서쪽으로는 큰 바다로 끝나고, 동쪽으로는 走壤에 다한다.

A-3. 18년 겨울 10월에 말갈이 갑자기 이르렀다. 왕이 병사를 이끌고 七重河에서 맞서 싸우니, 추장 素牟를 사로잡아서 馬韓에 보냈다. 그 나머지 적은 다 묻었다.

A-4. 24년 가을 7월에 왕이 熊川柵을 만들었다. 馬韓王이 사신을 파견하여 꾸짖었다. "왕이 처음으로 강을 건넜을 때 발을 허용할 곳이 없었는데, 내가 동북쪽 100리의 땅을 떼어서 안거하게 하였다. 그 왕을 대우함이 두텁지 않음이 없으니, 마땅히 생각이 있어서 그것을 갚아야 한다고 생각한다. 지금 국가가 완성되고 백성들이 모였으나, 나와 대적할 수 없다고 여긴다. 성과 해자를 크게 설치하여 우리 봉강을 침범하니, 그 뜻이 어떠한가?" 왕이 부끄러워하여 마침내 그 목책을 무너뜨렸다.

A-5. 25년 봄 2월에 왕궁의 우물물이 갑자기 넘쳤다. 漢城의 인가에서 말이 소를 낳았는데, 머리가 하나이고 몸이 둘이었다. 일관이 말하였다. "우물물이 갑자기 넘친 것은 대왕이 발흥할 조짐입니다. 소의 머리가 하나이고 몸이 둘인 것은 대왕이 이웃나라를 병합할 조짐입니다." 왕이 그것을 듣고 기뻐하여, 마침내 辰韓 · 馬韓을 병탄할 마음을 가지게 되었다.

A-6. 26년 가을 7월에 왕이 말하였다. "馬韓이 점차 약해져서 위아래로 마음이 괴리되니, 그 세력이 지속될 수 없을 것이다. 만약 남에게 병합당하다면 입술이 없어져서 이가 시린 것이니 후회하여도 미칠 수 없을 것이다. 남보다 앞서서 그것을 취하여 나중의 어려움을 면하는 것만 못하다." 겨울 10월에 왕이 군사를 내어 겉으로는 전렵한다고 말하고 몰래 馬韓을 습격하였다. 마침내 그 國邑을 병합하여, 圓山 · 錦峴 두 성만이 굳게 지켜서 함락되지 않았다.

A-7. 27년 여름 4월에 두 성(圓山 · 錦峴)이 항복하자, 그 백성을 漢山 북쪽으로 옮겼다. 馬韓이 마침내 멸망하였다. 가을 7월에 大豆山城을 축조하였다.

A-8. 34년 겨울 10월에 馬韓의 옛 장수 周勤이 牛谷城에 근거하여 반란하였다. 왕이 병사 5,000명을 몸소 이끌고 그를 토벌하였다. 周勤이 스스로 목매자 그 시체를 요참하였고, 아울러 그 처자를 주살하였다.

A-9. 36년 가을 7월에 湯井城을 축조하고, 大豆城의 민호를 나누어 그곳에 거처하게 하였다. 8월에 圓山 · 錦峴 두 성을 수리하였다. 古沙夫里城을 축조하였다.

A-1~9의 내용을 시간순으로 훑어보면, 馬韓王을 의식할 수밖에 없을 정도로 약자였던 백제가 마한을 무력으로 정복하고 통합해가는 과정이 잘 드러나고 있다. A-1~3에서는 중요한 일마다 마한왕에게 보고하여 일종의 속국 상태에 있는 백제의 모습이 보였으나, A-4에서는 마한의 속박에서 벗어나려는 시도를 하여 갈등을 빚고 있다. A-5~7에서는 백제가 기습으로 마한을 멸망시키는 과정이, A-8~9에서는 마한 멸망 이후 수습조치를 통하여 통합해 가는 과정이 보이고 있다.

문제는 이러한 내용이 기원전후인 溫祚王代에 집중되어 있다는 것이다. 이 시기의 백제가 마한을 멸망시키고 통합할 정도의 국력을 갖추었다고 파악하는 연구자는 많지 않기에, 대체로 이 내용은 후대의 사적이 시조인 온조왕을 돋보이게 하기 위하여 소급되었다고 파악하는 경우가 많다. 또한 A-1~9의 내용을 온조왕대의 사실로 받아들이는 경우라 하더라도, 이것을 마한 전체의 멸망 내지 통합으로 해석하기보다는 그 전 단계로서 마한의 맹주국인 목지국이나 그보다 작은 1개 소국의 멸망 내지 통합으로 해석한다.

따라서 A-1~9의 내용을 가지고 온조왕대에 백제가 마한 전체를 통합하였다고 보기는 어렵다. 논리적으로도 하나의 정치체로 자리잡은 지 10년 남짓한 소국 정도의 집단이 그로부터 불과 10여 년만에 특별한 계기가 없이 자신을 통제하던 거대세력을 쓰러뜨렸다고 보기는 어렵다.[2] 다만 주의할 점은 온조왕대를 제외하면『三國史記』는 물론 그 어떤 문헌사료에도 근초고왕대 이전에 백제의 주변소국 병합과정이 나타나지 않는다는 점이다. 이것은『三國史記』에 고구려나 신라의 주변소국 병합과정이 장기간에 걸쳐 비교적 상세하게 나타나고 있는 것과 대조적인데, 백제본기가 고구려본기·신라본기와 다른 특징이기도 하다.

결국 A-1~9는 온조왕대에 집중되어 있지만 장기간에 걸친 백제의 주변소국 병합과정을 단기간에 압축하여 전하는 기록이라고 보는 것이 좋지 않을까 한다. 다만 그 장기간이 어느 정도인지는 현전하는 사료로는 판단하기 어렵다.

논쟁이 되기는 하지만, 문헌사료에서 백제의 주변소국 병합과정을 살펴볼 수 있는 시기는 근초고왕대이다. 그 내용을 전하는 것은『日本書紀』卷9, 神功紀인데, 사료 B를 통하여 구체적인 내용을 검토해 보고자 한다.

B-1. 49년 봄 3월 아라타와케[荒田別]·카가와케[鹿我別]를 장군으로 삼아, 久氐 등과 함께 군대를 정비하여 탁순국으로 건너가서 장차 신라를 치게 하였다. 이 때 어떤 사람이 말하였다. "군사가 적으면 신라를 깨뜨릴 수 없습니다. 다시 沙白·蓋盧를 보내 군사를 늘려 주도록 요청하십

---

2) 실제로 A-3과 A-4, A-4와 A-5의 사이에 백제가 급격히 성장할 만한 계기는 찾기 어렵다. 이 경우를 衛滿의 사례와 유사하다고 볼 수도 있다. 그러나 위만은 사료상으로도 漢의 선진문물을 가지고 왔다는 것이 드러나 있는 반면, 백제의 경우 그러한 것이 사료상으로 드러나지 않는다. 급습에 의해 맹주국이 멸망함으로써 연맹체가 해체되었다고 설명할 수도 있겠지만, 그것은 후대의 국가처럼 집권화가 진전되어 명확히 도읍이라는 중심지가 있고 그곳에 모든 것이 집중되었을 때 가능하다. 마한의 단계에는 각 소국이 반독립적이었다고 생각되므로, 맹주국인 목지국이 멸망하면 다른 맹주국이 등장할 가능성이 높을 뿐이다. 따라서 후대의 국가처럼 중심지인 맹주국의 멸망이 곧바로 마한의 해체로 이어졌다고 보기는 힘들다.

시오." 곧 木羅斤資·사사나쿠[沙沙奴跪]<이 두 사람은 그 성을 모르는 사람이다. 다만 목라근자라는 자는 백제의 장수이다.>에게 정예 병력을 거느리고 사백·개로와 함께 파견하도록 명하니, 탁순국에 모두 모여 신라를 격파하였다. 이로 인하여 비자발·남가라·탁국·안라·다라·탁순·가라의 7국을 평정하였다. 이어서 군대를 옮겨 서쪽으로 돌아 古奚津에 이르고, 남만 忱彌多禮를 도륙하여 백제에게 하사하였다. 이에 그 왕 肖古 및 왕자 貴須도 군대를 거느리고 와서 만났다. 이때 比利·辟中·布彌支·半古의 4읍이 스스로 항복하였다. 이런 까닭으로 백제왕 부자와 아라타와케·목라근자 등이 오루스키[意流村]<지금은 츠루스키[州流須祇]라고 한다.>에서 함께 서로 만나 기뻐하고 후하게 대접하여 보냈다. 오직 치쿠마나가히코[千熊長彦]와 백제왕만이 백제국에 이르러 辟支山에 올라가 맹세하고, 다시 古沙山에 올라가 함께 반석 위에 앉았다. 이때에 백제왕이 맹세하였다. "만약 풀을 깔아 자리를 만들면 불에 탈까 두렵고, 또 나무로 자리를 만들면 물에 떠내려갈까 걱정된다. 그러므로 반석에 앉아 맹세하는 것은 오래도록 썩지 않을 것임을 보여주는 것이니, 지금 이후로는 천년 만년 영원토록 늘 서쪽 번국이라 칭하며 봄 가을로 조공하겠다." 곧 치쿠마나가히코를 거느리고 도읍에 이르러 후하게 예우를 더하고, 구저 등을 딸려서 보냈다.

B-2. 50년 여름 5월에 치쿠마나가히코·구저 등이 백제에서 이르렀다. 이리하여 황태후가 그들을 환대하며 구저에게 물었다. "바다 서쪽의 여러 한은 이미 너희 나라에게 주었다. 지금 무슨 일로 자주 다시 왔는가?" 구저 등이 아뢰었다. "조정의 큰 은택은 멀리 저의 읍에도 미쳤습니다. 저희 왕은 기뻐하며 뛰어올라 마음에 맡기지 못하였으므로, 인하여 다시 사신을 파견하여 지극한 정성을 드렸습니다. 비록 만세에 미치더라도 어느 해라도 조공하지 않겠습니까?" 황태후가 칙하였다. "좋도다, 너의 말. 이

것은 짐의 마음이다." 多沙城을 더 하사하여 오가는 길의 역으로 삼았다.

B-1에 대해서는 이미 다른 글을 통하여 검토한 바가 있기에,[3] 결론만 간단히 요약해 제시하고자 한다. B-1은 크게 세 부분으로 나눌 수 있는데, 각각 백제·왜 연합군의 탁순 등 7국 평정, 忱彌多禮의 도륙과 4읍의 항복, 辟支山 및 古沙山에서의 백제와 왜의 맹세로 되어 있다. 이 중 탁순 등 7국 평정, 忱彌多禮의 도륙과 4읍의 항복은 아라타와케·카가와케 등의 후손들이 바친 씨족 전승에 의거하였을 가능성이 높고, 왜측의 등장인물들이 근초고왕대에 실재하였다고 보기 어려웠다. 특히 최근의『日本書紀』편찬과정에 대한 연구성과에 따르면, 神功紀 자체가 繼體紀·欽明紀보다 나중에 편찬되어. B-1도 6세기의 사실을 바탕으로 윤색·가필되었을 가능성이 높았다.

다만 위에서 서술한 것은 어디까지나 B-1에 대한 필자 개인의 의견이다. 백제와 마한의 관계에 대한 선행연구들의 B-1을 해석하는 다양한 의견을 제시하면 다음과 같다. 먼저 B-1 자체에 대해서는 마한 전체 정복,[4] 5읍만 정복한 부분적 정복 내지 간접지배,[5] 마한에 대한 영역화 비판의[6]

---

3) 정동준, 2018, 앞의 논문, 101~108쪽.

4) 노중국, 1987,「馬韓의 成立과 變遷」,『마한백제문화』10, 40~41쪽; 이기동, 1987, 「馬韓領域에서의 百濟의 成長」,『마한백제문화』10, 65~66쪽; 박찬규, 2001,「백제의 마한사회 병합과정 연구」,『국사관논총』95, 27~30쪽; 정재윤, 2013,「문헌자료로 본 比利辟中布彌支半古四邑」,『백제학보』9, 3~7쪽. 박찬규는 영역화되기는 하였지만 문화적 전통이 유지되었다고 하였다.

5) 이도학, 1995,「海南 지역 馬韓세력의 성장과 백제로의 복속과정」,『한국학논집』26, 388~391쪽; 김병남, 2001,「百濟의 영토 확장과 전라도 지역의 服屬」,『전북사학』24, 31~34쪽; 양기석, 2013,「全南地域 馬韓社會와 百濟」,『백제학보』9, 8~10쪽; 문안식, 2014,「백제의 전남지역 마한 제국 편입 과정」,『백제학보』11, 118~121쪽.

6) 강봉룡, 2000,「榮山江流域 古代社會 性格論」,『지방사와 지방문화』3-1, 64~75쪽;

3가지 정도로 나누어 볼 수 있다.[7] 특히 전체 정복설에서는 그 근거로 광개토왕비에 마한이 등장하지 않기 때문에 4세기 말에는 이미 마한이 소멸되었다고 보았던 반면,[8] 다른 견해에서는 광개토왕비에 마한이 등장해야할 이유가 없기 때문에 그러한 주장은 따르기 어렵다고 반박하기도 하였다.[9] 필자는 전자보다 후자가 적절하다고 생각한다. 다시 말해서 광개토왕의 정복활동과 수묘인의 출신지를 기록하는 사료의 맥락상 광개토왕비에는 정복지역만이 기록될 수밖에 없고, 정복지역 이외에 당시 만주와 한반도에 존재하던 모든 정치체가 나올 필요는 없다는 것이다.

다음으로 忱彌多禮에 대해서는 3세기 후반의 新彌國과 연결시키고[10] 현재의 해남 지역으로 파악하는 것이[11] 일반적이다. 이에 비하여 B-1에서 항복한 정치체에 대해서는 比利 · 辟中 · 布彌支 · 半古의 4읍으로 파

김영심, 2013, 「문헌자료로 본 忱彌多禮의 위치」, 『백제학보』 9, 14~20쪽. 강봉룡의 경우 마한 전체 정복은 물론 단계적 영역화(부분적 정복 내지 간접지배)에 대해서도 재검토까지 요구할 정도로 강하게 비판하였고, 김영심은 忱彌多禮라는 교통로 확보에 불과하다고 하였다.

7) 이 밖에 B-1을 대외교역항의 확보를 전할 뿐 주변 마한세력 특히 반남 세력은 정복된 것이 아니라 오히려 영향력이 확대되었다고도 하였고(文安植, 2001, 「百濟의 榮山江流域 進出과 土着勢力의 推移」, 『전남사학』 16, 14~20쪽), 현재의 부안 지역에 있었던 소국 支半國이 대외교섭창구가 되었음을 보여주는 사료라고 해석하기도 하였으며(김병남, 2003, 「古代 '扶安' 지역의 성장과 발전」, 『전북사학』 26, 28~35쪽), B-1의 南蠻이라는 표현은 복속되지 않은 지역이기 때문에 나온 것이라고도 하였고(문안식, 2003, 「백제의 마한 복속과 지방지배 방식의 변화」, 『한국사연구』 120, 51~52쪽), B-1만으로는 어떠한 사실도 파악하기 어렵다고 하기도 하였다(김기섭, 2014, 「백제의 영역확장과 마한병탄」, 『백제학보』 11, 101~107쪽).

8) 박찬규, 2010, 「문헌을 통해서 본 馬韓의 始末」, 『백제학보』 3, 17~19쪽.

9) 이도학, 2013, 「榮山江流域 馬韓諸國의 推移와 百濟」, 『백제문화』 49, 118쪽.

10) 노중국, 1987, 앞의 논문, 38~40쪽; 이도학, 1995, 앞의 논문, 387~388쪽; 김병남, 2001, 앞의 논문, 34~35쪽; 김영심, 2013, 앞의 논문, 10~14쪽.

11) 김영심, 2013, 앞의 논문, 10~14쪽; 문안식, 2014, 앞의 논문, 119~120쪽; 강봉룡, 2018, 앞의 논문, 18~20쪽. 강봉룡은 특히 해남 지역의 忱彌多禮가 반백제노선의 대표로서 도륙을 당한 것으로 파악하였다.

악하거나[12] 比利 · 辟中 · 布彌 · 支半 · 古四의 5읍으로 파악하였고,[13] 그 위치에 대해서는 금강 이남 및 노령산맥 이북 지역[14] 또는 전라도 서부 해안지역으로[15] 비정하였다. 선행연구상으로 4읍과 5읍 문제는 5읍 쪽으로 기울어진 듯이 보인다. 그러나 B-1이『日本書紀』에 전하는 내용이고 백제계 사료에 의한 것인지가 불분명한 반면 왜측의 씨족 전승에 의거하였을 가능성이 높기 때문에,『日本書紀』의 고판본에 기록된 훈독을 바탕으로 해석할 필요가 있다.[16] 지금까지 5읍을 주장하는 측에서 고판본의 훈독을 부정할 만한 근거를 제시하지 못하였기에 더욱 그러하다.

B-2에 대해서는 그간 그다지 주목되지 않았다. 무엇보다 多沙津의 사여라는 유사한 내용이 繼體紀(후술할 H-3)에 등장하고 있어, 6세기 사실의 소급으로 파악하는 것이 일반적이었다. 다만 이에 대하여 B-2의 내용을 신뢰하는 입장에서 B-2는 교통로로서 多沙津의 확보를, 繼體紀의 내용은 영역으로서 多沙津에 진출한 것을 의미한다고 하여 양자를 구분하는 견해도 있었다.[17] 그러나 사료의 신뢰도가 낮은 B-1의 연장선상에 있는 B-2에 대해서 신뢰를 부여할 수 있을지는 의문이다. 무엇보다도 B-1과 B-2의 전후 기사는 전부 神功皇后의 신라정복설화와 연관되어 서술된 것이어서, 매우 엄정한 사료 비판을 요한다는 점에서 더욱 그러하다. 백제계 사료에 의거하였다거나『日本書紀』편찬시에 소급 · 윤색의 필요성이

---

12) 양기석, 2013, 앞의 논문, 9쪽.
13) 김병남, 2001, 앞의 논문, 34~35쪽; 박찬규, 2010, 앞의 논문, 19~20쪽; 이도학, 2013, 앞의 논문, 117~120쪽.
14) 박찬규, 2010, 앞의 논문, 19~20쪽; 이도학, 2013, 앞의 논문, 117~120쪽; 정재윤, 2013, 앞의 논문, 8~12쪽. 정재윤은 4읍과 5읍 문제에 대하여 양쪽 모두 해석이 가능하다고 하였다.
15) 김병남, 2001, 앞의 논문, 34~35쪽; 양기석, 2013, 앞의 논문, 9쪽.
16) 정동준, 2018, 앞의 논문, 109쪽 주41.
17) 정재윤, 2013, 앞의 논문, 14~15쪽.

없다는 점을 증명할 필요가 있는 것이다. 실제 최근 일본학계의 神功紀에 대한 연구는 해당 연대(2주갑·3주갑 인하 포함)의 사실을 전하는 사료가 아니라 설화 내지 『日本書紀』편찬시의 인식을 보여주는 자료로서 접근하고 있다는 점에서 더욱 그러하다.[18] 그런 점에서 역시 기존의 통설대로 6세기 사실의 소급이라고 보아야 할 것이다.

그런데 근초고왕대의 마한 통합에 대한 통설이 영산강 유역에 대한 발굴조사에 의해 비판받게 되자, 새롭게 주목을 받은 문헌사료가 등장하게 되었다. 그것은 바로 碧骨堤의 축조에 대한 사료이다. 벽골제의 축조 주체를 백제로 파악하여, 김제 지역에 대한 백제의 진출 내지 영역화를 보여주는 사례로서 파악한 것이다. 과연 그러한 견해가 타당한 것인지 다음의 사료 C를 통하여 검토해 보고자 한다.

C-1. 21년(330) 비로소 碧骨池를 열었는데, 물가의 길이가 1,800보였다.

(『三國史記』卷2, 新羅本紀2 訖解尼師今)

C-2. 己丑年(329) 비로소 碧骨堤를 축조하였는데, 둘레가 □만7,026보, □가 □66보, 논이 1만4,070□였다.

(『三國遺事』卷1, 王曆1 第十六 乞解尼叱今)

C-1과 C-2는 명칭이 碧骨池와 碧骨堤로 차이가 나지만, 시기가 1년밖에 차이가 나지 않아서 동일한 사건에 대한 다른 전승으로 보는 것이 일반적이다. 결국 C-1과 C-2는 벽골제의 축조라는 동일한 사건에 대한 전승이고, 축조의 주체가 신라의 訖解尼師今(또는 乞解尼叱今)으로 되어 있다는 점도 동일하다.

문제는 4세기 전반의 신라가 현재의 김제로 비정되는 碧骨堤 축조 지

---

18) 정동준, 2018, 앞의 논문, 106쪽 주33.

역에 영향력을 미칠 수 없었다는 점이다. 그렇기 때문에 이에 대해서는 이 시기에 신라가 벽골제를 축조하였다는 것이 와전이고, 신라가 아니라 백제가 김제 지역에 진출하여 벽골제를 축조한 것이라고 해석해 왔다.[19] 그러나 백제의 축조 및 김제 진출설을 제기한 논자 중 일부는 영역화가 아닌 영향력 정도로 해석을 축소시키기도 하였다.[20] 더욱이 축조주체가 아니라 축조시기의 와전일 가능성이 있고, 현재의 벽골제는 여러 번 증축된 것이기에 처음 축조하였을 때에는 규모가 지금보다 작았을 가능성이 높으며, 발굴조사에서 백제 유물이 전혀 출토되지 않았고, 현재의 벽골제에 보이는 석재 가공 기술은 4세기보다 후대의 것이며, 방사성탄소연대 측정에 사용된 시료도 적절하지 못하다는 것 등 여러 가지 근거를 제시하며 백제의 김제 진출을 정면으로 비판하는 견해가 제시되기도 하였다.[21]

무엇보다 주의해야할 점은 신라가 벽골제를 축조할 수 없었다면 축조할 수 있는 주체는 백제 뿐이라는 이분법적 사고방식이다. 처음 축조된 시기 벽골제의 규모가 사료상으로도 발굴조사의 결과로도 명확하지 않기 때문에, 현재의 모습을 기준으로 동원된 인력을 계산하여 축조주체의 권력을 가늠하는 방법은 적절하지 못하다. 그러한 방법에 따른 결론이 백제일 수밖에 없었던 것이다. 이 결론에 문제가 있다면, 오히려 신라도 백제도 아닌 제3의 축조주체가 존재하였을 가능성도 충분히 고려하여야 할 것이다.

C-1과 C-2의 기록은 제3의 축조주체가 나중에 백제에 병합되고, 백제가 다시 신라에 통합된 후에 중간과정이 생략된 채 결과만 기록한 것일

---

19) 김병남, 2001, 앞의 논문, 30~31쪽; 文安植, 2001, 앞의 논문, 13쪽; 박찬규, 2001, 앞의 논문, 26~27쪽. 특히 김병남은 벽골제의 축조를 중앙집권의 토대가 된 사건이라고 높이 평가하였다.
20) 김병남, 2003, 앞의 논문, 28쪽.
21) 김기섭, 2014, 앞의 논문, 99~101쪽.

가능성도 있다. 『三國史記』초기기록 중에는 결과적으로 삼국에 통합된 정치체의 역사적 경험이 마치 삼국의 역사적 경험인 것처럼 기록된 것이 적지 않기 때문이다. 이 제3의 축조주체는 이 글에서 다루고자 하는 마한 (정확하게는 마한의 1개 소국)일 가능성이 높다.

다만 마한의 범위나 개념에 대해서는 최근 이견이 제시되고 있다.[22] 4세기 이후 문헌사료에서 마한이라는 이름이 사라지는 것은 통설보다 마한의 범위가 좁거나 범위 자체는 통설과 같더라도 목지국이 백제에 병합된 이후 이 제3의 축조주체를 포함한 나머지 옛 마한의 세력(통설의 '마한 잔여세력')들이 마한이 아닌 다른 이름을 사용하였을 가능성이 있기 때문일 것이다. 그렇다고 하더라도 현재 그 다른 이름이 무엇인지 알 수 없어서 오히려 당시 역사상의 이해에 혼란만 초래할 가능성이 높기에, 이 글에서는 이해의 편의를 위하여 통설에 따라 이 제3의 축조주체를 포함하는 세력을 마한으로 부르고자 한다.

벽골제의 축조주체가 마한일 가능성이 있다면, 벽골제의 축조만으로 백제와 마한의 관계를 규정하는 것은 성급하다고 할 수 있을 것이다. 근초고왕대의 백제에 대한 평가가 비류왕대 백제의 세력에 대해서도 영향을 미친 사례가 아닐까 한다. 다만 현재 상황에서 벽골제의 축조주체를 마한으로 볼 수 있는 뚜렷한 근거도 없는 만큼, 이 문제는 현재 단계에서 무리하게 결론을 내리기보다는 확실한 근거가 될 만한 자료의 출현을 기다리는 것으로 하는 쪽이 적절하지 않을까 생각된다.

---

22) 강봉룡, 2000, 앞의 논문, 76~84쪽; 김기섭, 2014, 앞의 논문, 108쪽. 강봉룡은 같은 논문에서 영산강 유역에 존재한 세력의 실체를 마한도 백제도 아닌 옹관고분 사회라고 하였다(93쪽). 김기섭은 '마한'이라는 명칭이 목지국 등 중심세력의 소멸 이후에도 계속 사용되었을지, 소위 '마한 잔여세력'이 모두 동질감을 가졌을지에 대하여 의문을 제기하였다.

Ⅲ. 금강 이남 노령산맥 이북의 통합과정

근초고왕대 백제의 마한 통합과 관련되는 사료를 검토한 결과, 근초고왕대에 백제의 마한 통합이 완료되었다는 1990년대 이전의 통설(이하 '4세기 영역화설'로 약칭)을 입증하기는 어려웠다. 그렇다면 남은 것은 백제의 점진적 영역확대를 주장하며 마한 통합시기를 통설보다 늦춰보는 견해(이하 '단계적 영역화설'로 약칭), 영산강 유역의 정치적 독자성을 강조하고 백제의 마한 통합시기를 6세기 중반의 성왕대로 파악하는 견해(이하 '마한 독자설'로 약칭)이다. 3개의 설에서 공통되는 것은 근초고왕대에 백제가 금강 이북 지역을 영역화하였다는 것이다.

그렇다면 3개의 설에서 나타나는 차이는 금강 이남에 대한 영역화 여부일 것이다. 특히 '단계적 영역화설'에서는 근초고왕대에 금강 이남 노령산맥 이북까지 영역화하고, 영산강 유역은 복속 또는 간접지배하였다고 보았다. 이와 관련하여 근초고왕대 이후 금강 이남 노령산맥 이북 지역이 어떠한 상황에 있었는지를 살펴봄으로써 '단계적 영역화설'과 '마한 독자설'의 타당성을 부분적이라도 검증할 수 있을 것이다. 먼저 中國正史 百濟傳에 보이는 관련기록을 모아보면 아래의 사료 D와 같다.

> D-1. 延興 2년(472) 그 왕 餘慶이 비로소 사신을 파견해 표문을 올렸는데, 다음과 같다. " … 삼가 사사로이 임명한 冠軍將軍 · 駙馬都尉 · 弗斯侯 · 長史 餘禮, 龍驤將軍 · 帶方太守 · 司馬 張茂 등을 파견하니, 험한 파도에 배를 던져 고해에서 지름길을 찾으며 자연의 운에 목숨을 맡기고 만일의 정성을 파견하고 바치니, 천지의 신이 드리워 감응하고 천자의 은택이 크게 뒤덮으며 조정에 이를 수 있어 신의 뜻을 펴기를 바랍니다. 비록 아침에 듣고 저녁에 죽더라도 영원히 남은 한이 없습니다."

D-2. " … 寧朔將軍 · 面中王 姐瑾은 제때 해야할 일을 두루 돕고 무공이

나란히 나열되었으니, 지금 行冠軍將軍 · 都將軍 · 都漢王을 가수합니다.

建威將軍 · 八中侯 餘古는 젊은 나이에 보좌하여 충성이 일찍이 드러났

으니, 지금 行寧朔將軍 · 阿錯王을 가수합니다. 建威將軍 餘歷은 충성심

이 본래부터 있었고 문무가 가지런히 드러났으니, 지금 行龍驤將軍 · 邁

盧王을 가수합니다. 廣武將軍 餘固는 제때 해야할 일에 충성을 다하여 국

정을 빛나게 드러내었으니, 지금 行建威將軍 · 弗斯侯을 가수합니다." …

建武 2년(495)에 牟大가 사신을 파견하여 표문을 올렸는데, 다음과 같다.

" …지금 沙法名에게 行征虜將軍 · 邁羅王을, 贊首流에게 行安國將軍 ·

辟中王을, 解禮昆에게 行武威將軍 · 弗中侯를, 木干那는 이전에도 군공

이 있고 또 큰 배를 함락시켰으므로 行廣威將軍 · 面中侯를 가수합니다.

황제의 은택을 엎드려 바라건대 특별히 불쌍히 여겨 제수함을 허락해 주

십시오" (『南齊書』卷58, 東南夷傳 東夷 百濟)

D-1은 北魏에, D-2는 南齊에 사신을 파견한 기록인데, 당시 백제에서

보냈던 외교문서가 그대로 전재되어 있어서 사료적 가치가 높다. 이 중에

서 이 글의 주제와 관련하여 주목되는 것은 파견된 사신 또는 이미 공적

을 세운 신하에게 수여된 봉작(王 · 侯)에 보이는 지명들이다. D-1의 弗

斯, D-2의 面中 · 都漢 · 八中 · 阿錯 · 邁盧 · 弗斯 · 邁羅 · 辟中 · 弗中이

그것이다.

이 지명들에 대해서는 일부를 제외하면 통설이라고 할 만한 견해가 없

는 상황이다. 그나마 통설 내지 다수설이 확립되어 있는 지명은 D-1과

D-2에 모두 나오는 弗斯=比斯伐(『三國史記』)=전주, D-2에 나오는 辟中

=碧骨(『三國史記』)=김제 정도이다.[23] 邁盧=邁羅=萬盧國(『三國志』) 또한 널리 인정되고 있지만, 구체적인 위치비정에 대해서는 학설이 나뉘어 있고 그 중 유력한 설의 하나가 옥구(현재의 전라북도 군산시 옥구읍 일대)로 비정하는 것이다. 弗斯・辟中에 더하여 邁盧(=邁羅)도 금강 이남 노령산맥 이북일 가능성이 있어서 주목된다. 이렇게 보면 나머지 지명들도 금강 이남 노령산맥 이북일 가능성이 높아 보인다.

그러나 여러 설이 대립하는 와중에도 백제와 마한의 관계를 다루면서 이 지명들 전체에 대하여 추정한 연구들은 대체로 이 지명들을 전라남도 지역, 즉 노령산맥 이남에 비정하고 있다.[24] 앞서 언급한 弗斯・辟中 이외에 面中・都漢・八中・阿錯・弗中 5개 지명과 邁盧=邁羅를 모두 노령산맥 이남으로 비정하기 때문일 것이다.

그런데 문제는 面中 등 5개 지명과 邁盧=邁羅에 대해서는 특정 지역에 비정할 수 있는 사료적 근거가 불충분하다는 점이다. 이러한 지명 비정은 주로 음상사 등의 언어학적 방법에 의존하고 있는데, 고대 언어학 관련자료가 극히 적어서 하나의 가능성으로서는 제기할 수 있어도 입증이라고 할 수 있는 수준에 이르렀다고 하기는 어렵다. 따라서 지명 비정의 내용을 입증하기 위해서는 언어학적 방법 이외에 다른 추가적 근거가 필요하다.

그러한 점에서 주목해야 하는 것은 D-1・2에 보이는 지명들이 전부 봉작과 관련된 것이라는 점이다. 봉작이라는 것은 특정한 공로의 대가로 주

---

23) 辟中은 사료 B-1 즉, 『日本書紀』神功紀 49년조에도 나온다. 이것을 김제로 비정한 연구 중 백제와 마한의 관계를 다룬 것으로는 박찬규, 2013, 「문헌자료로 본 전남지역 馬韓小國의 위치」, 『백제학보』 9, 16쪽이 있다.

24) 문안식, 2006, 「백제의 王・侯制 施行과 地方統治方式의 變化」, 『역사학연구』 27, 57~59쪽; 양기석, 2013, 앞의 논문, 14~15쪽; 이도학, 2013, 앞의 논문, 124쪽. 이 지명들에 대하여 문안식은 서남해안과 전라남도 내륙 지역으로, 양기석은 영산강 유역으로, 이도학은 전라남도 일대로 비정하여, 약간씩 지역이 다르지만 현재의 전라남도 지역이라는 점은 동일하다.

어지는 포상의 개념이고, 지방통치와 관련되기는 하지만 지방관 그 자체라고 보기는 어렵다. 역대 중국왕조에서 봉작이 수여되던 초기에는 봉작의 대상지역인 봉읍에 임명대상자가 파견되다가, 점차 봉작을 받은 자들이 수도에서 중앙귀족으로서 활동하게 되면서 '부재지주'로서 봉읍에 가지 않은 채 대리인을 파견하여 자신의 권리인 收租權 등을 행사하게 되었다.[25] 이와 관련하여 필자는 D-1·2에 보이는 봉작들도 왕족과 대성8족 등 중앙정치에서 활약하는 사람들에게 수여되었기에, 중국왕조의 사례처럼 '부재지주'로서 봉읍에 대리인을 파견하여 권리를 행사하였을 가능성이 높다고 본 바가 있다.[26] 그런데 D-1·2에 보이는 봉작에 대해서는 대체로 현지에 파견된 지방관으로 파악하거나 아예 의미가 없는 허직으로 파악하는 견해가 다수이다.[27] 문제는 현지에 파견된 지방관으로 보는 것은 봉작의 본래 성격에도 어긋날 뿐만 아니라 '파견'을 입증할 근거가 보이지 않고, 허직으로 파악하기에는 장군호와 연동되는 등 관인의 서열을 표시하는 수단으로서 나름의 역할이 보인다는 점이다.

　만약 D-1·2에 보이는 봉작들에 해당하는 지역을 백제가 영역화하여 철저한 지배를 관철시킬 수 있었다면, 담로처럼 중앙에서 지방관을 파견하였을 것이다. 그러나 그렇게 보기에는 '파견'을 입증할 근거가 보이지 않는다. 이 봉작들이 지방관의 역할을 하였다면, 그것은 현지의 유력자에

---

25) 정동준, 2013, 『동아시아 속의 백제 정치제도』, 일지사, 144~145쪽.

26) 정동준, 2013, 위의 책, 147~153쪽.

27) 坂元義種, 1978, 『古代東アジアの日本と朝鮮』, 吉川弘文館, 98~102쪽; 金英心, 1990, 「5~6세기 百濟의 地方統治體制」, 『韓國史論』 22, 서울대 국사학과, 83쪽; 鄭載潤, 1992, 「熊津·泗沘時代 百濟의 地方統治體制」, 『韓國上古史學報』 10, 508~511쪽; 南亨宗, 1993, 「東城王代 支配勢力의 動向과 王權의 安定」, 『北岳史論』 3, 41~45쪽; 李鎔彬, 2002, 『百濟 地方統治制度 硏究』, 서경, 105~113쪽. 단 梁起錫은 의례적인 작호로 파악하고 있다(1984, 「五世紀 百濟의 '王'·'侯'·'太守'制에 對하여」, 『史學硏究』 38, 53~58쪽).

게 수여되는 포상으로서 일종의 간접지배에 가까운 것이 아니었나 생각된다. 그렇기에 D-1·2에 보이는 봉작들은 해당 지역에 대한 백제의 지배가 철저하지 못함을 보여주는 것이 아닐까 한다. 다만 이 경우에도 봉작이 수여된 사람들이 현존하는 사료상에서는 현지의 유력자일 가능성이 낮기에, 다른 사료 등을 통하여 이들이 현지의 유력자라는 점을 입증할 필요가 있다.

결국 봉작이 수여된 사람들이 중앙정치에서 활약하던 자였건 현지의 유력자였건 간에 이 봉작들을 통하여 백제가 해당 지역을 직접 지배하였다고 보기는 어렵다. 그렇다면 5세기 후반까지도 금강 이남에 대한 백제의 지배는 복속 내지 간접 지배의 수준에 머물렀다고 할 수 있다.[28] 물론 어디까지나 문헌사료로 결론을 도출한다면 그렇다는 것이기에, 최종결론은 5세기 이 지역의 고고학적 자료까지 포함하여 종합적으로 해석한 후에 도출하여야 할 것이다.

근초고왕대 이후 백제와 마한의 관계에 대해서는 『日本書紀』卷10, 應神紀에 관련사료가 있다. 제시하면 아래의 사료 E와 같다.

E-1. 8년 봄 3월에 백제인이 내조하였다. <『百濟記』에 전한다. "阿花王이 즉위하였는데, 귀국에게 무례하였다. 그러므로 우리 <u>枕彌多禮</u> 및 <u>峴南 · 支侵 · 谷那 · 東韓</u>의 땅을 빼앗았다. 이런 까닭으로 왕자 直支를 天朝에 파견하여 선왕의 우호를 유지하였다."＞

---

28) 복속과 간접 지배에 대해서는 연구자에 따라서 동일한 개념으로 사용하기도 하고 구분해서 사용하기도 한다. 이 글에서 사용하는 복속은 공납만을 바치고 기존의 체제를 유지하는 상태를, 간접 지배는 기존의 체제가 해체되고 백제의 지배체제로 편입되기는 하였으나 기존 지배층이 지방관으로 임명된 단계를 가리킨다. 즉 복속은 반독립적인 상태, 간접 지배는 직접 지배에 비해 중앙에 대한 예속도가 현저히 낮은 상태이다.

E-2. 16년 이 해에 천황이 直支王을 불러 말하였다. "너는 본국에 돌아가 왕위를 계승하여라." 이에 또 東韓 지역을 하사하여 그를 파견하였다〈東韓이라는 것은 甘羅城·高難城·爾林城이다〉.

E-1과 E-2에 나오는 지명 중 유일하게 공통되는 것이 東韓이다. 이것은 枕彌多禮·峴南 등과 같은 특정 지역명으로 파악하기도 하지만, E-2의 세주에 보이는 것처럼 몇 개 지역을 아우르는 큰 범위의 지역명으로 보는 것이 좀더 일반적이다. 다만 東韓의 범위에 대해서는 아직 통설이라고 할 만한 견해가 없다고 할 수 있다.

나머지 지명 중 枕彌多禮는 B-1에 보였던 忱彌多禮와 같은 곳으로 이미 검토하였듯이 해남 지역으로 비정된다. 또 支侵은『三國志』에 보이는 마한의 소국 중 支侵國의 후신이라고 생각되는데, 위치비정에 대해서는 통설이라고 할 만한 견해가 없다. 그 밖의 峴南·谷那·甘羅城·高難城·爾林城 등도 위치비정에 대해서는 통설이라고 할 만한 견해가 없다. 다만 谷那의 경우『三國史記』에 보이는 欲乃郡과 유사하여, 현재의 전라남도 곡성 지역일 가능성이 높지 않을까 한다. 결국 일부 전라남도 지역이 포함되어 있기는 하지만 대부분 위치 미상인 것이다.

이 중 E-1의 지명에 대해서는 위치 미상으로 파악하면서도, E-1의 내용은 해당 지역들이 백제의 지배에서 일시적으로 이탈한 것을 보여준다고 하였다.[29] 이것이 일시적인 이탈이라는 것을 E-2에서 백제가 회복하였기 때문일 것이다. 이러한 견해는 E-1과 E-2의 사실성을 인정하는 것이 전제이고, '2주갑 인하설'에 따라 그 연대를 아신왕·전지왕대로 파악하는 것이다. 그런데 앞서 검토하였듯이 B-1의 사실성을 인정하기 어려운데, E-1과 E-2의 사실성을 인정할 수 있을까?

---

29) 김병남, 2001, 앞의 논문. 38~41쪽.

그런 점에서 필자는 應神紀도 神功紀와 마찬가지로 繼體紀·欽明紀 등보다 나중에 편찬되어 6세기의 사실이 소급되어 윤색된 측면이 강하다는 것을 주장한 바가 있다.[30] E-1의 경우『百濟記』에 의거한 기사여서 사실성이 높다고 볼 수도 있지만, 인용된『百濟記』의 내용 자체가 백제보다는 왜의 입장에서 서술되어 있어 과연 그러할지 의문스럽다. 설령 왜의 영토 탈취 및 하사 등 윤색된 부분을 제거하면 사실로 받아들일 수 있다 하더라도, 연대가 기록된 대로 아신왕·전지왕대라는 것은 따로 증명이 필요한 부분이 아닐까 한다.

본래 백제에 대하여 왜가 영토를 하사하거나 탈취하는 것은『日本書紀』전반에 걸친 윤색에 의한 내용이다.『日本書紀』편찬 당시에 천황제를 뒷받침하기 위하여 번국으로서 백제의 위치를 분명히 하기 위한 의도가 드러나는 부분인 것이다. 특히 應神紀에는 E-1과 E-2 이외에도 阿直岐·王仁의 파견 등 백제와의 관계에 대한 기록들이 있는데, 6세기 사실의 소급일 가능성이 이미 지적된 바가 있다.[31] B-2의 多沙津 하사 또한 후술할 6세기 전반의 사건을 전하는 H-3의 사실이 소급되어 적용된 것이다. 그렇다면 E-1과 E-2도 6세기 사실의 소급일 가능성이 높지 않을까?

D-1과 D-2의 검토를 통하여 4~5세기에 백제가 금강 이남 지역에 대하여 철저하게 지배하지 못하였을 가능성을 발견할 수 있었다. 그러한 측면에서 보더라도 E-1과 E-2를 6세기 사실의 소급으로 파악하는 것이 보다 자연스럽지 않을까 한다.

---

30) 정동준, 2018, 앞의 논문, 108쪽.
31) 이근우, 2004, 「왕인의『천자문』·『논어』일본전수설 재검토」, 『역사비평』69.

Ⅳ. 영산강 및 섬진강 유역의 통합과정

앞서 3장에서는 5세기 이후 금강 이남 노령산맥 이북 지역의 동향과 관계된 문헌사료를 검토하였다. 그렇다면 이제 5세기 이후 영산강 유역의 동향을 살펴볼 차례이다. 그런데 지역을 영산강 유역으로 한정할 경우 이와 관련되는 문헌사료는 사료 F에 보이는 정도가 전부이다.

F-1. 2년(476) 여름 4월에 耽羅國이 토산물을 바쳤다. 왕이 기뻐하여 사자를 恩率에 임명하였다.　　　　　　(『三國史記』卷26, 百濟本紀4 文周王)

F-2. 20년(498) 8월에 왕이 耽羅가 공납을 충실히 하지 않는다고 여겨, 親征하여 武珍州에 이르렀다. 耽羅가 그것을 듣고 사신을 파견하여 죄를 청하니, 이에 중지하였다〈耽羅는 곧 耽牟羅이다〉.

(『三國史記』卷26, 百濟本紀4 東城王)

F-3. 2년(508) 겨울 12월에 남해 중의 耽羅 사람이 처음으로 백제국과 통하였다.　　　　　　　　　　　(『日本書紀』卷17, 繼體紀)

F-4. 백제라는 것은 그 선조가 대개 馬韓의 속국이었다고도 하고, 부여의 별종이라고도 한다. … 치소는 固麻城이고, 그 지방에는 다시 5방이 있어, 中方은 古沙城, 東方은 得安城, 南方은 久知下城, 西方은 刀先城, 北方은 熊津城이다.[32]　　　　　　　　(『周書』卷49, 異域傳上 百濟)

F-1~3은 주로 耽羅와 관계되는 문헌사료이다. 탐라 하면 제주도를 떠올리기 쉽지만, F-2를 보면 탐라가 성실하게 공납을 바치지 않음을 질책

---

32) 『北史』에도 비슷한 기사가 있다. 百濟之國, 蓋馬韓之屬也, 出自索離國. … 其都曰居拔城, 亦曰固麻城. 其外更有五方: 中方曰古沙城, 東方曰得安城, 南方曰久知下城, 西方曰刀先城, 北方曰熊津城. (『北史』卷94, 列傳82 百濟)

하기 위하여 동성왕이 武珍州(지금의 광주)까지 군대를 이끌고 간 것을 볼 수 있다. 만약 F-2의 탐라가 제주도라면 서남해안 어딘가의 항구로 갔어야 질책이 효과를 발휘하였을 것이기 때문에, F-2의 탐라는 제주도가 아니라 바다를 건너기 전에 있는 어딘가의 지역으로 보는 것이 최근의 추세이다. 그리고 F-2는 F-1에서 공납을 바쳤던 탐라 20여 년 후에 공납을 바치지 않았기 때문에 동성왕이 군대를 이끌고 갔다는 내용이라고 생각되므로, F-1의 탐라 또한 제주도로 보기 어렵다. 다만 F-3의 탐라는 '남해 중'이라는 표현이 있는데다가 '처음으로 백제국과 통하였다'는 내용까지 있어 F-1·2의 탐라와 동일한 실체라고 보기는 어렵다.

그렇다면 F-1·2의 탐라는 제주도가 아닌 어느 곳으로 비정할 수 있을까? 이에 대해서는 고대에 耽津이라고도 불리었던 강진 지역에 비정하는 견해가 지지를 얻어가고 있다.[33] 다만 F-3의 탐라에 대해서는 F-1·2와 똑같이 강진 지역에 비정하는 견해와[34] 제주도에 비정하는 견해로[35] 나뉘어 있다. 그런데 앞서 F-3의 탐라는 내용상 F-1·2의 탐라와 다를 것이라고 하였으므로, 강진보다는 제주도일 가능성이 높다고 할 수 있다.

F-1·2의 탐라가 강진 지역이고, F-3의 탐라가 제주도라면, 이 사료들에서 보이는 내용은 어떠한 상황을 의미하는 것일까? 그것은 F-1·2 즉 5세기 후반의 단계에는 강진 지역이 복속 내지 간접지배의 단계에 머물러 있었고,[36] F-3 즉 6세기 초반의 단계에 강진을 이용하여 제주도와 교류가

---

33) 李根雨, 1997, 「웅진시대 백제의 남방경역에 대하여」, 『백제연구』 27, 53쪽; 文安植, 2001, 앞의 논문, 24~25쪽; 강봉룡, 2018, 앞의 논문, 20~21쪽.

34) 문안식, 2014, 앞의 논문, 124~126쪽.

35) 文安植, 2001, 앞의 논문, 25쪽; 강봉룡, 2018, 앞의 논문, 20~21쪽.

36) F-2를 영산강 유역의 영역화와 담로제의 실시로 해석한 견해도 있었다(양기석, 2013, 앞의 논문, 14~15쪽). 이 견해는 F-2에 보이는 친정의 결과 이 지역의 지배가 안정되었다고 본 것이다. 그러나 F-2에서는 공납관계가 지속되다가 그에 대한 반발이 있었던 것을 진압하고 공납관계를 회복한 것만을 확인할 수 있다. 공납관

가능할 정도로 백제의 지배력이 강화되었다는 의미가 아닐까 한다. 다만 F-3의 단계에 나타나는 백제의 지배력이 직접지배까지 진전된 것이냐고 한다면, F-3만으로는 판단하기 어렵다.

F-4는 6세기 중반 사비시대의 상황을 전하는 사료라고 생각된다. 이 사료에서는 백제가 마한의 일부였다가 결국에는 마한을 통합한 것을 서술하였고, 그 결과로 5방제가 성립된 것으로 본 듯하다. 5방제에서 이 글의 주제와 관련하여 주목되는 것은 중방과 남방인데, 이 중 중방은 영산강 유역의 문 앞에 해당되는 고부 지역으로, 남방은 광주 또는 나주 지역으로 비정된다고 한다.[37] F-4에 보이는 5방, 정확하게는 5방성은 지방통치체제의 거점이고 1,000여 명의 군대가 상주하는 곳이어서 직접지배가 이루어진 곳임이 분명하다. F-4를 통하여 6세기 중반 사비시대의 백제는 노령산맥 이북의 고부는 물론 영산강 유역의 광주 · 나주까지도 직접지배하게 되었음을 알 수 있다. 다만 F-3과 F-4 사이의 어느 시기에 이러한 직접지배가 이루어졌는지는 다른 사료를 통하여 확인할 필요가 있다. 그에 대한 시사점을 주는 것이 사료 G이다.

G-1. 백제는 종래에 夷狄이었고, 馬韓의 속국이었다. … 주변의 소국으로는 叛波 · 卓 · 多羅 · 前羅 · 斯羅 · 止迷 · 麻連 · 上己文 · 下枕羅 등이 있어 그것을 부속시켰다.　　　　　　　　　　(『梁職貢圖』百濟國使)

G-2. 백제라는 것은 그 선대에 東夷에 삼한국이 있었는데, 첫째를 馬韓, 둘째를 진한, 셋째를 변한이라고 한다. 변한 · 진한은 각각 12국이고, 馬

계 회복 이후의 지배가 강고해졌다는 것은 다른 근거가 필요한 내용이다.

37) 산성과 고분군의 분포 등에 의거하여 남방을 남원 지역으로 파악하는 견해도 있었지만(金英心, 1997, 『百濟 地方統治體制 研究』, 서울대학교 박사학위논문, 149~151쪽), 최근에는 지지를 받지 못하고 있다.

韓은 54국이 있었다. 큰 국은 1만여 가, 작은 국은 수천 가여서, 모두 10여 만 호였고 백제는 곧 그 하나였다. 나중에 점차 강대해져서 <u>여러 소국을 겸병하였다.</u>[38]　　　　　　　　　(『梁書』卷54, 諸夷傳 東夷 百濟)

G-1·2는 주로 梁代(502~557)의 사실을 전한다는 공통점이 있다. 다만 G-1의 『梁職貢圖』는 520~530년대에 작성된 당대의 자료이기 때문에, G-2의 『梁書』와 달리 작성된 이후 즉 540~550년대의 사실이 포함되지 않았다는 차이가 있다. 실제 G-1이 포함된 『梁職貢圖』 百濟國使의 경우에도 연대가 명기된 가장 늦은 시기가 普通 2년(521)이어서 520년대 초반이다.

두 사료는 대상연대 이외에도 차이가 있는데, 다음과 같은 2가지이다. 첫째, 백제와 마한의 관계를 서술하는 방식에 차이가 있어서, G-1에서는 백제가 마한의 일부였다는 사실만 간략히 서술하였으나, G-2에서는 G-1의 내용을 훨씬 상세하게 서술하면서 결국 백제가 마한을 통합하였다는 내용까지도 추가하였다. 둘째, G-1에 보이는 백제에 복속된 주변 소국에 대한 설명이 G-2에는 보이지 않는다.

이러한 차이가 나타난 것은 역시 대상연대의 차이 때문이 아닐까 한다. G-1 단계에서는 '부속[附]' 즉 복속 수준에 머물렀던 주변 소국에 대한 지배가 G-2 단계에 '겸병[兼]'이라고 하는 영역화의 단계로 진전된 것의 차이가 아닐까 한다.[39] 『梁職貢圖』 百濟國使에 등장하는 마지막 연대가 普

---

38) 『南史』에도 같은 기사가 있다. 百濟者, 其先東夷有三韓國: 一日馬韓, 二日辰韓, 三日弁韓. 弁韓·辰韓各十二國, 馬韓有五十四國. 大國萬餘家, 小國數千家, 摠十餘萬戶, 百濟卽其一也. 後漸强大, 兼諸小國. (『南史』卷79, 夷貊傳 東夷 百濟)

39) '兼'이 '兼併'의 의미로 사용된 것은 『春秋左氏傳』 昭公 8년조의 "其臣曰, 孺子長矣, 而相吾室, 欲兼我也. 授甲將攻之."에 대한 杜預의 주석에 "兼, 幷也."라고 하는 것에서 알 수 있다. 이와 달리 G-1과 G-2의 지배 정도에 대해서는 양자의 차이를 인

通 2년(521)이라는 점을 고려하면, 이 이후의 어느 시점에 '복속'이 영역화로 진전되었을 것이다. 그런데 이 시점은 앞서 검토한 F-3과 F-4 사이의 시기 차이와도 유사하다. 특히 『梁職貢圖』에는 武寧王(餘隆)만 보이고, 聖王(餘明)이 보이지 않는다는 점을 고려하면, 주변 소국에 대한 '복속' 상태는 무령왕이 죽고 성왕이 즉위한 523년 이전의 상황이라고 보아도 좋을 것이다.

그렇다면 무령왕대에 '복속' 상태였던 소국들의 위치는 대략 어느 곳일까? 앞부분의 叛波 · 卓 · 多羅 · 前羅는 대체로 고령의 대가야, 창원(또는 대구)의 탁순, 합천의 다라, 함안의 안라로 비정하는 것이 일반적인데, 모두 가야의 범위에 포함되는 지역이다. 다음으로 斯羅는 신라로 보는 것이 일반적이다. 이 5개 소국은 실제로 '복속'이라고 부를 만큼 백제가 영향력을 행사하였는지 불분명하다. 특히 신라의 경우 521년의 사신 파견 때에 백제 사신이 함께 데리고 간 신라 사신을 자신의 부용세력인 것처럼 과장하였기 때문에 저러한 기록이 나온 것으로 보인다. 더군다나 이 5개 소국은 이 글의 주제와 직접적 관련이 없는 지역이기도 하다.

문제는 나머지 4개 소국이다. 止迷 · 麻連 · 上己文 · 下枕羅인데, 止迷는 忱彌多禮 즉 B-1 등에 보였던 해남 지역, 麻連은 馬老縣(『三國史記』地理志)이었다는 광양 지역으로 비정된다고 한다.[40] 문제는 上己文 · 下枕羅인데, 이것을 글자 그대로 보기도 하지만 상과 하가 지역 범위를 가리키는 수식어이고 실제 지명은 己文과 枕羅라고 보기도 한다. 필자는 후자가 보다 타당성이 있다고 생각한다. 왜냐하면 己文은 후술할 사료 H-1 ·

정하지 않고 같은 내용을 전하는 것으로 보는 견해도 있다(문안식, 2006, 앞의 논문, 62~65쪽). 다만 그 견해에서도 무령왕대에 '복속'에 불과하던 지역들을 5방제 실시와 함께 직접지배하게 되었다고 보았다.

40) 麻連은 최근 출토된 「陳法子墓誌銘」에도 등장하는 지명이어서 주목되었다.

2에 보이는 己汶의 이표기, 枕羅는 F-1·2에 보이는 탐라와 동일한 지역이라고 생각되기 때문이다. 그렇게 볼 경우 기문은 일반적으로 남원 지역에, 침라=탐라는 앞서 검토한 대로 강진 지역에 비정되므로, 위쪽 즉 북쪽에 있는 남원과 아래쪽 즉 남쪽에 있는 강진이라는 지리적 위치에도 부합한다. 4개 소국 중 기문이 최북단에 침라가 최남단에 위치한다는 점도 참고가 된다.

이렇게 볼 경우 이 4개 소국은 영산강 유역의 지미와 침라, 섬진강 유역의 마련과 기문 각각 2개씩으로 나누어 볼 수 있다. 중요한 것은 무령왕대까지는 이들 지역이 아직 '복속' 상태에 머물렀다는 것이다.[41] 사료 F의 검토결과와 연관시켜 본다면, 이들 지역이 영역화된 것은 5방제가 실시된 성왕대의 어느 시점이라고 할 수도 있다.[42] 다만 영산강 유역의 영역화는 5방제를 통하여 광주 또는 나주 지역에 남방이 설치됨으로써 완료되었다고 할 수 있겠지만, 섬진강 유역도 같은 과정을 거쳤다고 할 수 있을지는 별도의 검토가 필요하다.

이와 관련하여 4개 소국 중 기문 등 섬진강 유역의 영역화과정을 보여주는 것이 아래의 사료 H이다.

---

41) G-1과 H-1~3을 근거로 麻連과 己汶이 영역화되어 이 지역에서 담로제가 실시되었다고 본 견해도 있다(양기석, 2013 앞의 논문, 15~17쪽). 그러나 사료상으로는 '복속' 이상의 강력한 지배라고 하기 어렵다. 반면 G-1의 영산강 유역 등을 영역화되지 않은 지역으로 파악한 견해도 있다(김기섭, 2014 앞의 논문, 103~104쪽).

42) 최근 무령왕대에는 지방관 이외에 '急使'라는 형태로 별도의 사자를 파견하여 사비 등 특정 지역을 개발하였다는 견해가 제기되었다(백미선, 2018, 「백제 무령왕대의 急使」, 『사림』 65). 당시 담로에 파견되는 지방관 또한 자제와 종족, 즉 왕이 신임하는 자로 한정되었다는 사실과 유사한 현상이라는 점에서 흥미롭다. 그러한 점들을 고려하면, 왕과의 인간적 친밀도와 관계 없이 임명되어 파견되는 지방관이 등장하는 성왕대에야 영산강 및 섬진강 유역이 영역화될 수 있는 것도 지방에 파견될 수 있는 지배층의 범위가 확대되는 것과 관련되지 않을까 한다.

H-1. 7년(513) 여름 6월에 백제가 將軍 姐彌文貴·將軍 州利卽爾를 파견하여 호즈미노오미오시야마[穗積臣押山]에 딸려보내고,〈『百濟本記』에 오시야마키미[委意斯移麻岐彌]라고 한다. 〉 五經博士 段楊爾를 바쳤다. 따로 아뢰었다. "반파국이 신의 나라 己汶 지역을 약탈하였습니다. 엎드려 바라건대 천황의 은혜로 판단하시어서 본래의 소속으로 돌려주십시오." … 겨울 11월 신해일 초하루 을묘(5일)에 조정에서 백제의 將軍 姐彌文貴, 사라의 汶得至, 안라의 辛已奚·賁巴委佐, 반파의 旣殿奚·竹汶至 등을 줄세우고 은혜로운 칙을 받들어 선포하니, 己汶·帶沙를 백제국에 하사하였다. 이 달에 반파국이 戢支를 파견하여 진귀한 보물을 바치며 己汶 지역을 요청하였으나, 끝내 하사하지 않았다. (『日本書紀』卷17, 繼體紀)

H-2. 10년(516) 여름 5월에 백제가 前部 木刕不麻甲背를 파견하여 모노노베노무라지[物部連] 등을 己汶에서 맞이하여 위로하고, 인도하여 도읍에 들어갔다. … 가을 9월에 백제가 將軍 州利卽次를 파견하여 모노노베노무라지를 따라와서 己汶 지역을 하사한 것에 사례하였다. (同上)

H-3. 23년(529) 봄 3월에 백제왕이 下哆唎國守 호즈미노오시야마노오미[穗積押山臣]에게 말하였다. "대체로 조공하는 사자는 항상 곶을 피하여 〈바다 가운데 섬과 구불구불한 곳의 곶을 말한다. 세상 사람들이 미사키[美佐祁]라고 한다. 〉 매번 바람과 파도에 고생합니다. 이로 인하여 가져가는 바를 습하게 하니 모두 망가져서 봐줄 수가 없습니다. 가라의 多沙津을 신의 조공하는 나루터길로 삼기를 청합니다. 이런 까닭으로 오시야마노오미[押山臣]는 청한 바 때문에 아뢴 바를 들어주었다. 이 달에 모노노베노이세노무라지치치네[物部伊勢連父根]·키시노오키나[吉士老] 등을 파견하여 나루터를 백제왕에게 하사하였다. (同上)

H-4. 25년(531) 겨울 12월 병신일 초하루 경자(5일)에 아이노[藍野]의 능에 장사지냈다. 〈어떤 책에 전한다. "(繼體)천황은 28년 갑인(534)에 돌

아가셨다." 그러나, 여기에 25년 신해년에 돌아가셨다고 하는 것은『百濟
本記』를 취하여 문장을 만든 것이다. 그 문장에 전한다. "太歲 신해의 3월
에 군사가 전진하여 安羅에 이르러, 乞乇城을 조영하였다. … " 이로 말미
암아 말하면, 신해년은 25년에 해당한다. 나중에 교감하는 자는 그것을
알 것이다. 〉   〈同上〉

H-5. 4년(543) 겨울 11월 정해일 초하루 갑오(8일)에 츠모리노무라지[津
守連]를 파견하여 백제에 조서를 내렸는데, 다음과 같다. "任那의 下韓에
있는 백제의 郡令·城主는 마땅히 日本府에 부속시켜야 한다."

(『日本書紀』卷19, 欽明紀)

H-6. 熊水가 서쪽으로 흘렀으니, 여러 하천과 짝하여 가지런히 흘렀다.
〈『括地志』에 전한다. " … 또 基汶河가 나라 안에 있어 원류가 그 나라의
남쪽 산에서 나오는데, 동남쪽으로 흘러 큰 바다로 들어간다. 그 속에서
사는 동물은 중국과 같다."〉   (『翰苑』卷30, 蕃夷部 百濟)

H-1~3은『日本書紀』繼體紀에 보이는 소위 '己汶·帶沙의 할양' 관련기
사이다. 이에 대해서는 열거하기 어려울 정도로 많은 선행연구가 있으나,
이 글에서는 그 중 섬진강 유역의 영역화과정이라는 측면에만 주목하고
자 한다. 그러한 측면에서 볼 때, H-1·3은 모두 왜가 백제에게 己汶·帶
沙(또는 多沙津)를 하사하였다는 내용만 전할 뿐, 백제가 어떻게 이 지역
을 지배하였는지는 전하지 않고 있다. 다만 H-2를 보면, H-1에서 하사하
였다는 기문 지역이 백제에 의해 확실히 장악된 모습을 볼 수 있어, 지배
의 진전을 엿볼 수 있다.[43] 이러한 특정 지역의 하사를 전하는 기록은 백
제가 이 지역에 처음 진출한 단계라는 의미로 해석할 수 있어, 곧바로 영

---

43) 김기섭, 2014, 앞의 논문, 108쪽. 다만 진전된 단계가 어느 정도인지는 알 수 없다
고 하였다.

역화로 연결시키기는 어렵지 않을까 한다. 그러한 점에서 H-3의 多沙津 하사 또한 이 지역의 영역화이기보다는 대외교류용 항구의 장악 정도라고 해야할 것이다.

H-4·5는 섬진강 유역에 영역화가 시작되었음을 엿볼 수 있는 방증자료이다. H-4에서 함안 지역의 안라 주변으로 추정되는 乞乇城을 축조하였다는 것은 이 일대에 대한 첫 진출이라고 생각되는데, 함안 주변까지 영향력을 미칠 정도라면 그보다 서쪽인 섬진강 유역이 안정적으로 지배되어야 하기 때문에 이 시기 즈음에 영역화되었을 가능성이 높음을 보여준다. H-5는 백제의 郡令·城主 즉 5방제 하의 지방관이 처음 보이는 사료이다. 문제는 이러한 지방관이 존재하는 지역인데, 임나의 下韓 즉 남부 가야 지역이라고 되어 있다. 이 지역에 郡令·城主가 있을 정도라면, 5방제가 이미 전국적으로 실시되었고 섬진강 유역도 그 범위일 가능성이 높을 것이다. 다만 H-4·5 모두 임나일본부의 영향력과 관련되는 사료여서, 내용을 그대로 신뢰하기보다는 사료비판을 철저히 할 필요가 있다는 점에서 이 사료만으로 섬진강 유역의 영역화를 논하는 것은 다소 신중할 필요가 있다.

앞서 서술한 기문 지역에 대한 지배의 진전은 H-6에서도 엿볼 수 있다. 백제 영역 내의 하천을 설명하면서 基汶河 즉 섬진강이 등장하고 있어, H-6이 편찬될 당시 백제에서는 섬진강을 자신들의 영역 내로 인식하였음을 알 수 있다. H-6의 기문하에 대한 설명은 『翰苑』 백제전에 보이는 『括地志』의 인용문 중 일부인데, 『括地志』는 642년에 편찬되었고, 백제전에 인용된 『括地志』는 624~630년대 초반의 사실을 전한다고 한다.[44] 즉 늦어도 7세기 초반에는 섬진강 유역이 영역화되었음을 볼 수 있는 것이다.

---

44) 鄭東俊, 2010, 「『翰苑』百濟傳所引の『括地志』の史料的性格について」, 『東洋學報』 92-2.

다만 섬진강 유역의 영역화 시기는 7세기 초반보다 소급시켜 볼 수 있는 여지가 있다. 『三國史記』地理志를 통하여 이 지역에 백제의 郡이 설치되었던 것을 확인할 수 있는데, 이 군의 설치시기를 추정할 수 있는 사료가 최근 출토되었기 때문이다.

그것은 '麻連大郡將'이라는 지방관이 최초로 등장한 「陳法子墓誌銘」이다. 이 '麻連大郡將'이라는 지방관은 G-1에 보이듯이 무령왕대까지 '복속된 소국'에 머물렀던 麻連 지역이 어느 시점에 백제의 郡으로 편성되었음을 보여준다. 이 '麻連大郡將'의 존재시기는 595~615년 즉 위덕왕대 말기~무왕대 초반이라고 추정된다.[45] 따라서 늦어도 600년을 전후한 시점에는 麻連 즉 광양 지역이 백제의 영역이 되어 郡으로 편성되었다고 할 수 있다. 다만 이 지역이 '大郡'일 가능성도 존재하기 때문에,[46] 이 지역이 백제의 '大郡'으로 편성된 것이라면, '郡'에서 '大郡'으로 승격되는 과정을 상정할 수 있어 시기가 더욱 소급될 가능성도 있다. 물론 G-1에서 전하는 상황 때문에 아무리 소급되더라도 성왕대 이전이 될 수는 없는데, 그런 점에서 H-4·5의 내용은 추세상 신뢰해도 좋다고 볼 수 있지 않을까 한다. 다만 H-4에는 郡令·城主 등이 보이지 않아서 5방제 이전 단계라고 생각되므로, H-4는 담로제와 H-5는 5방제와 연결시킬 수 있는 정도가 아닐까 한다.

---

45) 정동준, 2014, 「「陳法子 墓誌銘」의 검토와 백제 관제」, 『한국고대사연구』 74, 193쪽.
46) 김영관, 2014, 「百濟 遺民 陳法子 墓誌銘 研究」, 『백제문화』 50, 119~121쪽.

V. 맺음말

이 글에서는 백제와 마한의 관계에 대하여 먼저 통설에서 문제가 되었던 근초고왕대 백제와 마한의 관계에 대한 사료와 관련연구를 재검토하고, 금강 이남 노령산맥 이북, 영산강 및 섬진강 유역의 순서로 사료와 관련연구를 검토하였다. 요약하면 다음과 같다.

근초고왕 이전 백제의 마한 통합에 대한 사료로서『三國史記』百濟本紀 溫祚王 10년~36년조와『三國史記』·『三國遺事』의 벽골제 축조 관련 사료, 근초고왕대 백제의 마한 통합에 대한 사료로서『日本書紀』神功紀 49년조를 검토하였다. 온조왕 10년~36년조는 장기간에 걸친 마한 통합의 과정이 온조왕대에 압축되어 기록된 것이라고 볼 수 있었지만, 그 장기간의 완료시점이 언제인지는 알 수 없었다. 벽골제 축조 관련 사료는 축조 주체가 백제라는 근거를 찾기 어려워서 백제의 마한 통합과 관련시키는 사료로는 이용하기가 주저되었다. 神功紀 49년조는 근초고왕대라는 연대에도 기사 자체의 사실성에도 문제가 있어 근초고왕대의 연대기 사료로는 다루기 어려웠고, 후대 사실의 소급 또는『日本書紀』편찬 당시의 삼국에 대한 인식을 보여주는 사료로 이용하는 것이 적절하였다. 결국 근초고왕대에 백제의 마한 통합이 완료되었다는 1990년대 이전의 통설은 적어도 문헌사료로 입증된 학설이라고는 하기 어려웠다.

5세기 이후 금강 이남 지역의 동향에 대한 사료로서『魏書』·『南齊書』의 百濟傳,『日本書紀』應神紀 8년조·16년조를 검토하였다.『魏書』·『南齊書』의 百濟傳은 봉작을 매개로 한 지배형태여서, 금강 이남 지역에 대한 백제의 철저하지 못한 지배상황을 보여주는 것이었다.『日本書紀』應神紀 8년조·16년조는 神功紀 49년조처럼 사실성에 문제가 있어 사실성을 인정하더라도 후대 사실의 소급이라고 생각되었다. 즉 두 종류의 사료 모두 5세기까지 백제가 금강 이남 지역에 대한 영역화를 관철하지 못하였음을 보여주는 것이라고 할 수 있었다.

　5세기 이후 영산강 및 섬진강 유역의 동향에 대한 사료로서『三國史記』百濟本紀 文周王 2년조·東城王 20년조,『日本書紀』繼體紀 2년조·7년조·10년조·23년조,『周書』百濟傳,『梁職貢圖』백제조,『梁書』百濟傳,『翰苑』百濟傳,「陳法子 墓誌銘」 등을 검토하였다. 사료에 등장하는 탐라를『三國史記』百濟本紀의 강진 지역과『日本書紀』繼體紀의 제주도로 구분할 수 있고,『周書』百濟傳에 보이는 남방이 영산강 유역에 있었기 때문에, 이들 사료를 통하여 영산강 유역이 6세기 중반의 어느 시점에 백제의 영역이 되었다고 할 수 있었다.『梁職貢圖』백제조와『梁書』百濟傳은 후자의 대상시기가 더 늦어서 서술상에 차이가 있는데, 그것을 통하여 무령왕대까지 '복속'에 머물렀던 영산강 및 섬진강 유역의 소국들이 성왕대에 영역화되었음을 확인할 수 있었다.『日本書紀』繼體紀 7년조·10년조·23년조와『翰苑』百濟傳,「陳法子 墓誌銘」을 검토하여 己汶·帶沙 등 섬진강 유역이 성왕대 이후 늦어도 600년을 전후한 시점에는 백제의 영역으로서 郡으로 편성되었음을 확인할 수 있었다. 여기에『日本書紀』繼體紀 25년조 세주 및 欽明紀 4년조를 참조하면, 530년대에 담로제가, 540년대에 5방제가 실시되었을 가능성도 엿볼 수 있었다.

　다만 이러한 결론은 문헌사료의 검토만으로 이루어진 것이기에, 사료와 사실의 괴리 등이 존재할 가능성도 있다. 그것을 보완하기 위해서는 고고학적 자료의 검토를 통하여 나름의 결론을 내린 후에 문헌사료의 검토결과와 조합할 필요가 있을 것이다. 고고학적 자료의 검토는 필자의 능력을 벗어나는 것이므로 전문연구자에게 미루기로 하고, 이 글이 고고학적 자료의 검토결과와 조합하는 데에 일말의 도움이라도 되기 바라면서 글을 마치고자 한다.

【참고문헌】

李鎔彬, 2002,『百濟 地方統治制度 硏究』, 서경.

정동준, 2013,『동아시아 속의 백제 정치제도』, 일지사.

坂元義種, 1978,『古代東アジアの日本と朝鮮』, 吉川弘文館.

金英心, 1997,『百濟 地方統治體制 硏究』, 서울대학교 박사학위논문.

강봉룡, 2000,「榮山江流域 古代社會 性格論」,『지방사와 지방문화』3-1.

_____, 2018,「해남 백포만 고대 포구세력의 존재양태」,『백제학보』26.

김기섭, 2014,「백제의 영역확장과 마한병탄」,『백제학보』11.

김병남, 2001,「百濟의 영토 확장과 전라도 지역의 服屬」,『전북사학』24.

_____, 2003,「古代 '扶安 지역'의 성장과 발전」,『전북사학』26.

김영관, 2014,「百濟 遺民 陳法子 墓誌銘 硏究」,『백제문화』50.

金英心, 1990,「5~6세기 百濟의 地方統治體制」,『韓國史論』22, 서울대 국사
학과.

_____, 2013,「문헌자료로 본 忱彌多禮의 위치」,『백제학보』9.

南亨宗, 1993,「東城王代 支配勢力의 動向과 王權의 安定」,『北岳史論』3.

노중국, 1987,「馬韓의 成立과 變遷」,『마한백제문화』10.

文安植, 2001,「百濟의 榮山江流域 進出과 土着勢力의 推移」,『전남사학』16.

_____, 2003,「백제의 마한 복속과 지방지배 방식의 변화」,『한국사연구』120.

_____, 2006,「백제의 王・侯制 施行과 地方統治方式의 變化」,『역사학연구』
27.

_____, 2014,「백제의 전남지역 마한 제국 편입 과정」,『백제학보』11.

박찬규, 2001,「백제의 마한사회 병합과정 연구」,『국사관논총』95.

_____, 2010,「문헌을 통해서 본 馬韓의 始末」,『백제학보』3.

_____, 2013,「문헌자료로 본 전남지역 馬韓小國의 위치」,『백제학보』9.

백미선, 2018,「백제 무령왕대의 急使」,『사림』65.

梁起錫, 1984,「五世紀 百濟의 '王'·'侯'·'太守'制에 對하여」,『史學研究』38.

_____, 2013,「全南地域 馬韓社會와 百濟」,『백제학보』9.

李根雨, 1997,「웅진시대 백제의 남방경역에 대하여」,『백제연구』27.

_____, 2004,「왕인의『천자문』·『논어』일본전수설 재검토」,『역사비평』69.

이기동, 1987,「馬韓領域에서의 百濟의 成長」,『마한백제문화』10.

이도학, 1995,「海南 지역 馬韓세력의 성장과 백제로의 복속과정」,『한국학논
집』26.

_____, 2013,「榮山江流域 馬韓諸國의 推移와 百濟」,『백제문화』49.

정동준, 2014,「「陳法子 墓誌銘」의 검토와 백제 관제」,『한국고대사연구』74.

_____, 2018,「백제 근초고왕대의 마한 영역화에 대한 사료 재검토」,『한국
고대사연구』91.

鄭載潤, 1992,「熊津·泗沘時代 百濟의 地方統治體制」,『韓國上古史學報』10.

_____, 2000,「東城王의 卽位와 政局 運營」,『한국고대사연구』20.

_____, 2013,「문헌자료로 본 比利辟中布彌支半古四邑」,『백제학보』9.

鄭東俊, 2010,「『翰苑』百濟傳所引の『括地志』の史料的性格について」,『東洋學
報』92-2.

마한의 개념과 국명 기록

전진국 (충북대학교)

Ⅰ. 머리말

오늘날의 한국사에서 '馬韓'이란 지역적으로 경기, 충청, 전라도 전역을 포괄하며, 그 지역을 백제가 영역화 하기 이전의 상태를 말한다. 문화적으로는 청동기·초기철기 유물과 그 시대의 무덤 및 토기가 주로 해당한다.[1] 이와 같은 시각이 오늘날 한국 학계에서 사용하는 마한에 대한 기본적인 인식이라 정리할 수 있다. 그러한 인식은 그간의 연구를 바탕으로 마한에 대한 큰 틀의 이해를 일목요연하게 정리한 것이라 할 수 있다. 특히 삼한이 삼국으로, 그 중에서도 마한이 백제로 이어진다는 체계적이며 형식적인 역사발전 단계설정에 바탕한 바 크다.

그러나 그러한 마한에 대한 인식이 삼한의 1차 사료라 할 수 있는 『三國志』와 『後漢書』 韓傳을 액면 그대로 반영한 것이라 할 수는 없다. 이는 연구의 오류 및 미흡함보다도 오히려 1차 사료부터 삼한에 대한 설명이 타자에 의해 일방적으로 이루어지고, 관찰자 또는 사가에 의해 개념 지어진 측면이 있기 때문이다. 즉 『삼국지』와 『후한서』 동이전 또한 어디까지나 중국인이 중국인을 위해 쓴 중국사의 일부라는 점을 각인하고 접근해야 한다.[2] 그 과정에서 발생된 모순을 제거하고 정세론 및 삼국으로 전개 측면을 고려하여 이루어진 역사 해석이 오늘날 마한에 대한 인식이라 할 수 있다.

이 글에서는 먼저 1차 사료에 쓰인 마한의 용례를 통해 그에 대한 개념을 파악해 보고자 한다. 그것이 비록 타자인 중국인에 의해 관찰되고 정리되면서 왜곡된 측면이 있을지라도, 오늘날의 자료적 사정에서는 마한에 대한 원초적 인식 및 개념을 알아보는 수단이 될 수밖에 없다. 개념에

---

1) 李賢惠, 1984, 『三韓社會形成過程研究』, 一潮閣, 37~45쪽 ; 박대재, 2006, 「삼한의 기원과 국가형성」, 『한국고대사입문』 1, 신서원, 264~265쪽.
2) 문창로, 2017, 「『삼국지』 한전의 '삼한' 인식」, 『동북아역사논총』 55, 155쪽.

대한 이해가 최초의 인식론에 바탕 한 바라면, 1차 사료에 등장하는 마한 의 실체는 곧 '國'에 대한 기록이다. 고증의 역사학에 경도되어 있었던 근 래의 연구에서는 그 '國'에 대한 탐구가 삼한 연구의 큰 축을 이루었다. 그 간 많은 연구가 이루어진 '국'의 실상을 다시 검토하기보다는 마한의 기원 문제와 관련하여 '국'의 등장에 대해 간략히 살펴보고, 50여 국 기재 방식 을 설명하는 통설에 약간의 의문을 제기해 보고자 한다.

Ⅱ. 개념과 명칭

1. '馬韓'의 이중적 개념

오늘날 삼한을 연구하는 1차 사료는 280년경 西晉의 陳壽(233~297년)가 쓴『三國志』東夷傳 韓條와 劉宋의 范曄(398~445년)이 쓴『後漢書』東夷列 傳 韓條로 여겨진다. 후한의 정사인『후한서』가『삼국지』보다 앞 시기의 역 사이지만,『삼국지』가『후한서』보다 160년 정도 앞서 편찬되었다.『후한서』 에서만 확인되거나 내용이 다른 기사도 있지만, 동이전 부분은『삼국지』의 것을『후한서』가 대부분 轉寫하거나 내용을 압축한 것으로 판단한다.[3] 따라 서 동이전만큼은『후한서』보다『삼국지』의 사료적 가치가 더 높다고 평가된 다. 먼저『삼국지』한전에서 마한의 기본적인 양상을 기술한 문장을 보겠다.

〈가-1〉韓은 帶方 남쪽에 있는데, 동쪽과 서쪽은 바다를 끝으로 하고, 남

---

3) 高柄翊, 1965,「中國歷代正史의 外國列傳」,『大東文化研究』2 ; 全海宗, 1980,『東夷 傳의 文獻的研究』, 一潮閣, 92~106쪽 ; 千寬宇, 1989,『古朝鮮史・三韓史研究』, 一 潮閣, 220~227쪽.

쪽은 倭와 접한다. 사방으로 4천리이다. 세 종족이 있으니, 첫 번째는 馬韓, 두 번째는 辰韓, 세 번째는 弁韓이다. … 마한은 서쪽에 있다. … 산과 바다 사이에 흩어져 있는데, 성곽은 없다. 爰襄國 … 楚離國이 있고, 모두 50여개의 나라이다. 큰 나라는 만여가이고, 작은 나라는 수천가로 모두 10여 만 호이다.[4)]

위 사료는 『삼국지』한전의 첫 구절이다. 여기서 나타나는 바와 같이 삼한을 구분하는 1차적 기준은 지역적 구분이었다. 삼한 중 마한은 서쪽 부분으로 오늘날의 지리적 관점에서 보면 경기·충청·전라도 지역을 포괄하는 광역으로 판단된다. 그러나 내륙으로 어느 선까지 보아야 하는지, 남쪽으로는 전라남도의 남해 연안 지역 끝까지 해당하는지 명확하지 않다. 원양국부터 초리국까지 열거되어 있는 국명 하나하나에 대한 위치 비정이 이루어지면 정확한 마한의 범위를 파악할 수 있을 것이다. 그에 대해서는 뒤에서 다시 다루도록 하겠다.

『삼국지』한전에서 삼한을 구분 짓는 또 한 가지 기준은 종족적 속성 및 선주민과 이주민에 대한 지칭이다. 특히 그 부분은 진한에 대한 설명 부분에서 진한과 대비되는 개념으로 쓰이면서 나타난다.

　〈가2〉진한은 마한의 동쪽에 있다. (진한의) 노인들은 대대로 전하여 말하기를, "(우리들은) 옛날에 망명인으로 秦의 고역을 피하여 韓國으로 왔는데, 마한이 그들의 동쪽 땅을 분할하여 우리에게 주었다."고 하였다. … 그 (진한) 12국은 진왕에 속해 있다. 辰王은 항상 마한 사

---

4) 『三國志』卷30 魏書烏丸鮮卑東夷傳 第30 韓, "韓在帶方之南, 東西以海爲限, 南與倭接. 方可四千里. 有三種, 一曰馬韓, 二曰辰韓, 三曰弁韓. … 馬韓在西. … 散在山海間, 無城郭, 有爰襄國 … 楚離國, 凡五十餘國."

람을 세워 왕으로 하였다. 대대로 세습하였으며, 진왕은 자립하여 왕이 되지는 못하였다. <『魏略』에 이르기를, "그들은 옮겨온 사람들이 분명하기 때문에 마한의 제재를 받는 것이다"라고 하였다. >[5]

위의 사료에서는 진한의 대체적인 위치와 함께, 그 진한이 이주민에 의해 형성되었음을 전한다. 그 이주민에 대해 秦의 고역을 피해 왔다 하여 중국계임을 강조한다. 그러나 진시황의 고역을 피해 중국대륙에서 경상도 일대의 진한까지 왔다고 하는 전승은 사실적이지 못하다. 그리고 그에 이어 "진한 사람들이 낙랑을 阿殘이라 했다"고 하는 내용이 이어진다. 나아가 진한의 청동기·초기철기 유물은 서북한 지역의 위만조선의 것과 연결성을 보인다. 그러한 문헌 비판적 시각과 고고학 분야의 연구 성과를 통해서 보면, 진한을 형성한 실질적인 이주민은 서북한 지역에서 옮겨온 위만조선의 유민으로 판단된다.[6] 위 사료에서 주목하고자 하는 점은 '辰韓'을 곧 그 이주민 집단으로 여겼다는 것이다. 그리고 그 반대의 개념으로 진한에게 땅을 내어준 선주 토착세력을 곧 '馬韓'이라 하였다.

진한 12국의 진왕을 설명하는 부분에서는 그러한 마한과 진한의 개념이 더욱 중시되어 나타난다. 진한 12국의 연맹장과 같은 성격의 진왕을 마한 사람으로 하였다는 것인데, 마한 목지국에도 진왕이 등장하여 실상의 해석을 어렵게 한다. 그러나 마한 목지국의 진왕과 진한 12국의 진왕을 같은 존재로 보기는 어렵다. 마한 목지국의 진왕이 마한 지역뿐만 아니라 진한 12국까지 영향력을 행사했다고 하기는 정황상 불가능하며, 마

---

5) 『三國志』 卷30 魏書烏丸鮮卑東夷傳 第30 韓, "辰韓在馬韓之東. 其耆老傳世, "自言古之亡人避秦役來適韓國, 馬韓割其東界地與之. … 其十二國屬辰王. 辰王常用馬韓人作之, 世世相繼. 辰王不得自立爲王<魏略曰, 明其爲流移之人, 故爲馬韓所制>."

6) 權五榮, 1996, 「三韓의 「國」에 대한 硏究」, 서울대학교 박사학위논문, 45쪽 ; 박대재, 2005, 「三韓의 기원에 대한 사료적 검토」, 『한국학보』 31, 19~21쪽.

한에서 뛰어난 사람을 데려와 진한 사람들이 자신들의 연맹장으로 하였다는 것도 납득하기 어려운 정황이다. 마한과 진한 각각의 유력한 연맹장 및 왕을 똑같이 진왕이라 표기한 것으로 판단된다.[7]

진한의 왕 또한 '진왕'이고 그 진왕 역시 마한 사람이라는 난해한 문구에 대해 劉宋의 裴松之(372~451년)는 이해를 돕고자 『위략』을 인용하여 注를 하였다. 그 주에서는 "진한 사람들은 옮겨온 사람들이기 때문에 마한의 제재를 받는 것"이라 하였다. 『삼국지』의 본문과 『위략』의 주문을 함께 조합해 다시 정리해 보면, 진한 12국의 왕 역시 진왕이라 하는데 그는 마한 사람이며, 진한 12국의 사람들은 대부분 유이민이기 때문에 그 마한 사람의 제재를 받는다는 것이다. 따라서 이 구절에서 말하는 '마한'이란 유이민 '진한'과 반대의 개념에 있는 원주민 또는 기존의 수장을 의미한다.[8] 『위략』과 『삼국지』에서 마한은 지역적 구분과 더불어 韓의 원주민이라는 의미로도 썼음을 알 수 있다.

하지만 이주민이라 하여 모두 진한 지역으로 몰렸다고 단정하기 어렵다. 낙랑계 유물이 주를 이루는 경기도 화성 기안리 유적에서 확인되듯이[9] 경기도의 마한 지역에도 유이민이 유입된 지역이 더러 있었을 것이다. '마한=원주민', '진한=유이민'이라는 인식이 3세기 이전 삼한 전체를 관통하는 실상이라 단정할 수는 없다. 원주민과 유이민의 개념으로 마한과 진한을 구분한 인식은 진한의 기원으로 보았던 시기에 한정되거나, 큰 흐름에서 본 대체적인 틀에 입각한 것으로 보아야 하겠다. 또 앞서 언급한 지역적 구분과도 맞지 않는 측면이 있음을 함께 염두에 두어야 한다.

더하여 '마한은 원주민'이고 '진한은 유이민'이라는 구분에는 변한이 빠져

---

7) 전진국, 2017, 「辰國·辰王 기록과 '辰'의 명칭」, 『한국고대사탐구』 27.
8) 이미 선행연구에서 마한은 '先住土着民', 진한은 '後來移住民'의 의미로 쓰였음을 지적한 연구가 있다. 박대재, 2006, 『고대한국 초기국가의 왕과 전쟁』, 경인문화사, 172쪽.
9) 金武重, 2004, 「華城 旗安里製鐵遺蹟 出土 樂浪系土器에 대하여」, 『백제문화』 40.

있으며, 나아가 '삼한'이라는 개념 자체가 성립할 수 없게 한다. 따라서 그와 같은 마한과 진한의 구분은 삼한에 대한 인식의 한 단면으로 볼 수밖에 없다. 삼한의 구분 및 개념은 물론 삼한 내부의 실상이 반영된 것이겠지만, 어디까지나 중국 史家가 郡縣 이남에 대한 한정된 정보를 바탕으로 재해석한 역사상이며 의도적으로 기술된 막연한 인식이 史書에 반영된 결과로 보아야 하겠다.[10] 그러므로『삼국지』한전에 설정되어 있는 마한에 대한 개념은 3세기 전후의 역사적 실상을 액면 그대로 묘사한 것이라 할 수 없으며, 그 안에서 서로 충돌되고 모순되는 면이 적지 않음을 충분히 감안해야 한다. 그러한 실체와 인식의 모순은 마한의 명칭과 실질적 기원에서도 확인된다.

2. 명칭의 의미

개념을 탐구할 때에 함께 살펴보아야 할 문제는 명칭의 기원 및 의미이다. 더하여 그 문제는 실체와 인식에 대한 이해를 더욱 자세히 하는 논의이기도 하다. '마한'이라는 명칭의 기원 및 의미에 대해서는 이미 여러 견해가 제시된 바 있다.

첫 번째로 조선후기의 金正浩(? ~ 1866)의 견해부터 살펴볼 수 있다. 그는 방언에서 '馬'자에 '크다(大)'는 뜻이 있음을 지적한 뒤, 마한은 54국으로 이루어져 가장 크다는 점으로 인해 마한이라 한 것이라 하였다.[11] 그의 견해에는 丁若鏞(1762 ~ 1836)을 비롯한 대부분의 실학자들과 똑같이 삼한의 '韓' 또한 '크다'라는 의미임을 언급하고 있어, '馬韓'의 명칭

---

10) 문창로, 2005,「馬韓의 勢力範圍와 百濟」,『漢城百濟 史料 研究』, 경기도 · 기전문화재연구, 64~65쪽.

11)『大東地志』卷29 方輿總志 歷代志目錄 1 三韓諸國, "後人以三韓爲大國, 而七十八國若屬國焉, 是大不然. 東人方言稱物之大曰馬, 又凡言大曰韓, 五十四國說而大, 故曰馬韓. 非別有馬辰弁以主之如天子之制諸侯也."

에 '크다'의 뜻이 중복되는 부자연스러움이 있다. 그러나 78국이 마한 · 진한 · 변한에 속해 있고, 그 중 마한이 가장 많은 54국으로 구성되어 있어 마한이라고 했다는 명확한 해석을 제시한 점은 높이 평가할 수 있겠다.

두 번째는 진 · 변한과 똑같이 고대 중국에서 十二支 사상에 입각하여 그 글자 또는 그에 해당하는 동물의 이름으로 변방 이종족의 이름을 붙인 것이라는 견해이다.[12] 마한의 경우 午에 해당하는 말(馬)로써 이름 지은 것이라 하였다. 그러나 똑같이 12지 사상에 입각한 것이라 하면서도, '辰韓'의 경우에는 십이지의 글자를 그대로 취한 것이라 하고, 변한의 경우에는 뱀의 토착어를 음차 한 것이라 하여 일관성 없이 편의대로 설명한다는 비판이 가능하다. 또한, 前漢 武帝 때에 그와 같은 십이지 사상에 입각하여 변방 이민족의 명칭을 붙였다고 볼 수 있는 뚜렷한 근거도 없다.

세 번째는 '馬韓'의 '馬'를 토착어 '고마'와 관련시켜 보는 견해이다.[13] 그 논지는 『삼국사기』 지리지에서 오늘날 전라남도 장흥 땅에 비정되는 백제의 '古馬彌知'라는 지명을 들어, '고마미지'의 '고마'가 곧 말(馬)을 이르는 것이며 거기서 마한의 명칭이 유래했다는 것이다. 그러나 고마가 말의 뜻이라는 것은 말이 일본어로 '우마(うま)'인 것에 연유한 바 크다. 더하여 '마한'의 명칭이 어떻게 '고마미지' 그리고 동물 말과 연관되어 만들어졌는지 이유가 설명되지 않는다.

네 번째의 경우는 위의 두 번째 견해를 비판하며 그 대안으로 제시되었는데, 여기서는 고마를 고구려의 '蓋馬'라 하고 개마는 '上' · '神' · '聖'의 뜻으로 古濊貊族이 자신들의 나라 및 신성시 하는 명산대천에 이름 짓는 명칭이

---

12) 白鳥庫吉, 1912, 「漢の朝鮮四郡疆域考」, 『東洋學報』 2-2 ; 1985, 『朝鮮史研究-白鳥庫吉全集3-』, 岩波書店, 326쪽.

13) 鮎貝房之進, 1931, 「韓をカラと訓じたるに就きて」, 『雜攷』 2 ; 1972, 『雜攷 新羅王號攷 · 朝鮮國名攷』, 国書刊行会, 208~209쪽.

라 하였다.[14] 고예맥족은 고조선 유민이 남하하기 전에 한반도 중남부 지역에 먼저 남하하여 辰國을 세웠고, 그때부터 한반도 중남부 지역에 '고마'의 명칭이 있어 마한이라는 이름이 생기게 되었다고 한다. 하지만 여기서도 마한의 '馬'를 '고마' 또는 '개마'로 볼 수 있는 특별한 이유가 제시되지 않았다. 또한 고예맥족이 남하하여 진국을 세웠고 그때부터 한반도 중남부 지역에 고마·개마와 관련된 명칭 및 관념이 있었다는 것도 인정하기 어렵다.

다섯 번째는 신라 고유의 왕호 麻立干과 관련짓는 견해이다.[15] 마립간이란 말은 宗韓·宗干國이란 뜻이고, 이는 여러 군장 중 최고의 군장, 여러 韓國 중 최고의 宗國을 말하는 것이라 한다. 麻와 馬, 干과 韓의 발음이 유사한 것은 사실이지만, 신라 고유의 왕호를 마한의 명칭과 연결시키는 것은 납득하기 어렵다.

위의 다섯 가지 견해 중 마한의 실체 및 개념과 연결지어 고찰한 경우는 첫 번째 김정호의 견해이다. 그 시각을 계승하며 좀 더 자세히 살펴보는 방식으로 마한의 명칭에 대해 살펴보고자 한다.

앞서 살펴본 마한의 개념과 더불어 『삼국지』 한전에서 확인되는 마한의 또 한 가지 특징은 삼한 중 마한이 가장 크다는 점이다. '國'의 수에 따른 전체적인 범위뿐만 아니라, 국의 인구 규모에서도 진·변한의 나라보다 월등히 많은 것으로 기록되어 있다. 사료 〈가-1〉에 기술된 바와 같이 마한의 경우 큰 나라는 '만여가' 작은 나라는 '수천가'라고 한 것에 비해, 진변한의 경우 큰 나라는 '사오천가' 작은 나라는 '육칠백가'라고 한 기사를 통해 확인할 수 있다.[16] 마한은 국의 수만의 아니라 국의 규모에서도

---

14) 李丙燾, 1935, 「三韓問題의 新考察(二) -辰國及三韓考-」, 『진단학보』 3, 104~105쪽.
15) 丁仲煥, 2000, 『加羅史研究』, 혜안, 279쪽.
16) 『三國志』 卷30 魏書烏丸鮮卑東夷傳 第30 韓, "弁辰韓合二十四國, 大國四五千家, 小國六七百家, 總四五萬戶."

진 · 변한의 나라들보다 월등히 큰 대국이 이었음을 유추해 볼 수 있는 대목이다. 그러한 대국의 존재는 마한의 전체적인 범위와 함께 삼한 중 마한이 가장 크며 宗主와 같이 인식하는 요인이 되었던 것이다.

그러나 마한 50여 국 전체를 대표하는 '대국' 및 하나의 연맹체를 상정하기는 어렵다. 더하여 50여 국이 하나의 공동체 의식이나 어떠한 유대관계를 지니고 있었다고 하는 것은 더욱 불가능한 일이다. 물론 目支國의 辰王이 특별히 언급된 것을 보면, 진왕이 일정 정도의 범위 안에서 주변의 나라에 영향력을 행사하는 등, 우월한 위상을 지니고 있었음을 추측해 볼 수 있다. 그러나 진왕의 통치력이 50여국을 포함한 마한 전역에 미치고 있었다고 보기는 어렵다.

무덤의 양식을 바탕으로 한 문화적 측면에서 볼 때 마한은 경기도부터 전라도 지역까지 서해 연안 일대에서 조사되는 墳丘墓라는 공통의 큰 틀로 묶어 볼 수는 있겠다.[17] 하지만 다시 그 안에서 한강 유역은 돌무지무덤(積石墓)의 분포 범위, 충남 · 전북 지역은 周溝墓의 분포 범위로 구분되고, 이는 각각 伯濟國을 중심으로 한 한강 유역의 나라들과 目支國을 중심으로 한 천안 또는 금강 일대의 나라들로 나뉘어 볼 수 있다.[18] 그리고 그에 더하여 墳丘墓에 甕棺의 매장시설을 갖춘 전라남도 영산강 유역의 문화권 또한 마한의 한 부류로 넣을 수 있겠다.[19]

광범위한 지역에 문화적 차이를 두고 각기 떨어져 있는 별개의 문화권임에도 불구하고 모두 마한으로 지칭되었다. 이를 통해서 보면, 마한은 문화적으로나 정치적으로 어떠한 공통성에 의해 하나의 공동체로 묶인 단위

---

17) 마한의 분구묘에 대해서는 다음의 연구가 참고된다. 임영진 외, 2015, 『마한 분구묘 비교 검토』, 학연문화사.

18) 權五榮, 1996, 「三韓의 「國」에 대한 硏究」, 서울대학교 박사학위논문, 216~217쪽.

19) 成洛俊, 1983, 「榮山江流域의 甕棺墓研究」, 『백제문화』 15 ; 김낙중, 2009, 『영산강 유역 고분 연구』, 학연문화사, 35~42쪽.

라 할 수 없다. 반면, 진한과 변한의 경우 마한에 비해 규모가 한정되어 있고, 문화적인 면에서도 특징적인 공통의 요소를 설정할 수 있다. 예를 들면 진한과 변한 각각의 12국은 마한 50여국과 비교가 되지 않을 정도의 소규모이다. 그 12국은 한정된 범위 안에서 연맹체와 같은 하나의 조직체의 설정이 가능하다. 진·변한의 널무덤(목관묘)과 덧널무덤(목곽묘), 그리고 와질토기 문화는 고유의 공통적 문화라는 점에서 정체성이 뚜렷하다.

이와 같이 마한이 넓은 범위의 여러 문화권을 포괄한다면, 진·변한은 한정된 범위 안에서 공통의 특징적 문화권을 가진다. 그 점에 비추어보면, 마한은 '진한'과 '변한'으로 특정되는 지역 외의 나머지 모든 지역을 포괄하는 명칭이었다고 볼 수 있겠다. 그리고 그와 같이 별개의 여러 문화권 및 정치체(연맹체)를 포괄하는 명칭이었다면, 그들이 스스로 마한이라 하기보다 타자에 의해 일방적으로 하나의 단위 즉 마한으로 분류된 것으로 보아야 한다.[20]

마한 50여 국은 각각의 고유 국명이 있었고, '마한'은 그 전체를 아우르는 명칭이라는 점 또한 이와 관련하여 주목해 볼 부분이다. 『삼국지』 한전에 기록된 고유의 국명은 자칭의 대내외적 국명을 중국 측에서 음차 또는 훈차 하여 표기한 것이다. 그러나 그 50여 국 전체를 아우르는 '마한'은 하나의 고유 명사를 음차 또는 훈차한 것이라 보기 어렵다. 더하여 진한과 대비되는 개념으로 본래의 토착세력을 말하는 의미로도 쓰였다. 그런 점에서 보면 『삼국지』 등 1차 사료에 쓰인 마한의 용례는 타자에 의해 쓰인 관념적인 명칭이었다고 판단된다.

따라서 타자의 입장에서 즉 당시 삼한 전체와 교역하며 그것을 조망한 낙랑 또는 중국 史家의 관점에서 지칭된 명칭으로 볼 수밖에 없다. 이때에 그들이 지닌 마한에 대한 관점이라면, 진한과 변한을 제외한 삼한 대

---

20) 문창로, 2007, 「백제의 건국과 고이왕대의 체제정비」, 『百濟의 起源과 建國』, 충청남도역사문화연구원, 290쪽.

부분이라는 점, 진·변한의 나라들보다 월등히 큰 대국이 존재한다는 점, 이주민 계열의 진한에 대비되는 개념으로 삼한의 종주와 같이 여겨졌다는 점 등이다. 그러한 마한의 개념 및 인식에 입각해 본다면, '마한'이라는 명칭에는 삼한 중 가장 큰 '한' 또는 종주와 같이 여겨졌던 '한'이라는 의미와 연결 지어 볼 여지가 크고, 김정호가 지적한 바와 같이 '馬'자에 있는 '크다'는 뜻을 새긴 것으로 추정된다.

그런데 김정호는 삼한 토착의 언어(東人方言)에서 '말(馬)'이라는 말에 '크다'라는 의미가 있다고 하여, 고유의 방언에서 만들어진 명칭으로 보았다. 하지만 앞서 살펴본 바와 같이 '마한'이라는 명칭은 타자 즉 낙랑·대방 및 중국 측의 입장에서 쓰인 것이므로, 한자 본래의 뜻에 주목하는 편이 합리적일 것이다. 방언이 아닌 한자 '馬'의 본래 뜻에도 '크다(大)'라는 의미가 있다.[21] 따라서 '馬'자에 있는 '크다'라는 뜻의 그 의미를 새겨 '가장 큰 한' 또는 '종주와 같은 한'을 '마한'으로 이름한 것이라 추정한다. 그리고 한 가지 더 억측을 해 보자면, 중국의 입장에서 卑稱의 의도로 크다는 뜻의 여러 글자 중 동물 말의 뜻을 첫 번째로 담고 있는 '馬'자 쓴 것이 아닌가 생각한다.

III. '國'의 형성과 그에 대한 기록

1. '國'의 등장과 마한의 기원

마한의 역사적 실상을 고찰하고자 한다면, 『삼국지』한전에 기록된 '國'

---

21) 『漢語大詞典』, "[馬] 大. 明李時珍 本草綱目 草五 馬蓼 凡物大者 皆以馬名之 俗呼 大蓼是也"; 諸橋轍次, 1959(1985 修訂版), 『大漢和辭典』卷12, 東京: 大修館書店, "[馬] おほきい. 大きいものの喩. 爾雅, 釋蟲 蛈, 馬蜩. 〈注〉蜩中最大者爲馬蜩"

의 존재에 집중하여 그 기원과 실체를 탐구해야 한다. 『삼국지』와 『후한서』 한전에서 마한 '國'의 모습 및 실상을 살필 수 있는 기사는 50여국의 나열, 辰王이 목지국을 다스린다는 기록, 그리고 기리영 전쟁에서 나타나는 신분고국 정도이다. 이들 기록은 지극히 단편적이며 중국 중심의 기록이므로, 이를 통해 '국'의 등장 및 마한 사회의 형성 과정을 살핀다는 것은 사실상 불가능하다. 그러나 문화 인류학적 이론을 적용하고 물질자료를 바탕으로 한 고고학계의 연구를 활용하여 '국'의 등장과 역사적 발전 그리고 그에 따른 마한의 기원에 대해 논의가 가능하다.

마한에서 '국'의 기원 및 형성은 취락의 발생부터 읍락의 출현, 그리고 정치체의 등장으로 이어지는 일련의 과정을 상정해 볼 수 있다.[22] 취락의 모습은 서울 암사동, 하남 미사리, 부여 송국리 유적의 사례를 통해 신석기시대까지 끌어올려 볼 수 있다. 읍락의 경우 곳곳에서 확인되는 청동기 유물과 농경의 흔적을 통해 설정할 수 있다. 또 경기도 지역에서 발견되는 청동기, 초기 철기시대의 소형 方形系 주거지와 그 이후 단계인 四柱式 주거지는 취락과 읍락의 요소를 보여주는 유적이라 할 수 있다.[23] 그러한 읍락사회 안에서 族外婚의 습속과 읍락간의 물자 교역이 진행되면서, 읍락간의 결속이 이어지고, 그것이 부족사회 및 '國'이라는 정치체를 성립하는 요인으로 작용하게 되었다고 이해된다.[24]

정치체의 등장은 거대한 고인돌의 조영과 무기 및 위세품으로 대표되는 청동기의 사용을 통해 짐작해 볼 수 있다. 고인돌은 서기전 2~1세기를 끝으로 한반도 전역에 걸쳐 분포하는데, 특히 전라남도 지역에 많은 양이 몰려 있다. 전라남도 지역의 고인돌군은 13개 권역으로 구분되는데 각각

---

22) 權五榮, 1996, 『三韓의 「國」에 대한 研究』, 서울대학교 박사학위논문, 16~30쪽.
23) 송만영, 2013, 『중부지방 취락고고학 연구』, 서경문화사, 159~166쪽.
24) 文昌魯, 2000, 『三韓時代의 邑落과 社會』, 신서원, 85~86쪽.

청동기시대의 초기 국가로 상정해 볼 수 있다.[25] 『삼국지』한전에 등장하는 마한의 나라들과 직접적으로 연결시킬 수 있을지는 의문이지만, 그 토착사회가 고인돌문화와 어떠한 계승·발전 관계에 있었음은 분명하다.

청동기시대 초기 세형동검문화의 중심지는 금강 유역이고, 그 다음 유물·유적이 풍부하게 발견되는 지역은 영산강 유역이다.[26] 그러한 청동기 유물·유적의 분포를 통해서 보면 실제 삼한에서 '國'의 형성은 금강 및 영산강 유역의 마한 지역에서 시작되었다고 할 수 있다. 그리고 그 나라 중에서 얕은 구릉과 평야 지역에 산재하는 여러 주거 집단을 거느리고 몇몇 소국을 복속시켜 성장한 '大國'을 상정해 볼 수 있겠다.[27]

이와 같은 사회 발전과 문화 변동 그리고 그 속에서 이루어진 주민 집단의 형성과 '국'의 성립은 어느 한 시기에 이루어진 것이라 할 수는 없다. 주민 구성은 신석기시대 이래 장구한 기간 동안 자연 환경에 적응하며 성장해온 토착 주민 집단과 간간이 외부에서 이주해온 집단을 흡수하며 형성되는 큰 틀의 이해가 이루어진다.[28] 사회·문화적 발전 또한 같은 맥락으로, 오랜 기간에 걸친 내재적 발전 및 외부와의 꾸준한 교류를 통해 발전한 것으로 파악된다.

마한의 형성 시기 및 상한 연대에 대해서는 청동기문화의 발전과 辰國이라는 정치체를 근거로 서기전 3세기로 보는 견해,[29] 준왕이 馬韓으로

---

25) 李榮文, 2002, 『韓國 支石墓 社會 研究』, 學研文化社, 307~326쪽.

26) 李康承, 2003, 「청동기시대 유적의 분포」, 『한국사』 3, 국사편찬위원회, 60~61쪽.

27) '大國'에 복속된 '小國'의 형태, 그 대국에서 제의와 정치적 중심지였던 '國邑'의 양상 등에 대해서는 다음의 연구가 참고된다. 박대재, 2018, 「三韓의 '國邑'에 대한 재인식」, 『한국고대사연구』 91.

28) 노태돈, 2007, 「문헌상으로 본 백제의 주민구성」, 『百濟의 起源과 建國』, 충청남도 역사문화연구원, 149쪽 ; 권오영, 2010, 「馬韓의 종족성과 공간적 분포에 대한 검토」, 『한국고대사연구』 60, 15쪽.

29) 李賢惠, 1984, 『三韓社會形成過程研究』, 一潮閣, 46~47쪽 ; 박순발, 1998, 「前期 馬

피해 왔다는 것에 의거하여 준왕 남천 이전인 서기전 3세기 말경으로 보는 견해,[30] 서기전 2세기 초 준왕 남천으로부터 (남)마한이 형성되었다고 보는 견해,[31] 서기전 2세기 철기문화의 유입을 마한의 시작으로 보아야 한다는 견해[32] 등이 있다.

그러나 앞서 제시한 바와 같이 '國'의 기원 및 등장을 취락의 발생으로부터 읍락의 출현 그리고 정치체의 등장 속에서 파악한다면, 특정한 시기를 설정하는 것은 상당한 어려움이 따른다. 예컨대 準王으로 대표되는 고조선 유민이 마한 지역으로 들어온 것에 주목한다 하더라도, 그것이 과연 토착사회의 정치·문화적 상태를 근본적으로 변화시킬 만큼 큰 파급력을 미쳤는가 하는 점에서 의문이다.[33] 또는 철기문화의 유입과 관련짓는다고 하더라도 기존의 세형동검문화 속에서 크게 확산되지 못했다는 점에서 한계가 있다.[34] 즉 외부로부터의 주민 유입 및 문화 전파가 있었다 하더라도, 그것이 단기간에 마한 지역 전체에 혁신적인 영향을 주었다고는 할 수 없다. 마한은 하나의 정치·문화적 특징으로 묶을 수 없는 50여 개의 나라로 이루어져 있으며, 그 지역 전체에 걸쳐 획기적인 변화를 가져오는 주민의 이주 및 문화 변동이 확인되지 않는 점에서도 마찬가지이다.

그럼에도 불구하고 1차 사료라 할 수 있는 『삼국지』에 바탕하여 마한의 시작을 설정하고자 한다면, 역시 준왕 남천 전승에 주목할 수밖에 없다.

韓의 時·空間的 位置에 대하여」,『馬韓史 硏究』, 충남대학교 출판부, 26~31쪽.

30) 盧重國, 1987,「馬韓의 成立과 變遷」,『마한·백제문화』10, 27쪽 ; 宋華燮, 1995, 「三韓社會의 宗教儀禮」,『三韓의 社會와 文化』(한국고대사연구 10), 신서원, 56~58쪽.

31) 千寬宇, 1989,『古朝鮮史·三韓史硏究』, 一潮閣, 172~173쪽.

32) 崔盛洛, 1993,『韓國 原三國文化의 硏究』, 學硏文化社, 164쪽.

33) 李賢惠, 1984,『三韓社會形成過程硏究』, 一潮閣, 35~36쪽.

34) 林永珍, 1995,「馬韓의 形成과 變遷에 대한 考古學的 考察」,『三韓의 社會와 文化』 (한국고대사연구 10), 신서원, 117쪽.

준왕 남천 전승은 "기원전 190년대 위만에게 패한 고조선의 준왕이 한지로 옮겨가 한왕이 되었다"는 내용이다.[35]『삼국지』찬자에 의해 윤색된 측면이 있지만,『삼국지』한전 안에서 이 전승은 가장 앞 시기의 기사로 삼한에 대한 최초의 역사라는 점에 의미가 있다. 즉『삼국지』찬자는 삼한의 기원 및 시작을 준왕 남천에 설정해 놓고 한전을 작성하였던 것이다. 비록 중국 사가에 의해 인위적으로 설정된 것이지만,『삼국지』에 의거하여 마한의 시작을 설정하고자 한다면 기원전 190년대 준왕 남천 전승에 두어야 하겠다. 그리고 그것에 실제의 역사성을 부여해 보자면, 역시 고조선 주민의 유입 그리고 그것이 촉매가 되어 이루어진 '국'의 등장 및 발전에 초점이 맞추어질 수밖에 없다.

한편, 그 이후에도 마한 지역 안에서는 많은 나라가 일어났다가 없어지고 성장과 분열을 거치는 역사가 반복되었을 것이다. 그러한 시기를 거쳐 서기 3세기 때의 상황이『삼국지』한전에 기록된 50여 국이라 할 수 있겠다.

『삼국지』한전에 수록된 마한 50여 국은 3세기 중반 즈음 마한을 구성하는 주요 나라들이었으며, 그 50여 국이야말로 마한의 실상을 가장 잘 대변해 주는 대목이다. 그리고 그에 대한 기초 연구이며 고증의 핵심이 위치 비정 문제이다. 마한 50여국의 위치 비정에 대해서는 그간 여러 연구에서 논의되었다.

『삼국지』와『한원』을 통해 전해지는 마한 50여 국의 이름과 그에 대한 주요 연구의 위치 비정 견해를 함께 표로 제시하면 다음과 같다.

---

35)『三國志』卷30 魏書 烏丸鮮卑東夷傳 第30 韓, "侯準旣僭號稱王, 爲燕亡人衛滿所攻奪, 將其左右宮人走入海, 居韓地, 自號韓王. 其後絶滅, 今韓人猶有奉其祭祀者.〈魏略曰, 其子及親留在國者, 因冒姓韓氏. 準王海中, 不與朝鮮相往來.〉"

표 1. 마한 50여국 이름과 위치 비정

	국명[36]	정인보[37]	이병도[38]	천관우[39]	박순발[40]
1	爰襄國(〃)	경기도 장단	화성시 남양읍	파주·연천	황해도 금천
2	牟水國(牟襄水國)	수원	수원	양주	파주 파평, 인천
3	桑外國(桑水國)	황해도 봉산	화성 장안·우정	파주·연천	경기 삭녕현
4	小石索國(〃)	전북 순창	경기 서해의 섬	강화 교동	
5	大石索國(〃)	임실	小石索國 부근	강화도	
6	優休牟涿國(優休牟淥國)	황해도 재령	부천	춘천	인천 계양구
7	臣濆沽國(臣僕沽國)	순천 낙안	안성	가평	강화도
8	伯濟國(〃)	경기도 광주	경기도 광주	서울 강남	서울 송파구
9	速盧不斯國(〃)	나주 반남	김포(通津)	김포(通津)	개성 판문
10	日華國(〃)	장단 임진		양평·지평	서울 금천구
11	古誕者國(〃)	김제 금구		양평·지평	경기 양평
12	古離國(古雜國)	정읍 고부	남양주(豊壤)	여주	남양주 진접
13	怒藍國	경기도 이천	이천(陰竹)	이천	이천 장호원읍
14	月支國(目支國)	서울	평택 성환~천안 직산	인천	천안 목천
15	咨離牟盧國(資離牟盧國)	천안 목천	이천	서산 지곡	보령
16	素謂乾國(〃)	홍성		보령	곡성 옥과
17	古爰國(古爰國)	청양		당진	광양
18	莫盧國(莫盧)	전남 장흥 회령		예산 덕산	광양
19	卑離國(〃)	군산 회미	군산		
20	占離卑國(古卑離國)	卑離國의 중복	정읍(高阜)	홍성	
21	臣釁國(臣疊國)	군산 임피	대전~계룡	아산 온양	
22	支侵國(〃)	예산 대흥	예산	예산 대흥	예산 대흥
23	狗盧國(〃)	홍성	청양	청양	
24	卑彌國(〃)	천안 직산	서천(庇仁縣)	서천	

36) ( )는 『翰苑』 蕃夷部 百濟 조에서 『魏志』를 인용하여 열거한 국명이다. (〃)는 같음을 표기한 것이다.
37) 鄭寅普, 1946, 『朝鮮史硏究』 上卷, 서울신문사, 116~121쪽.
38) 李丙燾, 1976, 『韓國古代史硏究』, 博英社, 262~266쪽.
39) 千寬宇, 1989, 『古朝鮮史·三韓史硏究』, 一潮閣, 422~423쪽.
40) 박순발, 2013, 「유물상으로 본 백제의 영역화 과정」, 『백제, 마한과 하나되다』, 한성백제박물관, 126~128쪽.

	국명	정인보	이병도	천관우	박순발
25	監奚卑離國(監奚卑離)	파주	홍성	공주	영암 시종
26	古蒲國(古滿)	경북 경산 고포		부여	
27	致利鞠國(〃)	전남 화순	서산 지곡면	서천 한산	여수 돌산
28	冉路國(없음)	진안		익산 함열	화순 능주
29	兒林國(〃)	익산 여산	서천	서천	서천
30	駟盧國(〃)	군산 옥구	홍성 장곡면	논산 은진	홍성 장곡, 청양 비봉
31	內卑離國(〃)	부여		대전 대덕 유성	대전 유성
32	感奚國(〃)	안성	익산 함열	익산	천안 풍세, 익산 함열
33	萬盧國(邁盧國)	충북 진천	보령	군산 옥구	군산 옥구
34	辟卑離國(群卑離國)	전남 보성	김제 / 보성	김제	김제
35	臼斯烏旦國 (田斯烏旦國)	장성	장성군 진원면	금제 금구	장성 진원
36	一離國(〃)	화순 능주		부안 태인?	익산 낭산
37	不彌國(〃)	충북 단양	나주	부안 태인?	공주 신풍
38	支半國(羊皮國)	전북 부안		부안 태인?	완주 화산
39	狗素國(〃)	담양	잘못된 표기	정읍 고부	정읍 고부
40	捷盧國(挺盧國)	충북 옥천		정읍	순천
41	牟盧卑離(牟盧離國)	전북 고창	고창	고창	고창
42	臣蘇塗國(〃)	태안	태안	고창 흥덕	태안
43	莫盧國(〃)	잘못된 표기		영광	
44	古臘國(古櫛國)	황해도 백천	남원	장성	신안(島嶼)
45	臨素半國(〃)	전남 무안	군산(沃溝)	광주, 나주?	임실
46	臣雲新國(〃)	나주	충남 천안	광주, 나주?	
47	如來卑離國(〃)	논산 은진	익산 여산	화순 능주	곡성
48	楚山塗卑離國(〃)	정읍	정읍	진도 군내면	담양
49	一難國(〃)	고창		영암	영암?
50	狗奚國(〃)	狗素國의 중복	강진	해남 마산	장성
51	不雲國(〃)	남원 운봉	공주	보성	
52	不斯濆邪國(〃)	전주	전주	순천 낙안	순천 낙안
53	爰池國(奚他)	나주 압해		여수	순천 주암
54	乾馬國(馬國)	익산	익산	장흥	
55	楚離國(〃)	楚山卑離國의 중복		고흥 남양	고흥 남양

2. 국명 채록과 기재 방식

『삼국지』한전에 열거된 마한의 나라는 모두 55국이다. 그러나 국명을 모두 나열한 뒤 그것을 개괄하여 설명한 부분에서는 '五十餘國'이라 하였다. 55개의 국명 열거 속에서 莫盧國은 두 번 기재되었다(18, 43). 그런데 『한원』에서 앞에 기재된 막로국(18)은 '英盧'로 쓰여, 뒤의 '卑離國'과 합쳐 볼 여지가 있다. 더하여 監奚卑離國·辟卑離國·牟盧卑離國 등과 같이 '○○卑離國'이 다수 나타나는 것 역시 참조해 볼 사항이다. 따라서 막로(18)과 비리국(19)은 하나의 이름 즉 '莫盧卑離國'이며,『한원』에서는 '英盧卑離國'으로 쓰였을 가능성이 크다.[41]

그렇다면『삼국지』에 수록된 국명은 '오십여국'이라 하였지만 정확히는 54국이다.『후한서』한전에는 국명이 열거되지 않았지만 구체적으로 '54국'이라 하였다.[42]『삼국지』에 의거하면서도 막로국이 두 번 기재된 것을 오류로 보았거나, 위와 같이 앞의 막로국을 '막로비리국'이라는 하나의 이름으로 판단하고 제시한 수가 아닌가 생각된다.

하지만「한원」삼한 조에 인용된『위략』일문과『진서』동이전 마한 조에서는 '56국'이라 하였다.[43] 이때의 56국은『삼국지』에 기재된 55국에 마한 조 끝에 특별히 기록된 州胡國을 포함한 수치로 볼 수도 있겠다.[44] 그러나 18번째 19번째의 국명은 하나의 나라 즉 莫盧卑離國 또는 英盧卑離國으로 볼 여지도 있으므로,『삼국지』에 열거된 나라는『후한서』에서 제

---

41) 千寬宇, 1989,『古朝鮮史·三韓史硏究』, 一潮閣, 406쪽.
42)『後漢書』卷85 東夷列傳 第75 韓, "馬韓在西, 有五十四國"
43)『翰苑』蕃夷部 三韓, "魏略曰, 三韓各有長師, 其置官, 大者名臣智, 次曰邑借, 凡有 小國五十六."
　　『晉書』卷97 列傳 第67 四夷 馬韓, "馬韓居山海之間, 無城郭, 凡有小國五十六所."
44) 윤용구, 2019,「馬韓諸國의 位置再論」,『지역과 역사』43, 10~11쪽.

시한 54국일 가능성도 있다. 따라서 56국이라 한 별도의 기록은 주호국 하나를 더한다고 하여 해결될 문제는 아니다. 국명을 열거하였지만『삼국지』찬자 또한 결국 '오십여국'이라 하였듯이, 정확히 파악되었다고 할 수 없으며 전사 과정의 착오도 생각해 볼 수 있겠다.

더하여『위략』의 廉斯鑡 전승과『후한서』의 蘇馬諟 전승에서 유추되는 廉斯(國)의 존재라던가,『晉書』張華傳에 등장하는 '馬韓 新彌諸國' 등을 고려해 보면,『삼국지』에 열거된 나라가 마한의 전부라 할 수 없다. 장구한 시간 동안 여러 나라가 일어나고 없어지는 흐름에 따른 시대상의 차이, 또는 교류의 유무에 따른 채록의 여부도 있을 것이다. 따라서 위의 표에 열거된 나라들이 마한 전시기의 전체라 할 수 없으며, 한 시대라 하더라도 마한 전역의 나라들이 모두 망라되었다고 단정할 수 없다.

국명 하나하나에 대한 위치 비정은 주로 후대의 지리지에서 발음이 유사하거나 표기 방식에 상관성이 있는 지명을 찾는 방법으로 이루어졌다. 그리고 경기 · 충청 · 전라도 안에서 고고학 유물 · 유적이 조사된 곳이 함께 주목되었다. 그러나 그 국명의 음운학적 방법을 통한 위치 비정은 확증하기 어렵고 견해의 차이가 일치하지 않는 경우가 많다. 따라서 참고는 해 볼 수 있지만, 확정적이라 할 수는 없다.

그러나 임진강 이남에서 전라남도 해안 지역에 이르기까지 북쪽에서 점차 남쪽의 순으로 기재되었다는 견해[45]에 대해서는 오늘날 대부분의 연구자가 동의하고, 그에 입각하여 마한 소국에 대한 논의를 이어 나간다. 더하여 倭와 西域의 사례와 같이 중국 측에서 관리하고 사신이 나아간 교통로를 따라, 서해 연안 해로를 이용하여 남쪽으로 내려가는 교통의 순서로 보기도 한다.[46] 통설과 같은 이 두 가지 사항에 대해 비판적 관점

---

45) 千寬宇, 1989,『古朝鮮史 · 三韓史研究』, 一潮閣, 375~376쪽.
46) 윤용구, 2019,「馬韓諸國의 位置再論」,『지역과 역사』43.

에서 다시 한번 살펴보고자 한다.

　마한 50여 국 국명 기록과 관련해서는 먼저 그것이 어떻게 채록되었는가 하는 점부터 살펴보아야 하겠다. 중국 문헌에 수록된 마한 50여 국의 국명은 교류의 과정에서 그들이 수집한 정보임은 당연하다. 특히 마한의 나라들과 붙어 있고, 그들에 대한 1차 기록을 생산하는 낙랑ㆍ대방과 관련하여 생각해 볼 수밖에 없다. 나아가 『삼국지』 한전의 서술 시대이며 그 기록이 정리된 曹魏 때의 상황에 주목해야 하겠다. 그와 관련하여 같은 한전 안에서 다음의 교류 기사가 주목된다.

> 〈나-1〉 경초 연간(237~239년)에 명제가 몰래 대방태수 유흔과 낙랑태수 선우사를 파견하여 바다를 건너 (대방ㆍ낙랑) 두 군을 평정하였다. 그리고 여러 韓國의 신지에게는 읍군의 인수를 더해 주고, 그 다음 사람에게는 읍장의 벼슬을 주었다. 그들의 세속은 衣幘을 좋아하여, 하호들도 군에 가서 조알할 적에는 모두 의책을 빌려, 스스로 인수를 차고 의책을 입는 자가 1천여 명이다.[47]

　위의 사료는 조위가 요동의 공손씨 세력을 무너트리고, 군 태수를 새로이 파견하여 낙랑ㆍ대방군을 접수한 뒤 삼한의 수장들과 교섭하는 기사이다. "여러 韓國의 신지에게는 읍군과 인수를 더해 주고, 그 다음의 사람에게는 읍장의 벼슬을 주었다"고 하는 구절은 마한 여러 나라와 기록의 생산자인 조위의 일괄적이며 대대적인 교섭의 정황을 엿볼 수 있다. 위 사료에서 확인되는 바와 같이 『삼국지』 한전에 채록된 50여 국의 이름은 이

---

47) 『三國志』 卷30 魏書 烏丸鮮卑東夷傳 第30 韓, "景初中, 明帝密遣帶方太守劉昕ㆍ樂浪太守鮮于嗣越海定二郡. 諸 智加賜邑君印綬, 其次與邑長. 其俗好衣幘, 下戶詣郡朝謁, 皆假衣幘, 自服印綬衣幘千有餘人."

때에 낙랑·대방군을 접수한 조위가 삼한의 나라들과 교섭하고, 교섭한 그 나라들을 수록해 둔 자료가 바탕이 되었다고 추정된다.[48]

교섭은 군현의 새로운 관리자인 조위의 관리가 삼한의 여러 나라에 직접 내려가 읍군·읍장의 벼슬을 주고 인수를 내려주었다고 보기 어렵다. '조알'에서 나타나듯이 먼저 삼한 여러 나라의 수장 또는 상인이 군현으로 나아가 조공의 형식으로 교섭하는 것이 먼저이다.[49] 그 교섭은 중국 측의 통제 안에서 이루어졌고, 그 뒤 허가를 받고 胡市에서 사적인 장사를 하였을 것이다. 귀국 역시 중국 측의 호송 안에서 이루어지고, 호송해 준 군현의 사신 또한 삼한의 나라로 들어가 특산품을 받아오며 장사를 하는 식의 使行무역으로 추정된다.[50]

그와 같은 사행무역은 고대 중원 왕조의 변군에서 이웃 나라와 이루어졌던 교류의 큰 틀이겠지만, 그것이 마한 50여 국 전체에 똑같이 적용되었다고 보기는 어렵다. 삼한 나라들이 군현과 교섭을 하는 정황에는 중심이 되는 나라가 있고, 그 나라의 통제 속에서, 또는 그 나라를 필두로 하여 군현에 나아가는 모습 또한 확인된다. 가령 마한 목지국의 辰王이라던가, 삼한의 臣智 중에서 우월한 수장의 칭호를 더한 나라의 수장들이 그러하다.[51] 이들 나라의 수장은 그 주변의 나라들에게 어느 정도의 영향력을 행사하며 삼한 안에서 군현과의 교류를 통솔·관장하였을 가능성이

---

48) 金泰植, 1993, 『加耶聯盟史』, 一潮閣, 45쪽.

49) 李賢惠, 1998, 『韓國 古代의 생산과 교역』, 일조각, 265~272쪽 ; 尹龍九, 1999, 「三韓의 對中交涉과 그 性格」, 『국사관논총』85, 115~121쪽.

50) 김병준, 2011, 「敦煌 懸泉置漢簡에 보이는 漢代 변경무역」, 『한국 출토 외래유물』2, 한국문화재조사연구기관협회, 1405~1406쪽 ; 2019, 「고대 동아시아의 해양 네트워크와 교역」, 『가야가 만든 동아시아 네트워크』, 국립중앙박물관, 91~93쪽.

51) 『三國志』卷30 魏書 烏丸鮮卑東夷傳 第30 韓, "辰王治月支國 臣智或加優呼 臣雲遣支報安邪踧支濆臣離兒不例拘邪秦支廉之號 其官有魏率善邑君歸義侯中郎將都尉伯長"

크다.[52) 따라서 하나의 나라를 중심으로 여러 나라가 함께 군현에 나아가 교섭했겠지만, 다시 군현의 사신이 그들 나라 하나하나를 모두 호송해 주며 모든 나라를 거쳐 갔다고 보기는 어렵다.

『삼국지』 왜전에는 30여개의 나라가 기재되어 있는데, 이 경우 군현의 사신이 나아가는 정황이 명확히 기술되어 있다. 즉 對馬國부터 시작하여 남쪽으로 1천여 리를 가면 一大國에 이르고, 거기서 다시 또 바다를 건너 1천여 리를 가면 末盧國에 이르고, 하는 식의 기술이 그러하다. 이는 『한서』 서역전을 비롯하여 이후 중국 사서에서도 대개 교통로를 따라 그 연변의 여러 국가와 민족을 순차적으로 배열하는 기술에서도 확인된다. 하지만 삼한의 경우 중국 측 사신이 나아가는 노정이 전혀 확인되지 않는다. 단순히 많은 국명만 열거되어 있을 뿐이다.

삼한의 많은 나라들이 군현을 둘러싸고 있는 정황 또한 다른 지역과 비교되는 특징적 사례이다. 마한 50여국이 군현과 통교를 위해 각각 서북한 지역으로 나아갔을지 모르겠으나, 군현의 관리나 사신이 50여국을 모두 돌며 그 교통로를 파악하고 있었다고 가정하기 어렵다. 더하여 마한과 낙랑·대방군의 교류는 육로와 바닷길이 함께 사용되었다는 점도 고려해야 한다. 낙랑·대방군과 비교적 가까이 붙어 있는 임진강과 한강 유역의 나라들은 육로를 통해 교류하고, 멀리 떨어져 있는 충청·전라도 지역에 있던 나라들은 바닷길을 통해 교류하였을 것이다. 즉 같은 마한의 나라라 하더라도 교류와 교통의 방법이 같지 않았으므로 일관된 하나의 교통로를 설정하기 어렵다.

삼한의 여러 나라들과 서로 오고 가며 잦은 교류를 하고, 교류를 한 나라들을 적어 놓은 장부에서 채록되었을 가능성은 상정해 볼 수 있겠으나,

---

52) 李富五, 2004, 「1~3세기 辰王의 성격 변화와 三韓 小國의 대외교섭」, 『신라사학보』 1, 9~10쪽.

그 전체에 교통로의 순서가 반영되어 있다고 보기는 어렵다. 서역이나 倭의 경우를 보편적인 것으로 간주하여 일반론을 펴기보다는 삼한의 특수한 상황을 감안해야 할 것이다.

교섭한 나라들을 기재해 둔 장부에서 채록되었다면, 북쪽에서 남쪽의 순서로 열거되었다는 통설도 비판적 시각에서 다시 생각해 보아야 하겠다. 이 부분에서 먼저 문제점으로 제기해 볼 수 있는 사항은 乾馬國(54)의 위치와 관련된 문제이다. 실재 경기 북부 지역부터 전남 남해 연안 지역까지 북쪽에서 남쪽의 순으로 열거되었다면, 끝에서 두 번째에 기재되어 있는 건마국은 전라남도 남쪽 지역에 비정되어야 한다. 그래서인지 그 가설을 제시한 연구에서는 『삼국사기』에 등장하는 '古馬彌知縣'의 '古馬'와 '乾馬'의 음상사를 들어 전라남도 장흥에 비정하였다.[53]

그러나 건마는 통상 전북 익산의 옛 지명 '金馬(渚)(郡)'와 유사하다고 여겨 그곳에 비정해 왔다. 건마와 금마는 굳이 설명이 필요 없을 정도로 발음과 표기가 비슷하며,[54] 익산 지역에서 청동기 유물이 풍부하게 발견되는 정황 또한 함께 주목되었다.[55] '건마=금마=익산'의 위치 비정이 부정되지 않는 이상 전남 지역까지 마한 50여 국을 비정하는 것과 북쪽에서 남쪽의 순으로 열거되었다는 가설은 서로 모순 관계에 있음을 염두에 두어야 하겠다.

또한 마한 50여 국 중 건마국과 더불어 위치 비정이 확정적이며 이견이 없는 것이 辟卑離國(34)과 车盧卑離國(41)이다. 벽비리국은 『삼국사기』에서 백제의 옛 지명으로 등장하는 '碧骨'과 유사하여 김제에 비정되고,

<hr />

53) 『三國史記』卷36 雜志 第5 地理3 武州, "寶城郡 … 馬邑縣, 本百濟古馬旀知縣, 景德王改名, 今遂寧縣" 이후 『新增東國輿地勝覽』과 『大東輿地圖』에 의하면 遂寧은 忠宣王 2년 이후 長興府로 편재되었음을 확인할 수 있다.

54) 도수희, 1974, 「'金馬渚'에 대하여」, 『백제연구』5, 58~66쪽.

55) 金貞培, 1986, 『韓國古代의 國家起源과 形成』, 고려대학교 출판부, 256~271쪽.

모로비리국은 '毛良夫里'와 상관성이 깊어 고창에 비정된다. 이들 두 나라는 모두 금마국(54) 앞에 기재되었지만, 익산의 남쪽 지역에 비정된다. 이와 같은 사항 역시 북쪽에서 남쪽으로 기재되었다는 통설에 의문을 갖게 한다.

그리고 마지막으로 참조해 볼 사항이 진·변한 24국 열거 기록이다. 『삼국지』 한전과 『한원』 신라조에 기록된 진·변한 24국의 국명과 주요 연구의 위치 비정 또한 함께 표로 제시해 보겠다.

표 2. 진·변한 24국 이름과 위치 비정

	국명[56]	정인보[57]	이병도[58]	천관우[59]	末松保和(진한)[60] 김태식(변한)[61]
1	己柢國(巳私國)	언양	안동	영주 순흥?	언양
2	不斯國(없음)		창녕	안동	창녕
3	弁辰彌離彌凍國 (卞辰祢離陣國)	의성 單蜜	밀양	예천 龍宮, 또는 상주 咸昌	밀양
4	弁辰接塗國 (卞辰樓塗國)	성주	함안 漆原	상주?	
5	勤耆國(〃)	문경 山陽	포항 영일	청도	영일
6	難彌離彌凍國 (難離祢陣國)	상주 化昌	의성 丹密	창녕 靈山推浦	丹密
7	弁辰古資彌凍國 (卞辰古資祢陣國)	고성	고성	고성	고성
8	弁辰古淳是國 (卞辰古淳是國)	상주 咸昌		사천～삼천포	산청?
9	冉奚國(冉爰國)	대구 달성(河濱)	울산	대구?	안동

---

56) ( )는 『翰苑』 蕃夷部 新羅 조에서 『魏志』를 인용하여 열거한 국명이다. (〃)는 같음을 표기한 것이다.
57) 鄭寅普, 1946, 『朝鮮史硏究』 上卷, 서울신문사, 121~122쪽.
58) 李丙燾, 1976, 『韓國古代史硏究』, 博英社, 274~276쪽.
59) 千寬宇, 1991, 『加耶史硏究』, 一潮閣, 62~100쪽.
60) 末松保和, 1954, 『新羅史の諸問題』, 東京: 東洋文庫, 116~126쪽.
61) 金泰植, 1991, 「가야사 연구의 시간적·공간적 범위」, 『韓國古代史論叢』 2, 48쪽.

	국명	정인보	이병도	천관우	末松保和(진한) 김태식(변한)
10	弁辰半路國(〃)	거제 鵝洲	성주	합천?	고령?
11	弁[辰]樂奴國(〃)	경산 慈仁	하동 악양	진주?	
12	軍彌國(〃)	의성 永穴	사천 昆明·昆陽	칠곡 인동	김천 개령, 어모
	弁軍彌國(없음)			칠곡 若木~성주	
13	弁辰彌烏邪馬國(〃)	고령	고령	고령	
14	如湛國(〃)	군위	군위	의성 탑리~군위	선산
15	弁辰甘路國	사천 昆陽	김천 개령	김천 개령	김천 개령
16	戶路國 (卞辰甘露尸路國)	울산 東安	상주 함창	영천	옥천
17	州鮮國(〃)	경산		경산?	대구
18	馬延國(馬國)			밀양	영일 杞溪
19	弁辰狗邪國(〃)	김해	김해	김해	김해
20	弁辰走漕馬國(〃)	거창	김천 조마	함안 칠원~마산	진주?
21	弁辰安邪國(〃)	함안	함안	함안	함안
	馬延國(없음)				
22	弁辰瀆盧國 (弁辰續盧國)	거제	동래	동래	동래
23	斯盧國(없음)	경주	경주	경주	경주
24	優由國(〃)	청도	청도	울진	영덕

『삼국지』한전에서 군미국(12)은 뒤이어 변군미국으로 거듭 쓰였고, 마연국(18)은 변진안야국(21) 뒤에 또 등장한다. 그러나 『한원』신라전에서 뒤의 마연국은 없다. 『삼국지』한전에서는 국명을 열거한 뒤 정확히 24국이라 하였다. 진한과 변한의 나라를 각각 12국이라 하고 합쳐 24국이라 함은 『후한서』 및 『통지』등 모든 기록이 같다. 그러므로 문헌과 판본의 차이에 따른 탈자 및 중복의 오류는 어느 정도 잡아낼 수 있다. 즉 변낙노국(11)은 변진낙노국이 올바른 표기이고, 군미국(12) 뒤의 변군미국이 잘못된 명칭이며, 마연국(18)은 뒤에 다시 쓰인 마연국이 오기라 판단된다.

삼한의 국명 기재가 교통로 순서라 함은 진·변한 24국을 대상으로 하여 먼저 제기된 바 있다.[62] 그러나 위치 비정이 명확하지 않은 나라가 많다는 점, 변한의 경우 주로 바닷길을 통해 교류하였을 것인데 진한과 같이 하나의 교통로였겠는가 하는 점 등에서 동의하기 어렵다. 또한 열거된 국명 중 앞에 '弁辰'이 붙은 나라는 보통 변한의 나라로 간주되는데, 진한과 변한의 나라가 무작위로 섞여 있어 교통로는 물론이거니와 史家에 의해 별도로 정리된 흔적조차 찾아볼 수 없다.

그럼에도 불구하고 국명 열거에서 어떠한 법칙성을 찾고자 한다면, 진한과 변한의 나라가 2개 혹은 3개씩 붙어 있고 번갈아서 기재되었다는 점이다. 그리고 그나마 위치 비정에 이론이 적은 변진구야국(김해)-주조마국(마산)-안야국(함안)-독로국(거제도 또는 부산)의 사례를 통해서 보면, 나란히 열거되어 있는 이들 나라는 지리적으로도 서로 붙어 있어 하나의 권역으로 묶어 볼 수 있다.

이렇게 하나의 권역으로 연결시켜 볼 수 있는 나라들은 낙랑·대방으로 나아가 교류할 때에 함께 나아가고, 낙랑·대방의 사신 또한 이들 나라를 함께 호송한 뒤 그들 나라 안에서 장사를 하고 돌아갔을 것이다. 국명 열거에는 그와 같은 하나의 권역 및 교역권의 나라들이 나란히 기재되는 몇 개의 그룹은 상정해 볼 수 있겠다. 그러나 변한과 진한의 나라들이 마구 섞여 있듯이, 다시 그 여러 그룹 사이에서 어떠한 순서 및 연결성을 찾기는 어렵다.

사가가 따로 고려하여 전체를 어떠한 순서로 기록했다고 하기보다는, 각각으로 정리되어 있던 몇몇 그룹의 나라들을 국명만 채록하여 열거하는 식으로 기재된 것으로 추정된다. 마한 50여 국 역시 하나의 권역 및 교역권에 있는 나라들이 나란히 기재되었다고는 할 수 있겠지만, 그 전체가 일괄적으로 정리되었다고 보기는 어렵다.

---

62) 尹善泰, 2001, 「馬韓의 辰王과 臣濆沽國」, 『百濟研究』 34, 8~9쪽.

V. 맺음말

『삼국지』한전에 기술된 마한의 개념은 삼한 중 서쪽 지역에 해당하며, 가장 넓고 많은 나라로 이루어졌다는 지리적 구분을 먼저 꼽을 수 있다. 그리고 그와 더불어 삼한에 이미 거주하고 있던 토착세력 그 자체를 의미하는 종족적 개념을 지닌 용례로 쓰인 사례도 확인된다. 그 지역적 개념과 종족적 개념은 서로 모순을 낳을 수밖에 없고, 거기서 새로운 전승이 만들어지기도 한다. "마한이 망명해 들어온 진한에게 동쪽의 땅을 떼어 주었다"는 전승은 그러한 맥락에서 이해해야 하겠다. 실제 마한이 동쪽의 영토를 분할 해 주면서 진한이 형성된 것이 아니라, 마한과 진한에 대한 피상적이며 한정적인 개념 안에서 이주민 집단의 형성이라는 실제의 역사가 전승의 차원으로 기록된 것이다.

마한의 명칭 문제 역시 그러한 측면에서 살펴보았다. 마한에 대한 기본적인 개념과 인식의 토대 위에서 그 명칭이 만들어진 것으로 이해하였다. 마한의 개념이라 하면 삼한 중 가장 넓은 범위라는 점, 진한·변한의 나라보다 월등히 큰 大國의 존재, 그리고 宗主와 같은 토착세력 그 자체를 일컫는 용례라는 점 등을 통해서 볼 때, '馬'자에 있는 '크다'라는 뜻에 바탕하여 韓의 가장 큰 일 부분을 마한이라 한 것이라 판단된다. 그러나 어디까지나 '마한'뿐만 아니라 '진한'·'변한'의 명칭 역시 '韓'·'韓國' 전체를 조망한 낙랑·대방 또는 중국 史家의 입장에서 인위적으로 정리되고 구분된 타칭으로 볼 수밖에 없다. 삼한 안에서 그들이 자신들의 정체성을 표방하며 대내외적으로 사용한 명칭은 『삼국지』한전에 전해지는 70여 개의 고유 국명이다. 그리고 그 '國'이야말로 삼한의 실체이며, 실질적인 韓의 구성분자라 할 수 있다.

국의 형성은 취락, 읍락, 소국, 그리고 여러 소국을 거느리는 대국의 등장까지, 그 발전 단계를 순차적으로 그려볼 수 있다. 그리고 그것이 마한의 실질적인 기원과 관련된 사항일 것이다. 그러나 『삼국지』한전에는 그러한 국의 형성 및 실질적인 역사상에 대한 기록은 없다. 그러므로 마한의 기원과 관련해서는 가장 앞선 시기의 전승이라 할 수 있는 준왕 남천 전승에 기준을 잡을 수밖에 없다. 이 부분에서도 삼한의 1차 사료라 할 수 있는 『삼국지』한전의 사료적 한계를 지적하지 않을 수 없다. 타자에 의해 피상적으로 쓰일 수밖에 없었고, 그 개념 및 인식이 실체에 충실했다고 하기보다는 관념적이었고, 그에 따라 기록 자체가 전승과 설화적 측면이 크다는 점을 충분히 감안해야 한다.

마한의 '국'에 대한 기록 중 가장 주목되는 부분은 50여 국의 국명을 열거한 대목이다. 이는 3세기 전반 마한의 전체적인 정황을 가장 잘 보여주는 기록이다. 그 국명의 기재는 북쪽에서 남쪽의 순서로 열거되었다는 견해가 통설과 같이 여겨져 왔고, 최근에는 교통로의 순서이기도 하다는 견해가 제시되었다. 그러나 이 글에서는 그 두 견해에 대해 비판적 입장을 제시하였다. 북쪽에서 남쪽으로 또는 교통로 순서로 史家에 의해 그 전체가 일괄적으로 정리되었다 할 수 없다. 하나의 권역이며 그룹을 이루어 낙랑·대방과 교역한 몇몇 나라들이 나란히 기재되는 것 정도는 추정해 볼 수 있겠다.

이 문제는 『삼국지』한전에 그 국명이 일일이 기록된 삼한 70여 국의 위치 비정이 어느 정도 이루어진다면 해결될 사항이다. 위치 비정 문제는 국명의 음운학적 고찰과 고고학 발굴 조사 성과의 반영 외에 아직 특별한 방법론이 없다. 하지만 삼한의 실체 및 역사 고증과 관련하여 가장 중요한 문제로, 꾸준히 연구되어야 할 사항이라 생각한다.

【참고문헌】

1. 원전

『三國志』(中華書局, 1982)

『後漢書』(中華書局, 1965)

『翰苑』(동북아역사재단, 2018, 『譯註 翰苑』)

『大東地志』(1976, 아시아문화사)

2. 사전

羅竹風 主編, 1993, 『漢語大詞典』, 漢語大詞典出版社

橋轍次, 1959(1985 修訂版), 『大漢和辭典』卷12, 東京: 大修館書店

3. 단행본

김낙중, 2009, 『영산강유역 고분 연구』, 학연문화사

金泰植, 1993, 『加耶聯盟史』, 一潮閣

李賢惠, 1998, 『韓國 古代의 생산과 교역』, 일조각

文昌魯, 2000, 『三韓時代의 邑落과 社會』, 신서원

박대재, 2006, 『고대한국 초기국가의 왕과 전쟁』, 경인문화사

송만영, 2013, 『중부지방 취락고고학 연구』, 서경문화사

李丙燾, 1976, 『韓國古代史研究』, 博英社

李榮文, 2002, 『韓國 支石墓 社會 研究』, 學研文化社

李賢惠, 1984, 『三韓社會形成過程研究』, 一潮閣

임영진 외, 2015, 『마한 분구묘 비교 검토』, 학연문화사

全海宗, 1980, 『東夷傳의 文獻的 研究』, 一潮閣

鄭寅普, 1946, 『朝鮮史研究』上卷, 서울신문사

千寬宇, 1989,『古朝鮮史 · 三韓史硏究』, 一潮閣

崔盛洛, 1993,『韓國 原三國文化의 硏究』, 學硏文化社

4. 연구논저

高柄翊, 1965,「中國歷代正史의 外國列傳」,『大東文化硏究』2

權五榮, 1996,「三韓의「國」에 대한 硏究」, 서울대학교 박사학위논문

권오영, 2010,「馬韓의 종족성과 공간적 분포에 대한 검토」,『한국고대사연
　　　구』60

金武重, 2004,「華城 旗安里製鐵遺蹟 出土 樂浪系土器에 대하여」,『백제문화』
　　　40

김병준, 2011,「敦煌 懸泉置漢簡에 보이는 漢代 변경무역」,『한국 출토 외래
　　　유물』2, 한국문화재조사연구기관협회

김병준, 2019,「고대 동아시아의 해양 네트워크와 교역」,『가야가 만든 동아
　　　시아 네트워크』, 국립중앙박물관

金貞培, 1986,『韓國古代의 國家起源과 形成』, 고려대학교 출판부

金泰植, 1991,「가야사 연구의 시간적 · 공간적 범위」,『韓國古代史論叢』2

盧重國, 1987,「馬韓의 成立과 變遷」,『마한 · 백제문화』10

노태돈, 2007,「문헌상으로 본 백제의 주민구성」,『百濟의 起源과 建國』, 충청
　　　남도역사문화연구원

도수희, 1974,「「金馬渚」에 대하여」,『백제연구』5

李康承, 2003,「청동기시대 유적의 분포」,『한국사』3, 국사편찬위원회

李丙燾, 1935,「三韓問題의 新考察(二) -辰國及三韓考-」,『진단학보』3

문창로, 2005,「馬韓의 勢力範圍와 百濟」,『漢城百濟 史料 硏究』, 경기도 · 기
　　　전문화재연구

문창로, 2007,「백제의 건국과 고이왕대의 체제정비」,『百濟의 起源과 建國』,

충청남도역사문화연구원

문창로, 2017, 「『삼국지』한전의 '삼한' 인식」, 『동북아역사논총』55

박대재, 2005, 「三韓의 기원에 대한 사료적 검토」, 『한국학보』31

박대재, 2006, 「삼한의 기원과 국가형성」, 『한국고대사입문』1, 신서원

박대재, 2018, 「三韓의 '國邑'에 대한 재인식」, 『한국고대사연구』91

박순발, 1998, 「前期 馬韓의 時·空間的 位置에 대하여」, 『馬韓史 硏究』, 충남
　　　　대학교 출판부

박순발, 2013, 「유물상으로 본 백제의 영역화 과정」, 『백제, 마한과 하나되다』,
　　　　한성백제박물관

白承忠, 1995, 「弁韓의 成立과 發展 -弁辰狗邪國의 성격과 관련하여-」, 『三韓
　　　　의 社會와 文化』(한국고대사연구 10), 신서원

成洛俊, 1983, 「榮山江流域의 甕棺墓硏究」, 『백제문화』15 ; 김낙중, 2009, 『영
　　　　산강유역 고분 연구』, 학연문화사

宋華燮, 1995, 「三韓社會의 宗敎儀禮」, 『三韓의 社會와 文化』(한국고대사연구
　　　　10), 신서원

宋華燮, 1995, 「三韓社會의 宗敎儀禮」, 『三韓의 社會와 文化』(한국고대사연구
　　　　10), 신서원

尹龍九, 1999, 「三韓의 對中交涉과 그 性格」, 『국사관논총』85

尹善泰, 2001, 「馬韓의 辰王과 臣濆沽國」, 『百濟硏究』34

윤용구, 2005, 「『三國志』韓傳에 보이는 馬韓國目」, 『漢城百濟 史料 硏究』, 경
　　　　기도·기전문화재연구원

윤용구, 2019, 「馬韓諸國의 位置再論」, 『지역과 역사』43

李富五, 2004, 「1~3세기 辰王의 성격 변화와 三韓 小國의 대외교섭」, 『신라사
　　　　학보』1

林永珍, 1995, 「馬韓의 形成과 變遷에 대한 考古學的 考察」, 『三韓의 社會와

文化』(한국고대사연구 10), 신서원

전진국, 2017,「辰國・辰王 기록과 '辰'의 명칭」,『한국고대사탐구』27

千寬宇, 1976,「'三國志' 韓傳의 再檢討」,『진단학보』41

4. 일문논저

白鳥庫吉, 1912,「漢の朝鮮四郡疆域考」,『東洋學報』2-2

白鳥庫吉, 1985,『朝鮮史研究-白鳥庫吉全集3-』, 岩波書店

鮎貝房之進, 1931,「韓をカラと訓じたるに就きて」,『雜攷』2

鮎貝房之進, 1972,『雜攷 新羅王號攷・朝鮮國名攷』, 国書刊行会

末松保和, 1954,『新羅史の諸問題』, 東京: 東洋文庫

마한 성립기 영산강 상류 자료의 성격과 특징

김진영 (대한문화재연구원)

Ⅰ. 머리말

마한의 공간범위는 경기·충청·전라지역에 해당되고, 54개 국으로 구성된 것으로 알려져 있있으나, 그 실체에 대해서는 명확하지 않다. 고고학적 자료로 보면 지역 간 차이가 확인되기 때문에 통합된 하나의 마한으로는 이해되지 않는다. 사료에서는 마한이 4세기 후반에는 백제의 영역으로 재편되었다고 하나, 고고학적 자료가 보여주는 각 지역의 문화적 독자성은 당대의 사회적 표현으로써 정치적으로도 나름대로 독자성을 유지하면서 공존하고 있었다는 사실을 보여준다.

이것은 마한이라는 문화적·정치적 실체의 중심에 사람 즉 토착민이 있었으며, 소위 '삼국시대'라고 구분되는 시기에도 마찬가지이다. 고구려·백제·신라만을 중심으로 한 삼국시대라는 구분 속에는 삼국만이 존재했던 것이 아니라는 사실을 상기할 필요가 있다. 세계사적으로 당시는 영토를 정복하기 위한 전쟁의 시대였으며, 마한의 범주에 속한 영산강유역도 역사의 흐름에서 제외될 수 없으며 결국에는 백제의 영역으로 재편되어가지만, 4~6세기대 옹관고분을 비롯한 고분들이 상징하는 지역만의 문화적·정치적 독자성은 누구도 부인할 수 없는 사실이다.

필자는 마한의 독자성을 토착민들에 의한 지속적인 내재적 발전에 의한 결과로 보았다. 고고학적 자료로 보면 철기문화 유입 후, 토착의 송국리문화가 쇠퇴하면서 보여주는 물질자료의 불확실성과 이 불확실성이 역사의 흐름 속에서 새로운 지역성으로 전환되어가는 과정은 마한이라는 역사적 실체가 성립되어가는 과정으로 이해할 수 있다. 이러한 물질문화의 총체적 변화에는 주변 정세가 큰 영향을 미치는데, 준왕의 남천과 위만조선의 패망과 더불어 한사군의 설치이다. 낙랑군(중국)을 기점으로 해상을 통한 새로운 교통로가 열리고, 국제적 교류가 관계망이 형성되고, 이로 인하여 해안이나 강주변의 유적에서 외래유물, 신기술 등이 확인된 영산강유역에서도 이 같은 자료들이 집중되는 바, 해양세력이 출현한다.

해양세력의 존재는 단순한 생존의 의미를 벗어나 새로운 변화를 추구하는 세력의 등장으로 인식하고자 하며, 내륙중심의 공간인식에서 벗어나 해양중심으로의 공간인식으로 이해하려는 시각이 필요하다. 동북아시아의 해상교통로가 열리면서 강도 경계의 의미를 벗어나 통로로써 새롭게 인식되어간다. 해양과 강을 새로운 문화교통로로 이해함으로써 주변 지역, 국가와 국가 사이의 관계 맺기-교류를 가능하게 하였다. 이러한 인식아래 마한 성립기 영산강상류에서 조사된 자료를 중심으로 특징을 살펴볼 것이다.

II. 영산강의 지형 및 유적의 현황

1. 영산강의 지형

영산강은 한반도 서남부지역의 대표적 하천으로 담양군 용면 가마골의 용소에서 발원하여서 남서쪽으로 흐르다가 광주광역시에서 합류하여 남류하면서 나주시를 관류하고, 무안군과 영암군을 흐르면서 서남해로 연결된다. 하천을 중심으로 평야지대를 형성하고, 수계 외곽으로는 해발고도 800~500m 이상의 노령산맥과 소백산맥의 지맥들이 뻗어가면서 서-북-동쪽을 둘러싸며 분지를 이루며, 자연적인 경계를 형성한다. 상류로 갈수록 구릉과 산지의 비율이 높아지고, 하류로 갈수록 점점 구릉과 산지의 비율이 낮아지는데, 상류쪽으로 갈수록 하천의 서쪽에 평야지대의 비율이 높아지고 하류로 갈수록 동쪽에 평야지대의 비율이 높아진다.

본고에서 영산강 상류지구의 범위는 지류인 극락강, 황룡강이 본류로 합류하는 지점까지로 설정하였다. 영산강 상류는 북쪽으로는 방장산(743m)-병풍산(822m)-추월산(731m)-신성산(603m)을 분수령으로 전북지역과 경계를 이루고, 서쪽으로 문수산(621m)-팔암산(395m)어등산(339m)-금성산(451m)을 분수령으로 고막원천과 영산강중류지구와 경계를 이룬다. 동쪽으로는 고비산(400m)-무등산(1107m)을 분수령으로 섬진강유역과 경계를 두고 있다.

영산강 상류는 남북으로 길게 이어지면서 대분지를 이루며, 하나의 큰 권역을 이루는데, 담양권, 광주권, 장성권 3개의 권역으로 구분된다.

2. 유적의 검토

1) 담양권(본류 일대)

담양권은 영산강의 발원지가 있는 곳으로 용천, 오례천, 증암천이 곡간평야를 지나면서 영산강 본류에 합류하여 남서로 흐르는데, 합류부에는 넓은 충적지를 이루는 분지형태이다. 노령산맥과 소맥산맥이 갈라지는 지점으로 북-서쪽은 노령산맥의 지맥인 해발고도 700~800m가 넘는 산으로 둘러싸여 장성권과 경계를 이루고, 동쪽은 소백산맥의 지맥에 의해서 화순권(지석천권 일대), 섬진강유역권인 순창군과 곡성군과 경계를 이룬다. 순창과는 지형적으로 큰 차이 없이 연결되며, 곡성군과는 오례천을 통해서 연결된다. 남쪽으로는 넓은 충적평야가 펼쳐지며, 광주권으로 바로 이어진다. 지금까지 확인된 유적은 담양 태목리유적 등이 있다.

담양 태목리유적은 영산강유역 전체를 통틀어 최대규모의 취락유적이다. 청동기시대부터 삼국시대에 걸친 다양한 유구들이 확인되었으며, 유구들은 매우 복잡한 중복관계를 이루며 확인되었다. 유구 수에 따르면 3~4세기대 자료들이 집중되는데, 전체적으로 송국리문화에서 3~4세기 마한계 유구로 변해가는 시간성을 잘 보여준다. 특히 주거지에서 시간성이 단절되지 않고, 송국리형주거지(17)→원형계주거지(10여기)→방형계주거지(1000여기 이상)로의 변화를 보이며, 확장되는 현상을 확인할 수 있다. 이 과정에서 경질무문토기가 출토되는 주거지는 30여기 정도에 해당된다.

경질무문토기는 삼각형점토대토기문화의 범주에 속하며, 담양 태목리유적에서 삼각형점토대토기가 출토되지 않는다는 점이 주목되고, 완전한 홑구연화가 이루어진 단계의 경질무문토기이다. 삼각형점토대토기는 지역에 따라 차이가 있지만 기원후 2세기까지 존속하는 것으로 알려져 있으며, 해남 군곡리 Ⅱ기층 9~11층의 제작수법으로 보아 기원전 1세기 어느 시점에 홑구연화가 나타나는 것으로 추정된다[1]. 경질무문토기가 출토된 원형계주거지의 상한은 기원전 1세기경으로 판단된다.

경질무문토기는 송국리형주거지, 원형계주거지, 방형계주거지에서 출토되었다. 경질무문토기만 출토된 주거지는 송국리형주거지와 원형계주거지이고, 타날문토기와 함께 출토된 주거지는 원형계주거지와 방형계주거지이며, 점차적으로 방형계주거지에서의 타날문토기 비율이 높아진다. 송국리형주거지가 기원전후나 그 이후까지 원형계주거지와 동일지점에서 공존했음을 알 수 있다.

부뚜막이 설치된 방형계주거지에서도 경질무문토기는 타날문토기와

---

1) 김진영 2018, 『영산강유역 철기시대 문화 연구』, 영남대학교대학원 박사학위논문, 79~86쪽.

함께 출토되고, 경질무문토기에 타날을 한 사례도 장란형, 발형토기에서 다수 확인된다. 이렇게 혼재된 양상은 인접한 섬진강유역권의 곡성 오지리유적, 구례 봉북리 등과 유사하고, 이들 유적에서는 대부분 원형계주거지(타원형주거지)에서 출토되었고, 기원후 2세기경으로 편년되었다. 영산강상류에서도 원형계 중 타원형주거가 이 시기에 등장하며, 주거지의 형태가 삼각형, 오각형, 부정형 등 이형적인 구조를 가진 것들이 확인되기도 한다.

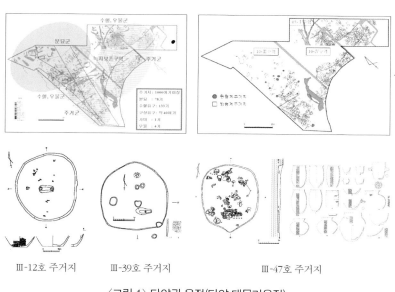

Ⅲ-12호 주거지   Ⅲ-39호 주거지   Ⅲ-47호 주거지

〈그림 1〉 담양권 유적(담양 태목리유적)

2) 광주권(극락강 일대)

광주권은 북으로는 담양권의 하류부의 평야지대와 바로 연결되며, 남으로는 영산강중류와 연결된다. 풍영정천, 극랑강, 광주천, 황룡강이 영산강 본류에 합류하여 남서로 흐르는데, 넓은 충적지를 이루는 분지형태

이다. 담양 응용리 일원에서 곡류하는 본류와 용산제를 경계로 담양권과 경계를 구분하였다. 서쪽으로는 노령산맥의 해발고도 300m 정도의 산이 뻗어 있으나 곡간평야로 이어져 장성권(황룡강 일대), 함평권(고막원천 일대)과 경계를 이룬다. 동쪽으로는 무등산(1,187m)이 남-북으로 뻗어 화순권(지석천 일대)과 경계를 이룬다. 도시화가 일찍 진행된 강의 동쪽보다 최근에 개발이 진행된 강의 서쪽에서 다수의 유적들이 확인되었다.

유적은 광주 신창동유적, 광주 오룡동유적, 광주 수문유적, 광주 복룡동유적, 광주 월전동 하선유적, 광주 운남동유적, 광주 성덕유적, 광주 장자유적, 광주 하남동유적, 광주 치평동유적, 광주 금호동유적, 광주 매월동유적, 광주 평동유적, 광주 동림동유적, 광주 신촌유적, 광주 뚝뫼유적, 광주 용강유적, 광주 용곡유적 등이 있다. 주요유적을 중심으로 살펴보겠다.

광주 신창동유적은 사적 제375호로 지정되어 그 일원은 학술조사와 구제조사에 의해서 여러 차례에 걸쳐 조사되었고, 동시기 다양한 자료들이 확인되었다. 저습지에서는 영산강유역을 대표하는 삼각형점토대토기문화가 확인되었고, 저습지 위쪽 구릉부에서는 옹관묘군이 확인되었는데, 삼각형점토대토기집단의 무덤군으로 기원전 2세기 중·후반~기원전 1세기로 편년된다.

신창동옹관묘와 동일한 옹관묘들이 광주 운남동·광주 장자·광주 평동 등에서 조사되었고, 동일한 시간성을 갖는다.

신창동 571-1번지 유적에서는 방형계의 7호 주거지에서 삼각형점토대토기와 시루 등이 출토되었다. I 지점에서는 원형주거지가 1가 확인되었는데, 무문토기, 개 등이 출토되었다. IV지점에서 2호와 4호 주거지에서 경질무문토기와 연질타날문토기가 출토되었고, 방형계주거지로 기원후 2세기경으로 추정된다. 이외에도 5기 정도의 주거지가 더 확인되었으며, 타날문토기를 주로 출토하며, 절대연대값이 기원후 2~3세기경에 집중되고 있다.

신창동 산7-7번지 유적은 고지성 구릉에 입지하며, 환호와 구가 각 2기씩 조사되었다. 환호와 구는 동시기에 사용되었고, 고지성 구릉 환호로 환호 I 내부에서 다량의 투석이 출토되었다. 주혈군에서 철검 등이 출토된 점, 출입시설과 관련되는 지점에서 다량의 목탄이 출토된 점 등으로 보아서 방어적 목적의 환호로 이해된다. 유물은 원형점토대토기, 삼각형점토대토기, 두형토기, 길게 짼 투공+가장자리에 원형 투공한 시루 등 신창동 저습지유적에서 출토된 토기류와 구성이나 형식 등이 동일하며, 동일한 시기에 동일집단에 의해서 조성된 유적으로 판단된다.

신창동 514-1번지유적은 삼각형점토대토기와 경질무문토기기가 출토된 주거지 2기와 수혈, 유물포함층에서 오수전 1점 등이 출토되었다. 오수전은 「五」자는 양획이 곡선적으로 교차하며, 위와 아래의 가로획이 양쪽으로 돌출되게 표현되었고, 「銖」자의 머리가 삼각형이고 네 점은 긴 점으로 표현되었다. 유사한 형식이 제주도에서 출토되어 상한연대를 기원전 63년으로 추정하였고[2], 신창동 오수전은 기원전 1세기 후반경으로 볼 수 있다. 오수전이 출토된 층에서는 삼각형점토대토기, 경질무문토기, 연질의 타날문토기 등이 함께 출토되었다. 1호 주거지는 방형계로 삼각형점토대토기와 경질무문토기 등이 출토되었고, 2호 주거지도 방형계로 삼각형점토대토기, 경질무문토기, 연질타날문토기 등이 출토되었다. 일부 수혈에서도 동일한 토기류가 출토되었다. 주거지와 수혈의 연대는 기원전 1~기원후 2세기로 추정된다.

---

2) 권욱택 2013, 『한반도 · 중국 동북지역 출토 진 · 한대 화폐의 전개와 용도』, 영남대학교대학원 석사학위논문.

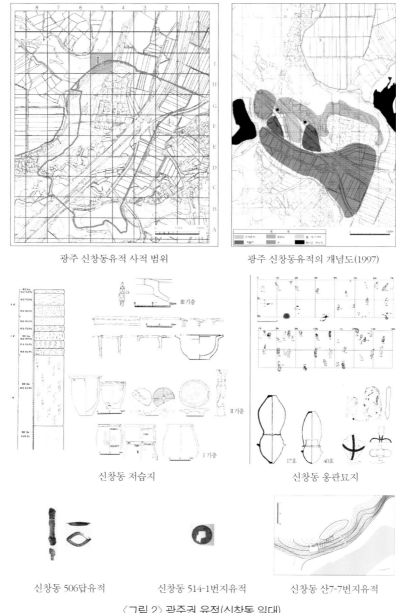

광주 신창동유적 사적 범위

광주 신창동유적의 개념도(1997)

신창동 저습지

신창동 옹관묘지

신창동 506답유적

신창동 514-1번지유적

신창동 산7-7번지유적

〈그림 2〉 광주권 유적(신창동 일대)

광주 수문유적에서는 삼각형점토대토기가 주거지와 토광묘에서 확인되었다. 주거지는 송국리형주거지인 5호주거지에서 무문토기와 함께 출토되었다. 토광묘는 1호에서는 삼각형점토대토기 2점, 뚜껑, 방추차, 흑도장경호, 장경호 2점이 출토되었고, 2호 토광묘에서는 무문토기와 방추차가 출토되었다. 연대는 기원전 1세기경으로 추정된다.

광주 오룡동유적은 원형계주거지 1기와 방형계주거지가 다수 조사되었다. 원형계주거지에서는 무문토기, 편평촉, 연석 등이 출토되었고, 석촉으로 보아 기원전 1~기원후 1세기로 편년된다. 방형계주거지에서는 타날문토기가 출토되었으며, 기원후 2~4세기경으로 편년하였다. 교란층에서 삼각형점토대토기편, 두형토기, 소형토기 등이 다량 수습되었고, 주변에서 조합식파수가 출토되었다. 구상유구 3기가 일정한 간격을 두고 확인되었는데, 삼각형점토대토기, 조합식파수, 두형토기, 소형토기 등이 출토되었다. 유적은 전체적으로 기원전 1~기원후 4세기까지 존속한 것으로 보인다.

광주 뚝뫼유적에서는 원형계주거지에서 경질무문토기와 조합식파수, 두형토기 등이 출토되었으며, 기원전 1세기~기원전후한 시기로 추정된다.

광주 평동유적 A지구에서는 청동기시대부터 삼국시대에 걸친 여러 유구들이 확인되었다. 주거지, 수혈, 토광묘, 옹관묘 등에서 삼각형점토대토기, 경질무문토기 등이 출토되었다. 토기의 변화와 중복관계를 통해서 송국리형주거지에서 원형계주거지와 방형계주거지로의 시간성이 확인된다는 점에서 담양 태목리유적과 유사하다. 하지만 이러한 토기의 변화가 반드시 주거지의 변화와 일치하지 않는데, 송국리형주거지인 A-64호에서 경질무문토기, 타날문토기 등이 출토되었고, A-87호에서는 경질토기편이 출토되었다. 송국리형주거지의 타원형구덩이와 양단 주공이 소멸되어가는 과정을 엿볼 수 있다.

광주 용곡유적에서는 원형계와 방형계주거지 16기가 조사되었는데 방형계가 다수를 이루고, 중복관계(6호→7호→5호, 8호→9호, 12호→11호)에서 원형계에서 방형계로의 변화를 확인할 수 있다. 유물은 출토하지 않은 주거지가 많고, 14호 주거지에서 찰문토기가, 4호와 7호 주거지에서 타날문연질토기가 출토되었으며, 기원후 1~2세기로 추정된다. 주거지 내에서 유물이 거의 출토되지 않은 것에서 일시에 이주한 것으로 보인다.

3) 장성권(황룡강 일대)

장성권은 개천과 황룡강이 구릉과 산지의 곡간평야를 지나면서 장성군을 남북으로 흘러 황룡강에 합류하는데, 하류부에는 충적지를 이루는 분지형태이다. 장성권은 노령산맥의 지맥에 의해 형성된 해발고도 700m가 넘는 산이 서-북-동방향으로 둘러쌓였다. 하류부인 남쪽으로 내려오면서 함평권(고막원천 일대)과 담양권(영산강 본류), 광주권(극랑강 일대)과 경계를 이룬다. 함평권과는 비교적 높은 산지와 경계를 이루고 있으나, 광주권과는 황룡강의 수계와 판사등산과 어등산 사이의 평야와 구릉지로 연결되고, 광주권을 통해서 담양권과도 연결된다. 지금까지 확인된 유적은 월정리Ⅱ유적과 장산리유적 환교유적 등으로 하류부에 위치하며, 광주권과 인접한다.

월정리Ⅱ유적에서는 토광묘 3기가 조사되었다. 1호는 2호와 3호는 100m 정도 떨어져 조성되었으며, 2호와 3호는 10m 정도 거리를 두고 나란히 조성되었다. 1호 토광묘에서는 석검과 편평촉 2점, 흑도편이 출토되었고, 묘광의 깊이가 50㎝ 정도로 깊고 중앙 바닥에는 장벽에 붙어 각 1개의 소형 주공(직경 2~12㎝, 깊이 5~10㎝)이 확인되었다. 1호 토광묘의 석검은 광주 평동유적 A-57호와 60호 주거지에서 출토된 석검과 유사하고, 석촉은 광주 신창동 Ⅲ기층에서 출토된 편평촉과 유사하다. 2호 토

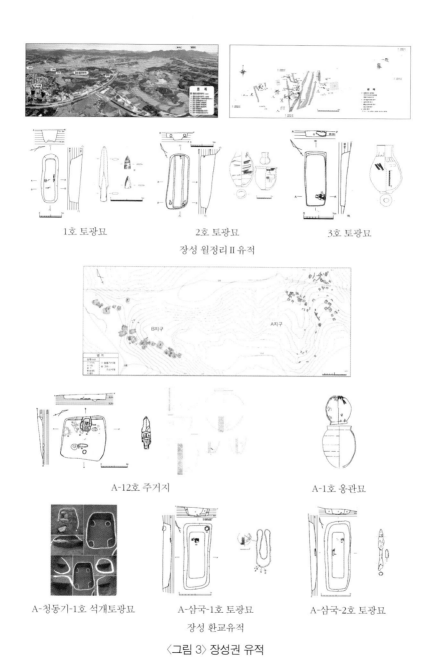

1호 토광묘   2호 토광묘   3호 토광묘

장성 월정리 II 유적

A-12호 주거지   A-1호 옹관묘

A-청동기-1호 석개토광묘   A-삼국-1호 토광묘   A-삼국-2호 토광묘

장성 환교유적

〈그림 3〉 장성권 유적

광묘는 묘광을 이단으로 굴광하였고, 목곽흔이 확인되고 바닥면은 점토로 5㎝ 정도의 다짐처리를 하였고, 흑도장경호, 삼각형점토대발, 장경호가 출토되었다. 2호 토광묘에서 출토된 흑도장경호는 A I 식에 해당되며 [3], 삼각형점토대토기는 Bb식에 해당되며, 장경호의 바닥면에서 물레흔이 확인된다. 2호 토광묘 토기류는 광주 신창동 II 기층 출토품과 비교할 수 있다. 3호 토광묘에서는 장경호가 출토되었는데, 전체적인 형태와 정면기법, 물레흔 등이 2호 출토 장경호와 유사하여 거의 동시기로 보인다. 물레흔은 해남 군곡리 패총 II 기층의 11~9층의 자료를 통해서 보았을때 늦어도 기원전 1세기 후반경에는 물레를 사용한 것으로 보인다. 장성 월정리 II 토광묘 연대는 기원전 1세기에서 기원후 1세기로 편년되며, 1호 토광묘가 먼저 조성되었을 것으로 보이나 시기 차는 크지 않을 것으로 판단된다.

　장성 환교유적(A지구)에서는 주거지 1기와 토광묘 3기, 옹관묘 1기가 조사되었다. 주거지는 삼국 12호 주거지로 부뚜막이 있는 방형계이며, 장타원형수혈 내부 바닥에서 세형동검편이 출토되었으며, 이외에 발형토기, 장란형토기, 호형토기, 옹형토기 등이 출토되었다. 세형동검편은 일부만 남아 있으며, 혈구가 있는 형식으로 혈구는 성립기의 일부 동검에서 확인되는 것으로 알려지지만[4], 다양한 형식이 한 시기에 존속할 수 있다는 점에서[5] 신부를 재가공하여 하단부를 제작한 것으로 보인다. 12호 주거지의 토기가 기원후 3~4세기로 편년되기 때문에 동검이 전세되었을 가능성이 있다.

---

3) 김진영 2015, 「영산강유역 출토 흑도장경호에 대한 시론적 검토」, 『호남문화재연구』제19호, 호남문화재연구원, 5~21쪽.

4) 조진선 2005, 『세형동검문화의 연구』, 학연문화사, 111쪽.

5) 이청규 1982, 「세형동검의 형식분류 및 그 변천에 대하여」, 『한국고고학보』13, 한국고고학회, 2~36쪽.

환교유적에서 토광묘는 청동기시대와 삼국시대 토광묘로 보고되었는데, 청-1호 토광묘는 석개토광묘이며, 묘광 바닥 모서리쪽에서 각 1개씩의 구덩이가 확인되었다. 이 구덩이의 크기는 직경 31~40cm, 깊이 6cm10cm정도이다. 유물은 바닥면에서 살짝 떠서 무문토기편이 출토되었고, 기원전 2~1세기로 편년된다. 삼-1호 토광묘에서는 장경호와 수정과 유리질의 옥 311점(관옥, 다면옥, 조옥, 환옥)이 출토되었고, 삼-2호 토광묘에서는 철모와 옥 57점이 출토되었다. 2호 출토 철모는 일단관식으로 신부의 단면형태가 마름모형의 일단관식으로 신부와 공부의 길이가 1:1에 가까운 이른 시기의 형태이며, 기원후 2세기경으로 편년된다.

옹관묘는 단독으로 확인되었으며, 경질무문토기 옹을 합구한 형식이다. 목판으로 정면한 흔이 확인되고 대옹은 원저이고, 소옹은 퇴화된 굽을 가진 평저이다. 기원전 1세기 중반이후 호형토기의 경부와 동체부의 경계가 뚜렷해지고, 구연부는 직립화되어가고, 축약된 저부의 원저화 현상이 나타난다[6]. 1호 옹관묘는 기원전 1세기에서 기원후 1세기경으로 편년된다.

Ⅲ. 영산강 상류의 단계설정

고고학적으로 마한의 전개과정은 〈표 1〉에서 보듯이 형성시점과 소멸시점이 언제인지에 따라 연구자간 견해차를 확인할 수 있다. 마한의 형성은 일반적으로 세형동검문화와 관련된 것인지, 철기문화와 관련된 것인지에 따라 차이가 있고, 소멸시점은 369년 기록과 물질문화의 차이를 어떻게 해석할 것인지에 따라 달라진다.

---

6) 김진영 2015, 「해남 군곡리패총 편년 검토」, 『전남문화재』15집, 전남문화재연구소, 44~46쪽.

〈표 1〉 마한의 전개과정

구분	임영진(1997)	권오영(2018)	서현주(2019)	김승옥(2019)	김진영(2018)	영산강상류
BC4~3	성립기	형성기		조기	I기	I단계
BC2			I기 / II기	II기 / III기		
BC1	초기	정립기	III기		II단계	
AD1				전기 V기	IV기	
AD2					III단계	
AD3	중기	분화기		중기		
AD4						
AD5	후기	소멸기		후기		
AD6	소멸기					

마한 형성과 관련한 고고학적 연구는 초기철기시대~원삼국시대 또는 철기시대 속에서 토기나 청동기, 철기 등의 단일유물이나 무덤 등에 대한 연구로 진행되었다[7]. 이 시대를 대표성을 나타내는 자료가 조사되지 않는 정황을 두고 '공백기'라는 프레임을 씌워서 전환기적 시대성을 망각하기도 하였다. 이러한 인식에 마한 형성기에 관한 연구는 미진할 수 밖에 없었으며[8], 편년연구에서 애매모호한 불확실성을 지닌 속성은 연구자들

---

7) 신경숙 2002, 『호남지역 점토대토기 연구』, 목포대학교 석사학위논문.
   하진영 2015, 『호남지역 경질무문토기의 변천과 성격』, 전북대학교 석사학위논문.
   김진영 2015, 「영산강유역 출토 흑도장경호에 대한 시론적 검토」, 『호남문화재연구』19, 호남문화재연구원.
   한수영 2015, 『전북지역 초기철기시대 분묘 연구』, 전북대학교 박사학위논문.
   김훈희 2016, 『호남지역 점토대토기시기 분묘 연구』, 목포대학교 석사학위논문.
8) 이동희 2017, 「영산강유역 마한 초현기의 분묘와 정치체의 형성」, 『호남고고학보』 57집, 호남고고학회, 100~127쪽.
   최성락 2017, 「호남지역 철기문화의 형성과 변천」, 『도서문화』49집, 목포대학교 도서문화연구원, 105~146쪽.
   김진영 2018, 『영산강유역 철기시대 문화 연구』, 영남대학교 박사학위논문.

을 접근하기 어렵게 만든 이유이기도 하다. 더구나 영산강유역에서는 다른 어느 지역보다 송국리(지석묘)문화의 전통이 강해서 편년을 설정하는데 어려움을 준다.

고고학적으로 2세기 중·후반경이 되면 물질문화는 새로운 지역성을 표출하는데[9], 마한의 정체성이 확립된 시기로 볼 수 있다[10]. 이것은 마한 사회의 기틀이 형성되었다고 볼 수 있으며, 따라서 기원전 4~기원후 2세기까지를 마한 형성기 또는 성립기로 볼 수 있다.

필자는 영산강유역을 대상으로 절대연대자료와 다른 지역과의 교차편년을 통해서 영산강유역의 편년을 제시한 바 있으며[11], 이를 바탕으로 영산강 상류의 단계를 3단계로 구분하였다. 1단계는 점토대토기문화 등 신문물의 유입기이며, 2단계는 해양을 통한 주변지역과의 교류를 통해서 변혁하는 시기이다. 3단계는 종전의 토착문화가 소멸되고, 새로운 지역성을 확립한 시기이다.

1단계는 점토대토기문화가 출현하고, 확산되는 시기이며, 점토대의 단면형태에 따라서 Ⅰa기와 Ⅰb기로 세분된다. 현재까지는 광주권에서만 확

이청규 2019, 「유력개인묘의 변천과 삼한 초기사회의 형성」, 『영산강유역 마한문화 재조명』, 학연문화사, 7~35쪽.
김진영 2019, 「영산강유역 마한사회의 형성과 성립」, 『영산강유역 마한사회의 여명과 성립』, 학연문화사, 49~79쪽.

9) 이성주 2017, 「지석묘의 축조중단과 초기철기시대」, 『대구·경북의 지석묘 문화』, 영남문화재연구원, 129~154쪽.
김진영 2018, 「영산강유역 지석묘사회의 변동요인」, 『전남문화재』17집, 전남문화 재연구소, 11~17쪽.

10) 김진영 2019, 「영산강유역 마한사회의 형성과 성립」, 『영산강유역 마한사회의 여명과 성장』, 진인진.
서현주 2019, 「마한 문화의 전개와 변화 양상」, 『호남고고학보』61집, 호서고고학회, 68~91쪽.

11) 김진영 2018, 『영산강유역 철기시대 문화 연구』, 영남대학교대학원 박사학위논문.

인된다. Ⅰa기는 원형점토대토기가 등장하는 시기이며, 광주 신창동 Ⅰ기층, 광주 관등 토광묘, 광주 매월동 지석묘 등이 해당된다. 주거지에서 원형점토대토기가 출토된 사례는 현재까지 없다. 광주 신창동 Ⅰ기층과 광주 관등 토광묘를 통해서 작은 단위의 구성원으로 이루어진 원형점토대토기 집단이 존재하였고, 일부는 지석묘를 축조하는 토착집단 내로 수용된 것으로 추정된다. 인근 나주 운곡동유적 등에서 송국리형주거지 내에서 원형점토대토기가 출토되며, 이 같은 사례가 점점 증가하고 있고, 지석묘에서 출토되는 점 등에서 송국리문화가 기층문화를 이루고 있는 것으로 추정된다. 연대는 기원전 3세기 후반~기원전 2세기 전·중반경으로 설정된다.

Ⅰb단계는 삼각형점토대토기가 등장하고, 무문토기의 소성도가 높아지는 시기이다. 광주 신창동 Ⅱ기층, 광주 운남동, 광주 신촌, 광주 평동, 광주 치평동, 광주 오룡동 등이 해당된다. 광주 신창동 저습지Ⅱ기층은 서남부지역의 삼각형점토대토기문화를 대표하는 철기문화의 거점유적이며, 원형점토대토기에서 삼각형점토대토기로의 변화과정을 보여준다[12]. 가장 이른 형식의 삼각형점토대토기가 등장하고, 여러 다른 지역의 외래유물이 집중되며, 주변에서는 주거지, 환호, 옹관묘지 등 여러 유적들이 분포한다. 삼각형점토대토기문화의 복합체는 광주 신창동유적에서 확인되는데, 여기에서 확산된 것으로 추정된다.

주거지는 송국리형주거지, 원형계주거지, 방형계주거지 등이 확인되며, 삼각형점토대토기나 경질무문토기가 출토된다. 주거군은 10기미만으로 구성된 소촌단위이며, 무덤군도 이에 상응하며, 1b단계의 연대는 기원전 2세기 후반~기원전 1세기 중반까지로 추정된다.

---

12) 조현종·신상효·이종철 2003,『광주 신창동 저습지유적Ⅴ-토기를 중심으로-』, 국립광주박물관, 350~357쪽.
김진영 2018,『영산강유역 철기시대 문화 연구』, 영남대학교 박사학위논문, 81~87쪽.

Ⅱ단계는 외래유물이 유입되는 시기로 해상교류가 본격적으로 열리는 시기이다. Ⅰb단계의 유적들이 연속성을 갖고 이어지며, 광주 신창동저습지는 기원전후가 지나면서 규모가 축소된 것으로 추정된다. 광주 용곡이나 광주 오룡동유적 등과 같이 원형계주거지나 방형계주거지를 중심으로 하는 단위취락들이 조성되지만, 취락 규모는 대부분 1~2기 또는 10기 미만의 소촌이다. 이 같은 취락규모는 당시 집단규모와 연동되는 것으로 광주 평동이나 담양 태목리유적에서는 유적의 규모가 확대되어 간다.

토기와 주거지의 상황은 광주 평동유적과 담양 태목리유적을 통해서 확인된다. 토기는 경질무문토기를 중심으로 삼각형점토대토기문화가 확인되며, 기원후 2세기경이 되면 경질무문토기와 타날문토기의 요소가 혼재된 토기들이 담양 태목리유적에서 확인된다.

주거지는 광주 평동에서 송국리형주거지에서 타날문토기가 확인되기도 하고, 타원형구덩이를 노지로 활용하는 사례(49호 · 57호)도 확인되며, 송국리주거지의 특징이 쇠퇴되어가는 과정이 감지된다. 광주 평동에서는 원형계주거지도 확인되나, 방형계주거지의 수가 우세하다. 광주 평동에서는 송국리형주거지, 특징적 요소를 상실해가는 송국리형주거지, 원형계주거지, 방형계주거지가 서로 공존하며, 부뚜막이 있는 방형계주거지로 전환되어간다.

담양 태목리유적에서도 여러 주거지가 공존하는 양상은 유사하나, 일정시기동안 원형계주거지가 방형계주거지보다 수적으로 우세하며, 원형계주거지에서 부뚜막이 확인되기도 한다. 또한 부뚜막이 있는 방형계주거지를 원형계주거지가 파괴하고 조성되고(35호→34호), 원형계주거지를 부뚜막이 있는 방형계주거지가 파괴하고 조성되지만(40호→41호), 부뚜막이 있는 방형계주거지로 전환되어가는 양상은 동일하다.

무덤은 토광묘, 옹관묘 등이 확인되며, 송국리형주거지로 보아서 지석묘도 확인될 가능성이 크다. 이 역시도 상징적 요소가 소멸되어 확인될 것이다. 동일묘역 내에서 확인되는 무덤의 수는 주거지의 수와 유사하고, 토광묘와 옹관묘가 동일묘역 내에서 확인되지 않는다. 토광묘군의 수가 옹관묘군보다 많아진다. 신창동옹관묘지와 같은 대군집의 옹관묘군은 확인되지 않고, 주변에서 3세기이후의 옹관묘가 소규모로 확인된다. 저습지와 옹관묘군의 해체양상으로 보아 기원후 1세기경 신창동집단이 해체되어 분산된 것으로 추정된다. Ⅱ단계의 연대는 기원전 1세기 후반~기원후 2세기 전반까지로 추정된다.

Ⅲ단계는 새로운 지역성이 확립되는 시기이다. 광주 오룡동유적, 광주 평동유적, 담양 태목리유적 등은 이전단계와의 연속성을 가지며 규모가 확장되어간다. 주거지는 원형계주거지나 방형계주거지가 확인되지만, 부뚜막이 있는 방형계주거지 일색으로 전환되었다. 토기에서도 유사한 패턴이 확인되는데 타날문토기가 대부분이다. 무덤은 주구토광묘가 대거 출현하면서 토광묘, 옹관묘 등과 동일묘역에서 확인되기도 한다. 광주 평동유적과 담양 태목리유적에서는 이 시기부터 주거지가 밀집되기 시작하는데, 인구증가의 결과이며, 일종의 도시화와 같은 양상으로 이해할 수 있다. Ⅲ단계의 연대는 2세기 중·후반으로 추정된다.

Ⅳ. 영산강상류 유적의 특징

1. 유물로 본 대내·외관계

고고학적으로 드러나는 유물은 물자라는 측면에서 이동이 용이하며, 희귀성을 지닌 물품과 신기술 등은 개인이나 집단 간의 관계 맺기-교류를 통한 관계망을 형성해 가는데 매우 중요한 매개체가 된다. 종전의 토착의 송국리문화를 소멸시키고 새로운 시대성를 열어가는 마한 성립기에 외부에서 유입된 유물은 여러 측면에서 새로운 관계 맺기를 가능하게 하였다.

아래 그림에서 보듯이 중국이나 서북한지역을 중심으로 제작된 유물을 중심으로 하는 교류관계에 치중되었다. 실상 영산강상류에서는 확인되는 외부에서 유입된 외래유물은 변·진한계, 낙랑계, 왜계 등 다양하다. 외래유물의 양상과 주변 정세를 참고하여 대외관계를 살피고, 지역사회 내의 대내관계를 살펴보도록 하겠다.

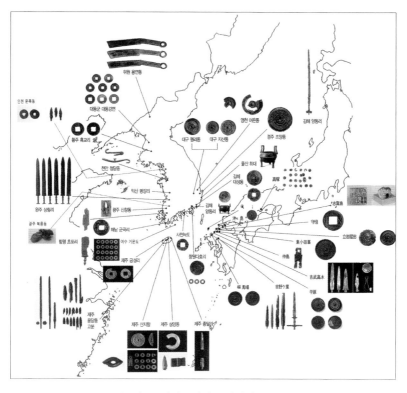

〈그림 4〉 원삼국시대 동아시아 교류도
(국립광주박물관 2012를 국립진주박물관 2016수정 인용)

<표 2> 마한 성립기 영산강유역 외래유물

구분	고조선	중국 또는 낙랑계	변·진한계	야요이계	비고
I a단계	원형점토대토기 세형동검 토광묘 원형주거지 -중서부지역경유			이타즈케식 토기	진개의 동방진출 준왕 남천
I b단계	삼각형점토대토기 옹관묘 목공예기술 칠기기술 주조철기		철기 청동기		고조선패망 한사군(B.C.82년 진번군·임둔군 폐합)
II단계		오수전 철경부동촉 낙랑계토기 복골 유리 화천 물레	철기 청동기 장동호 화력기술 환·령지말	수구식토기	낙랑군 잔존(B.C 75년 현도군 이전)
III단계		신기술(유리용범, 도제기술 등)			

1) I 단계

I 단계에는 고조선계와 변·진한계, 왜계 등이 확인된다. 점토대토기-원형점토대토기(세형동검문화)와 삼각형점토대토기(철기문화)로 대표되는 신문화가 유입된다. 점토대토기는 요령지방과 서북한지역 고고자료와 일정한 정형성을 보이고, 문헌기록과 연결되어 고조선 관련 물질문화로 이해된다. 따라서 점토대토기를 통해 고조선과의 관계를 상정해 볼 수 있다.

영산강상류에서 확인되는 원형점토대토기는 매우 산발적이다. 광주 관등토광묘와 광주 매월동지석묘, 광주 신창동 I 기층, 광주 평동 등에서 출토되었으며, 광주 매월동 출토사례로 보아 토착집단과 긴밀한 관계를 이룬 것으로 추정된다. 영산강상류에서는 중서부지역에서 확산된 원형 점토대토기가 유입된 것으로 판단되고, 만경강유역에서 출토된 점토대토기와 형태적 유사성이 확인된다. 만경강을 경유하여 유입되었고, 수적으로 적기 때문에 가족단위규모 정도로 유입된 것으로 추정된다. 고조선과는 직접적인 관계맺기는 확인되지 않으며, 만경강일대 집단과의 관계 속에서 유입된 것으로 생각한다. 청동기는 광주 유덕동 일원에서 동모 등이 수습된 바 있다.

삼각형점토대토기는 특정 유적에 집중되는 양상이다. 광주 신창동 저습지와 옹관묘군에서 집중적으로 확인되고, 광주를 중심으로 확산된다. 광주 치평동, 광주 평동, 광주 운남동, 광주 장자, 광주 수문, 광주 복룡동, 광주 월전동, 광주 신촌 등에서 확인된다. 기원전 108년 고조선의 패망시기와 일치하고, 이 때를 전후하여 남부지역의 물질문화가 급변되는 양상이 나타난다. 대규모 삼각형점토대토기문화는 광주 신창동유적과 동일 시간대에 해남 군곡리유적에서도 출현하는데 고조선 주민의 이주에 따른 것으로 상정한 바 있다[13]. 저습지에서 확인된 점토대가 부착된 송국리식토기, 송국리식토기와 삼각형점토대토기가 합구된 옹관묘에서는 토착문화와의 긴밀한 관계를 확인할 수 있다. 반면, 신창동 산7-7번지유적 환호에서는 전투의 흔적을 나타내는 투석이 다량 확인되고, 저습지에서는 목검, 활 등의 무기류가 다수 출토되었다. 이것은 종래의 토착집단과 신집단 간 전투상황을 짐작케 하며, 갈등관계가 무력으로 표출된 사례일 것이다.

---

13) 김진영 2018, 「영산강유역 철기 수용과 배경」, 『호남고고학보』59, 호남고고학회, 126~142쪽.

광주 평동유적에서는 왜계유물이 A-390호 · 415호 수혈에서 삼각형 점토대토기 등과 출토되었다. 구연단의 각목이 구연부 하단에도 확인되는 야요이 전기말의 板付Ⅱ식(이타즈케식)의 속성을 지닌 옹형토기이다. 김규정은 평동과 신창동에서 출토된 야요이계 토기는 영산강유역에서 생산된 쌀을 수입하기 위해 들어온 왜인으로 보았다[14]. 왜인들은 식량 획득을 위해서 남해안의 연안항로를 이용하였고, 진 · 변한지역을 경유할 수 밖에 없었을 것이다. 김해 회현리패총과 김해 홍동유적 등에서 板付식이 출토되었다. 板付Ⅱ식(이타즈케식)은 일본 북부구주지역에서 집중적으로 확인된다. 광주 평동에서 출토되는 원형점토대토기나 삼각형점토대토기는 김해지역과 구주지역에서 확인되는 양상과 유사하다. 구주지역에서 확인되는 청동기, 토기, 지석묘 등은 한반도의 것과 매우 유사하고, 영산강유역과의 교류를 통해 전파되었을 가능성이 크다. 그 과정에서 변 · 진한지역은 기항지의 역할을 하였을 것이고, 서로 정보와 지역의 특산품을 주고받으면서 동질의 문화가 공유되었을 것이다.

2) Ⅱ단계

Ⅱ단계에는 변 · 진한계, 낙랑계, 왜계 등이 확인되고, 고조선의 패망 직후 확인되지 않던 한문물이 유입된다. 서북한지역에 설치된 한사군은 토착세력의 강한 저항으로 폐합되는 과정을 겪으며, 30년 정도를 유지하다가 B,C, 75년 낙랑군만이 남게 된다. 낙랑군의 정치적 기능이 토착세력에 의해 좌절되자, 낙랑군은 상업적 기능이 강화된다.

낙랑군의 변화가 이루어지기 시작하면서 한반도 남부와 일본열도 사이의 새로운 교통로를 이용한 새로운 관계맺기가 본격화되고, 중국-낙랑군-마한-변 · 진한-주호-왜 등 동북아시아가 해양으로 이어지는 국제적

---

14) 김규정 2017, 「호남지역 마한성립기 대외교류」, 『야외고고학』29호, 27~28쪽.

관계망으로 연결되는 것으로 보인다.

국제적 관계망 속에서 신문물(신문명)이 전해주는 외적 자극은 지역집단간의 결속을 유도하게 되어 성장을 자극하고, 새로운 사회적 분위기로 전환되는 계기를 마련하게 한다. 집단간의 결속은 외적으로는 연안항로상의 거점지역으로 성장하는 계기를 마련하게 한 것으로 추정된다.

새로운 문화교통로로 연결된 국제적 관계망 속에서 한반도 끝자락에 위치한 서남부지역 영산강유역의 동향을 보여주는 대표적 유적이 해남 군곡리유적이다. 지정학적 구도에서 새로운 문화교통로는 해양 중심으로의 관계맺기를 형성하는 과정에서 해남 군곡리유적은 중간기항지의 기능을 하는 국제포구로 성장하는 계기를 마련한다. 이러한 정세변화 속에서 해양 중심의 관계맺기는 해상교류를 주도하는 해상세력의 출현을 동반할 수 밖에 없었을 것이다.

해남 군곡리유적과 같은 사례가 동남부지역의 사천 늑도유적에 해당되며, 일본열도에서는 하루노쓰지유적 등이 있다. 삼각형점토대토기를 공반하는 유적들에서 외래유물이 다수 확인되는바, 이들 유적들 간 긴밀한 관계를 통해 국제적 상호관계망이 형성되었다[15].

이로 인하여 외래유물의 유입양상이 다변화되고, 영산강상류에서는 변·진한계, 낙랑계, 왜계 등이 확인된다. 변·진한계와 낙랑계는 위세품적 성격이 강한 유물들이 주로 출토되고, 왜계는 토기 등이 주로 출토된다. 그러나 영산강유역 전역을 보았을 때 주호계 토기와 현무암, 왜계의 패제 장신구, 게오지조개 등 사치품이 유입된다.

변·진한계는 철기, 장동호 등이 있다. 변·진한은 전체적으로 문화기반이 동일한 지역이다. 고조선 패망이후도 여전하지만, 철기생산시스템

---

15) 김진영 2018, 「서남해안 철기문화 유입과 마한정치체의 출현과정」, 『전남지역 고대문화의 양상과 교류』, 진인진, 124~128쪽.

을 갖춘 철기문화로 급변되는 양상이 확인된다. 철기생산이 기원전 2세기 후반경 시작되고, 기원전 1세기 중·후반경에는 경주지역을 중심으로 본격적으로 생산된다. 철을 생산할 수 있는 동력이 약한 영산강유역에서는 변·진한과의 교류를 통해서 철기를 보급받은 것으로 보인다. 지속적으로 공유한 문화기반은 변·진한지역과는 다른 어느 지역보다도 긴밀한 관계맺기를 이룬다.

특히, 두 지역의 각기 다른 기술력을 가진 특산품은 정치적·경제적인 내적성장을 추구하는 철기문화를 기반으로 하는 집단들간의 관계를 더욱 긴밀하게 하였을 것이다. 광주 신창동저습지에서 제작한 악기, 칠기, 검파 등은 변·진한지역에서도 출토되고, 신창동 철검 등은 경주지역을 중심으로 한 유통구조를 통해서 보급되며, 검심 등 청동부속구와 세트를 이룬 것으로 추정된다. 『삼국지』위서 동이전 변진조에는 변·진한이 철기를 매개로 낙랑과 교류한 기록이 있고, 낙랑에서는 판상철부가 출토되기도 하였다.

물자의 이동은 사람의 왕래를 통해 이루어지고, 이 과정에서 '모방'이 나타난다. 광주 복룡동 2호 토광묘의 장동호는 시기적으로 빠른 변·진한의 파수부장동호의 장동화된 동체부의 모티브에서 영향을 받아 재지화된 형태로 추정된다. 또한 철기나 와질토기 제작시 수반되는 화력기술 등과 같은 기술을 '모방'하여 토기의 소성도에 영향을 주었을 가능성도 있을 것이다.

낙랑계유물은 오수전, 철경부동촉, 낙랑계토기, 유리, 복골 등이 출토된다. 통상적으로 한사군 설치와 관련하여 설명되지만, 한사군이 설치된 기원전 108년 직후, 영산강유역에서는 한경이나 거마구 등은 출토되지 않았다. 물론 아직까지 확인되지 않았을 가능성도 있지만, 현 자료에서는 그 관계를 찾을 수 없다. 신창동의 오수전이나 철경부동촉은 기원전후에서 기원후 1세기로 편년되는데, 한사군이 낙랑군만 유지되는 기원전 75년 이후와 관련된다. 낙랑군은 중국 본토와 한반도 남부지역, 일본열도를 이어주는 상업적 기능을 강화하고, 한·예·왜 세력에게 중국 선진문물을 보급하고, 각 세력의 생산물을 중국에 보급한다.

낙랑군의 기능이 개편된 시기와 변·진한의 철기생산시스템이 본격화되는 시기는 대략 일치하는데, 상업적 기능을 강화하여 변·진한의 세력을 견제하고, 마한세력을 포섭하고자 한반도 세력에 대한 분열정책을 유도했을 가능성도 있다. 이에 왜의 선진문물에 대한 욕구가 맞아떨어진 기원전 1세기 후반경부터 영산강유역을 경유하는 해상항로의 이용은 빈번해졌을 것이다.

그 해상항로의 거점지역이 해남 군곡리이며, 이를 경유하여 강을 따라 내륙으로 보급된다. 그 과정에서 나주 장동리 수문패총이 수륙거점지로 성장한다. 영산강상류에서는 광주 신창동과 광주 복룡동 등에서 오수전, 화천, 철경부동촉, 복골, 유리 등이 출토되었다.

광주 복룡동토광묘에서는 비단끈에 엮인 화천꾸러미와 유리 등이 출토되었다. 화폐를 매개로 교역한 상인의 사교역의 증거로써 한의 화폐경제가 도입되었음을 추정해 볼 수 있으며, 경제적으로 중국의 질서체제를 복룡동세력이 수용한 측면을 보여준다. 하지만 영산강유역 내에서 화폐는 경제적 기능보다는 위세품적 성격이 강했던 것으로 추정된다.

왜계는 광주 신창동에서 야요이계토기가 확인된다. 평탄구연의 수구식이고 저장을 위한 대호편이다. 사천 늑도나 김해지역 등에서 확인된 야요이계토기와 유사성을 지니고 있어 변·진한지역을 경유한 야요이계인에 의해서 유입된 것으로 추정된다.

영산강상류에서는 여러 외부세력과의 관계에서 이에 상응하는 품목으로 칠기·악기·수레 등의 고급 목제품, 쌀, 옷감 등을 보급한 것으로 추정된다. 고고학적으로 광주 신창동이 주도적인 역할을 하였다. 광주 신창동에서는 기원전 1세기~기원전후한 시기에 집중되고, 이후에는 집중현상이 해체되는 양상을 보인다. 반면에 기원후 1세기 중·후반경부터 광주 복룡동에서 집중되는 양상이 확인된다. 또한 신창동에서 확인되는 낙랑계유물은 위세품적 성격이 강하고, 점술문화가 강하다. 반면, 광주 복룡동유적에서는 경제적 성격이 강하게 확인된다.

내륙지역에서 성장한 신창동집단이 주변 정세를 파악하고, 변·진한지역에서 가야연맹체가 형성되자, 내적 성장의 주도권을 확보하고자 수로교통이 용이한 복룡동으로 중심지를 이동한 것으로 보았다[16].

영산강유역에서 출토된 낙랑계한문물은 현재까지는 양적이나 질적으로 변·진한과 왜와는 차이를 보이고 있다. 영산강유역에서는 2세기가 되면 이마저도 확인되지 않으며, 이에 더불어 왜계유물도 확인되지 않는다. 영산강상류에서는 확인된 바 없지만, 해남 군곡리유적에서는 토기와 유리 제작과 관련한 신기술이 확인되는데, 이것이 교류를 새로운 국면으로 전환한 계기가 되지 않았을까 싶다.

하지만 변·진한과의 관계는 더욱 긴밀해지는데, 철기부장 토광묘가 증가하고, 패턴을 모방한 토기의 등장, 원형계주거지(타원형주거지)의 출현 등이다. 장성 환교나 장성 월정리의 경우처럼 철검이나 철모 등 무기류 1~2점 정도를 부장하는 토광묘집단이 산발적으로 확인된다. 담양 태목리유적에서는 부뚜막을 갖춘 원형계주거지(타원형주거지)가 등장한다. 원형계주거지는 경남 서부지역에서 점유율이 높은 주거형태이며, 변한(가야)의 주거지로 이해되며[17], 인접한 전남 동부지역도 원형계주거지

---

16) 김진영 2018, 「서남해안 철기문화 유입과 마한정치체의 출현과정」, 『전남지역 고대문화의 양상과 교류』, 진인진, 129쪽.
17) 김진철 2008, 『삼국시대 타원형 수혈주거지 연구』, 동아대학교 석사학위논문.

가 우세하다[18].

원형계주거지(타원형주거지)는 구례 봉북리, 곡성 오지리, 곡성 구성리, 남원 세전리 등 섬진강유역에서도 확인되며, 이 루트는 내륙으로 이어져 담양 태목리에 2세기경 원형계주거지(타원형주거지)집단이 이주해 온 것으로 보인다. 타원형주거지의 등장은 변 · 진한계 주민의 이주와 관계되는 바, 2세기경 변한 소국이 가야국으로 통합되는 과정에서 이탈한 세력으로 추정된다.

3) Ⅲ단계

Ⅲ단계에는 영산강유역의 물질문화는 이전까지 나타나던 전환기적 양상에서 벗어나 보편성을 띠는 새로운 지역성을 확립한다. 이것은 타날문토기 · 방형계주거지 · 주구토광묘 등으로의 보편화가 나타난다. 이러한 현상과 함께 취락과 무덤군이 급증하고, 이를 구성하는 수도 증가하고, 집중화되는 현상이 확인된다.

물질문화가 보편화되고 집중화되는 양상은 집단들간의 관계맺기 즉 강화된 결속력으로 이해된다. 이는 집단들이 해체와 이동을 통해서 일정한 공간으로 집결하는 현상으로 세력의 확장과정으로 볼 수 있다. 이 같은 양상은 영산강상류에서는 유적의 지속성이 강한 광주 평동과 광주 복룡동, 담양 태목리유적 등에서 확인된다. 광주 용곡유적에서는 일시에 주

---

18) 박미라 2008, 「전남 동부지역 1~5세기 주거지의 변천양상」, 『호남고고학보』30, 호남고고학회, 38~61쪽.
한윤선 2010, 『전남 동부지역 1~4세기 주거지 연구』, 순천대학교 석사학위논문, 75~87쪽.
이동희 2011, 「삼국시대 호남지역 취락의 지역성과 변동」, 『호남지역 삼국시대의 취락유형』, 한국상고사학회
김은정 2017, 「마한 주거 구조의 지역성-호남지역을 중심으로-」, 『중앙고고연구』24호, 중앙문화재연구원, 5~38쪽.

거지를 폐기한 해체현상이 확인되는데, 광주 복룡동으로의 이주로 추정된다.

집중화 양상은 동일 지역 내 이주로만 추정하기에는 이전 단계에서 확인된 유적이나 유구의 수가 상대적으로 매우 적다. 그래서 3세기 이후 중촌 이상의 취락규모를 설명하기에는 지역사회 내 이주로 간주하기는 어렵다. 2세기 중·후반 이후 고고학적으로 표출되는 물질문화의 보편화와 집중화 현상은 외부로부터의 이주로 추정된다.

『삼국지』[19]와 한의 인구감소 기록(그림 5)이 동시기 고고학적 현상과 연결된다. 특히 중국동북지역의 인구증가와 서북한지역의 인구감소는 다시 한번 삼한 사회에 영향을 주었을 것으로 추정된다. 유민들 중 일부는 영산강유역으로도 유입되었을 가능성을 배제할 수는 없을 것이다.

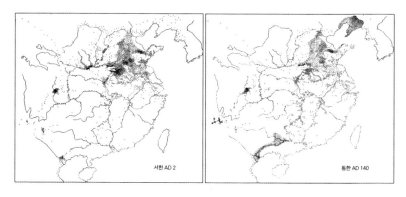

〈그림 5〉기원 2~140년 기간의 한 제국 인구 감소
(리펑 지은 이청규 옮김 2017, 331쪽 인용)

---

19) 『삼국지』위서 동이전 한조,「桓·靈之末 韓濊强盛 郡縣不能制 民多流入韓國」

2세기경 유입된 신기술과 인구 증가는 이주 등의 교류에 의한 것으로 추정되며, 유리 등의 위세품을 지역 내에서 자체 생산할 수 있는 구조를 형성한 것으로 보인다. 광주 신창동에서 수습된 유리용범과 송풍관편 등은 시기를 가능하기 없지만(3세기 이후로 추정), 제조기술이 발달하여 생산제품이 다양화된 측면으로 이해할 수 있다. 구슬의 선호도가 높았던 마한 사회 내에서 유리의 생산은 지역사회 내 관계망을 긴밀히 연결하였고, 인구증가와 신기술 등은 마한 세력이 강성해지는 주요인으로 작용하였을 것이다.

영산강유역에서 낙랑계한문물은 변·진한과 왜와 비교했을 때 차이를 보이며, 변·진한의 입장에서 보면 왜와의 차이도 크다. 이는 한반도 세력에 대한 한의 정책을 엿볼 수 있는 부분이다. 반대로 생각하면 마한권역 내 집단에서 굳이 한계문물이 지닌 위세에 대한 필요성을 갖지 않았고, 이는 중국권의 질서체제에 합류하지 않으려는 마한 세력의 의지가 고고학적으로 표출된 것으로도 해석할 수 있을 것이다.

이것은 동질의 문화권을 공유한 마한과 변·진한의 관계를 긴밀하게 하는 요인으로 작동하였을 것이다. 점차적으로 증가하는 최고의 전략적 물품인 변·진한계의 철기 등이 입증하고 있다.

2. 영산강상류에 나타난 해양성

자연공간인 강은 내륙 중심의 시각에서는 경계·단절의 의미를 갖지만, 해양 중심의 시각에서는 통로 즉 새로운 문화교통로로 이해됨으로써 주변 지역과의 역동적 관계 맺기-교류를 가능하게 한다.

해양을 통한 교류의 시작은 벼의 전파경로나 함경북도 서포항유적에서 출토된 고래뼈로 만든 노, 창녕 비봉리유적의 나무배와 노 등과 청동기시대 울산 반구대암각화에 새겨진 배의 형상, '배바위'라고 불리는 지석묘[20] 그리고 섬에 분포하는 유적 등을 통해서 가늠할 수 있다. 이렇듯 선사시대의 바다가 생존을 위한 문물 교류의 통로였다면, 기원전 108년을 기점으로 신문물(신문명) 교류의 통로로써 교통로로 활용되었다.

영산강은 동북아시아의 지정학적 위치상에서 서해와 남해의 해로가 교차하는 지점에 위치하여서, 서해를 통해서는 중국으로 이어지고 남해를 통해서는 제주도 · 동남부지역 · 일본열도와 이어지는 해로상에 중간지에 자리한다.

해남 군곡리유적과 나주 수문패총 등은 이러한 지정학적 구도를 활용하여 성장한 해양세력의 집단으로 볼 수 있다. 이들 유적에서는 낙랑계 · 변진한계 · 주호계 · 왜계 유물들이 다수 확인되는데, 중간기항지의 기능을 담당하면서 동아시아 해상교역의 주도세력으로 성장해 간다. 이를 통해서 영산강유역 재지 수장층은 새로운 체제로 개편되면서 역동성을 찾아가는데, 주요인을 해양성에 따른 것으로 이해하고자 한다.

결론적으로 영산강상류에서도 해양성이 확인되며, 광주 신창동과 광주 복룡동유적의 성장배경은 해양성을 내포하였기 때문이다. 해양성은 선박 출토가 확실하지만, 현재까지 출토사례가 없다. 하지만 배모양목기, 복골, 수로를 따라 확인되는 외래유물 등에서 해양성을 확인할 수 있고, 조선시대 포구와 근대자료를 통해서도 영산강상류까지 배가 왕래하였다는 것을 알 수 있다[21].

---

20) 김진영 2010, 「청동기시대 탐진강유역의 문화교류 양상과 교통로」, 『지방사와 지방문화』18-2호, 125~168쪽.
21) 변남주 2012, 「영산강 상류지역 포구와 바닷배 뱃길 여부 검토」, 『지방사와 지방문화』15-1호, 역사문화학회, 73~105쪽.

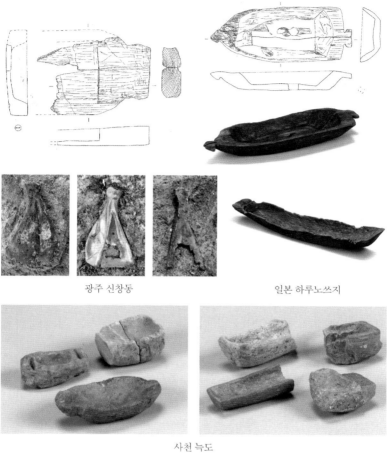

광주 신창동   일본 하루노쓰지

사천 늑도

〈그림 6〉 배모양 목기 및 토제품

배모양목기는 광주 신창동에서 2점이 출토되었고, 일본의 하루노쓰지 유적, 사천 늑도 등에서도 배모양의 목기나 토제품이 확인되었다. 배모양 목기나 토기는 배의 실물 형태를 모방하여 제작한 것으로 전체적인 공통 점은 선저의 바닥이 편평하여 수심이 깊지 않은 하천에서도 운항이 가능한 구조이다. 신창동출토품은 1점은 반파되었지만, 전체적인 형태는 같으나 구조적인 차이가 확인되며, 다른 한 점은 이물에는 파도를 분산하는 기능을 돌출부가 있어 원거리항해에 더 적합한 형태로 보이고, 길이와 너비의 비율이 하루노쓰지 출토품이 더 세장하여 근거리항해가 용이했을 것으로 보인다. 늑도 출토품은 광주 신창동과 같은 형태인 것과 하루노쓰지와 같은 형태가 모두 확인된다.

복골은 점술문화를 보여주는 자료이며, 출토위치가 고대 해상로를 따라 출토된 점으로 보아서 조상신과 작물의 풍흉, 항해의 안전을 기원하는 등이 주 내용이었다고 추정되고, 해신제에만 국한되지 않고 당시 정치적·사회적 통합에 점범이 다양하게 사용됨으로써 다변화하는 사회의 상호작용에 활용되었다[22].

외래유물 중 낙랑계와 왜계유물은 해상항로를 이용해 보급되었다. 야요이계토기의 경우 변·진한을 경유하여 유입되었기 때문에 변·진한의 일부도 해상을 통해 유입되었을 것이다. 늑도 배모양토제품의 형태가 신창동과 하루노쓰지 배모양을 모두 갖추었다는 점에서 참고가 된다.

광주 신창동유적은 1세기경이 되면 쇠락해지는데, 이 시기까지 서남해바다에서 영산강을 경유한 해양성의 종착지이자 출발지였던 것으로 보인다. 신창동세력 일부가 광주 복룡동일대로 이주하는데, 이 때는 변·진한의 철생산지가 경주에서 김해로 이동하는 시기와 상통하며, 변·진한의 철기 유통망의 변화가 영향을 준 것으로 추정된다.

이로 인하여 서남해바다에서 영산강을 경유한 해양성의 종착지 또는

---

22) 은화수 1999, 「한국 출토 복골에 대한 고찰」, 『호남고고학보』10집, 호남고고학회, 5~24쪽.
이범기 2006, 「고고학자료를 통해 본 고대 남해안지방 대외교류」, 『지방사와 지방문화』, 9-2, 역사문화학회,

출발지가 광주 복룡동유적으로 이동하고, 이후 복룡동일대(평동 등 포함)는 영산강상류의 거점유적으로 성장한다.

V. 맺음말

이상에서는 영산강 상류에서 조사된 마한 성립기 자료의 특징과 성격에 대해 살펴보았다.

영산강상류지역은 마한 성립기 해양과 내륙을 통해 다양한 문화가 유입되며, 지역사회는 유기적으로 수용하여 당시 변화에 대응해간다.

마한의 기록이 고구려·백제·신라에 비하면 매우 미흡하지만, 고고학적 자료를 통해서 당시 변화되는 새로운 체제로의 변화과정을 전개했음은 추정해 볼 수 있다. 마한이 고대국가로 성장하지 못하였음은 분명한 사실이지만, Ⅲ단계 이후의 자료를 보면, 광주 복룡동일대나 담양 태목리 유적은 충분히 일정수준의 '국'의 모습을 갖추었다. 굳이 삼국과 같은 고대국가로 성장한 '국'의 모습을 찾으려하기보다는 시대적 상황에 대응하면서 성장해가는 소국 수준의 정치체로 추정된다.

마한은 고대사의 한 영역으로 문헌사학과 고고학계의 주요 관심 분야이다. 문헌자료의 한계로 인하여 고고학이 비중이 커질 수 밖에 없고, 두 사료가 지닌 특성과 불일치성은 다양한 해석을 제시하게 한다. 이로 인하여 뜬 구름 잡기 또는 고고학적 '소설'을 양산할 수 있다[23]. 논지를 전개하는 과정에서 무리한 비약이 포함되어 있음을 통감하지만, 고고자료를 통한 마한 사회의 적극적 연구의 필요성을 강조하고자 한다.

---

23) 김승옥 2019, 「호남지역 마한과 백제, 그리고 가야의 상호관계」, 『마한·백제 그리고 가야』 제27회 호남고고학회 정기학술대회, 7~14쪽.

영산강 상류 마한세력의 성장과 백제

강은주 (전남대학교박물관)

Ⅰ. 머리말

영산강유역은 마한故地 가운데 가장 늦게 백제에 편입된 지역으로 마한의 독자적인 발전과 해체, 그리고 백제영역화의 과정을 살펴보는 데 있어 중요한 지역이다. 전남지역이 4세기대 근초고왕 병합 이후 백제의 지배 아래에 있었다는 기존의 통설은 고고학 자료의 증가에 힘입어 현재 그 논의가 다양하게 이루어지고 있다. 영산강유역의 대형 옹관 및 출토 토기들[1]은 마한세력의 특징적 존재를 알리는 계기가 되었고, 초기 석실묘에 대한 검토[2]와 더불어 나주 복암리 고분군의 발굴을 통해 전남지역의 백제 병합 시기를 6세기 중엽으로 보는 견해[3]가 제기되었다. 그리고 1990년대 후반과 2000년대 초반 확인된 많은 취락유적을 바탕으로 한 백제 병합 시기에 대한 재고[4]와 마한의 묘제로서 분구묘에 대한 연구가 이루어짐으로써 영산강유역을 포함한 전남지역 마한세력에 대한 연구가 촉진되었다. 특히 토기에 있어서는 장경호와 유공광구호, 개배로 이루어진 영산강유역양식이 규정[5]된 이후 다양한 기종에 대한 영산강양식[6]에 대한 연구를 바탕으로 개별 기종에 대한 다양한 연구가 이루어졌다.

특히 광주와 담양을 중심으로 한 영산강 상류권은 장고분과 대단위 취

---

1) 成洛俊, 1983, 「榮山江流域의 甕棺墓研究」, 『百濟文化』15, 公州師範大學 百濟文化研究所.
   成洛俊, 1988, 「榮山江流域 甕棺古墳出土 土器에 대한 一考察」, 『全南文化財』創刊號, 全羅南道.
2) 林永珍, 1990, 「榮山江流域 石室墳의 受容過程」, 『全南文化財』3, 全羅南道.
3) 林永珍, 1997b, 「湖南地域 石室墳과 百濟의 關係」, 『湖南考古學의 諸問題』제21회 한국고고학전국대회발표요지, 한국고고학회.
4) 金承玉, 2000, 「호남지역 마한 주거지의 편년」, 『湖南考古學報』11, 湖南考古學會.
5) 朴淳發, 1998, 「4~6세기 영산강유역의 동향」, 『百濟史上의 戰爭』제9회 백제연구 국제학술대회 자료집, 忠南大學校 百濟研究所.
6) 徐賢珠, 2006, 「榮山江流域 三國時代 土器 研究」, 서울大學校 대학원 博士學位論文.

락유적의 분포로 영산강유역에서도 주목되는 지역이다. 마한세력의 규모를 보여줄 수 있는 대단위 취락유적과 더불어 장고분, 각종 출토유물에서 보이는 외래적 요소의 유입은 영산강 상류 마한세력의 성장과 백제화의 과정을 보여주는 의미있는 자료라고 할 수 있다. 기존의 연구들은 주거지, 토기가마, 고분 등으로 구분하여 살펴보았지만 본고에서는 생활유구와 분묘유구를 포괄하여 살펴보고자 한다.

본고는 광주와 담양을 중심으로 3세기 이후 영산강 상류 마한세력의 존재를 확인하고 성장, 해체되는 과정 속에서 백제와의 관계를 살펴보고자 한다. 먼저 최근까지 확인된 유적의 유구별 분포 현황과 특징을 살펴본다. 이를 바탕으로 비교적 시기 편년이 이루어진 토기 자료를 중심으로 단계별 시기적인 변화상을 검토하는 과정에서 재지적 요소의 확립, 백제 등 외래적 요소의 유입과 확산을 살펴봄으로써 마한세력의 성장과 백제의 관계에 대한 일면을 제시하고자 한다.

II. 유구별 현황과 분포의 특징

영산강 상류에서 확인된 원삼국~삼국시대 마한세력과 관련된 유적은 〈도면 1〉과 같다. 이 중에서 발굴조사는 광주 53개소, 담양 20개소[7]가 이루어졌는데, 담양 제월리 고분[8]과 광주 원산리 석곽묘[9]를 제외하고는 1990년대 이후 발굴조사가 이루어졌다. 특히 2000년대 이후에는 대단위

---

7) 2018년까지 발굴조사 보고서가 발간된 것을 기준으로 하였다.

8) 崔夢龍, 1976,「潭陽 濟月里 百濟古墳과 그 出土遺物」,『文化財』10, 文化財管理局 文化財研究所.

9) 崔夢龍, 1979,「光州 松岩洞 住居址 發掘 調査報告」,『光州 松岩洞 住居址 · 忠孝洞 支石墓』, 全南大學校博物館.

생활유구와 매장유구가 복합적으로 확인된 유적의 수가 증가하였다. 본고
에서는 생활유구와 분묘유구로 나누어 유구별 현황을 살펴보고자 한다.

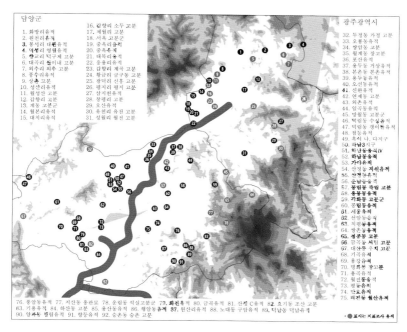

〈도면 1〉 영산강 상류권 마한 · 백제유적 분포도

1. 생활유구

1) 주거지

주거지는 벽선이 확인된 수혈주거지[10]만을 대상으로 하여 광주 37개

---

10) 원삼국~삼국시대의 수혈주거지를 대상으로 하되 점토대토기가 확인된 주거지
  (광주 평동유적)는 제외하였고 경질무문토기가 출토되는 주거지, 그리고 유물이
  출토되지 않은 주거지를 포함하여 그 수를 파악하였다.

소, 담양 10개소에서 총 2,600여 기가 확인되었다. 주거지의 평면형태는 방형계(말각방형과 장방형 포함)가 대부분이며 일부 원형이 확인되고 있다. 평면 원형의 주거지는 방형에 비해서 이른 시기에 속하는 것으로, 담양 태목리유적의 중복 관계[11], 그리고 광주 평동유적의 시기별 평면형태의 변화[12]를 통해서 알 수 있다. 기존 마한계 주거지의 특징으로 보았던 사주공식, 벽구, 점토제 노지[13]에 더하여 최근에는 장타원형 수혈도 포함[14]시켜 이해하고 있다. 사주공식 주거지의 확산과 전개과정에 대한 연구들을 바탕으로 사주공식 비율의 전반적인 변화[15]는 파악되지만 사주공식과 무주공식의 혼재 양상으로 보아 시기적 차이가 아닌 공존하는 주거 형태로 보아야 할 것이다.

11) 姜貴馨, 2013,「潭陽 台木里聚落의 變遷 研究」, 木浦大學校 大學院 碩士學位論文.
12) 광주 평동유적은 청동기시대부터 삼국시대에 이르는 주거지 104기가 확인되었는데, 청동기시대 송국리형주거지 단계에서부터 삼국시대에 이르기까지 평면형태 원형:방형의 비율이 24:4→11:4→7:12→0:18로 변화한다. 이는 주거지 평면형태가 원형 우세와 방형의 혼재에서 방형의 비중이 높아지는 것으로 시기적인 흐름을 보여주는 것이라고 할 수 있다.
13) 金承玉, 2004,「全北地域 1~7世紀 聚落의 分布와 性格」,『韓國上古史學報』44, 韓國上古史學會.
14) 김은정, 2017b,「마한 주거 구조의 지역성 -호남지역을 중심으로-」,『中央考古研究』24, 中央文化財研究院.
    김은정, 2019,「전북지역 주거구조 비교를 통한 마한·백제 그리고 가야」,『마한·백제 그리고 가야』제27회 호남고고학회 정기학술대회 자료집, 호남고고학회.
15) 鄭一, 2006,「全南地域 四柱式住居址의 構造的인 變遷 및 展開過程」,『韓國上古史學報』54, 韓國上古史學會.
    임동중, 2013,「호남지역 사주식주거지의 변천과정」, 전남대학교 대학원 석사학위논문.
    박지웅, 2014,「호서·호남지역 사주식 주거지 연구」, 경희대학교 대학원 석사학위논문.

연번	지역	유적명	기수	평면형태		사주공식	연번	지역	유적명	기수	평면형태		사주공식
				방형	원형						방형	원형	
1	광주	가야	3	3		1(?)	25	광주	용두동	8	8		4
2		금곡B	4	4		2	26		용봉동	2	2		
3		노대동	1	1			27		용산동	40	40		5
4		덕남동	1	1			27		일곡동	4	4		
5		덕림동 갱이들	2	2			29		평동	52	48		
6		동림동	86	86		38	30		풍암동	2	2		2
7		만호	7	7		5	31		하남3지구	199	198	1	44
8		명화동	2	2			32		하남동(호남)	346	346		132
9		본촌동	13	13		3	33		하남동(영해)	12	12		5
10		비아	4	4			34		하남동IV(호남)	10	10		1
11		산정C	36	36		7	35		하산동	3	3		2
12	광주	산정동 지실	97	97		14	36		향등	30	30		1
13		산정동	65	65		20	37		흑석동	24	24		10
14		선암동	310	310		51	38		대치리	6	6		2
15		세동	10	10		5	39		봉서리 대판	5	5		
16		신완	6	6		4	40		삼지천	15	15		
17		신창동IV	10	10		2	41		서옥	1	1		
18		쌍촌동	79	79		5	42	담양	성산리	12	12		7
19		양과동	17	17		1	43		오산	11	11		4
20		오룡동	24	22	1		44		원천리	3	3		3
21		오선동	372	367	3	64	45		응용리	20	20		3
22		외촌	9	9			46		중옥	1	1		1
23		용강	5	5		3	47		태목리	662	651	11	26
24		용곡A	16	6	10	1	계		총 47개소 2,647기				

2) 방형건물지

방형건물지는 방형의 구를 갖춘 지상식 건물지로 구 안쪽에서 주공이나 수혈, 장타원형 구덩이 등이 확인된다. 영산강 상류에서는 풍영정천에 집중되어 광주 산정동 28기 · 오선동 6기 · 흑석동 2기가 확인되었고 전체 크기를 알 수 있는 유구들은 〈표 2〉와 같다. 방형건물지 중에서 특징적인 구조들이 확인되어 그 의미에 대한 해석도 시도되고 있다. 벽주식 주혈이 가미된 사주식 구조(도면2-2 · 3)는 동서 양측에 경계구가 시설되어 있고 주간 간격이 좁다는 점에서 여타 방형건물지와는 다른 특수한 업무를 수행한 곳으로 보며[16], 오선동 6호(도면 2-5)의 경우에는 내부에 사주 형태가 있을 뿐 아니라 건물지 서쪽 벽체가 이중으로 교차되어 동선의 차폐 효과를 의도한 것으로 보아 의례나 제의 관련 시설로 보는 보기도 한다[17].

〈표 2〉 방형건물지 규모

유적	호수	가로(cm)		세로(cm)		비고
광주 산정동	4호	856	962	952	828	
	6호	780	862	878	939	방형 수혈 흔적
	9호	1,376	1,223	1,080	1,230	주공 4개
	17호	689		682		주공 4개
	18호	1,013		1,018		
광주 오선동	3호	1,500		1,440		
	4호	900		980		
	6호	980~1,500		1,200~1,350		주공 4개

3) 지상건물지

지상건물지는 주공만 확인되는 건물지로 주공의 수와 위치를 통해 정면과 측면의 칸을 추정해 볼 수 있다. 정면 1칸×측면 1칸부터 정면 3칸×

---

16) 이영철, 2016, 「백제 地方都市의 성립과 전개 -영산강유역을 중심으로-」, 『韓國古代史研究』 81, 한국고대사학회, 127쪽.

17) 대한문화재연구원, 2018, 『光州 鰲仙洞 遺蹟』, 1107쪽.

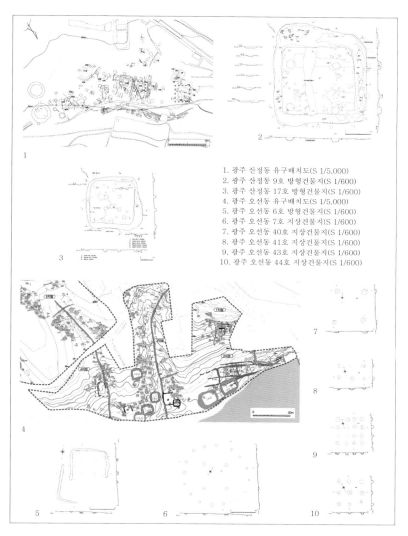

1. 광주 산정동 유구배치도(S 1/5,000)
2. 광주 산정동 9호 방형건물지(S 1/600)
3. 광주 산정동 17호 방형건물지(S 1/600)
4. 광주 오선동 유구배치도(S 1/5,000)
5. 광주 오선동 6호 방형건물지(S 1/600)
6. 광주 오선동 7호 지상건물지(S 1/600)
7. 광주 오선동 40호 지상건물지(S 1/600)
8. 광주 오선동 41호 지상건물지(S 1/600)
9. 광주 오선동 43호 지상건물지(S 1/600)
10. 광주 오선동 44호 지상건물지(S 1/600)

〈도면 2〉 영산강 상류권 주요 방형 및 지상건물지
(유구분포도S 1/5,000, 건물지S 1/600)

측면 3칸까지 다양한 평면형태(도면 2-7~10)가 있는데 형태에 따라 기능이 달랐을 것으로 보기도 한다[18]. 광주지역에서는 17개 유적 462기, 담양지역에서는 8개 유적 24기가 확인되었다.

<표 3>에서 볼 수 있는 것처럼 전체 지상건물지 중에서 64.8%로 가장 많은 비율을 차지하는 것은 바로 정면 2칸×측면 2칸의 형태(도면 2-10)이다. 이 형태는 중앙에 설치된 동지주(棟持柱)로 인해 상부시설물의 하중과 무게를 지지하는 데 있어 효과적이지만 내부 공간 활용에 제약을 받게 된다[19]. 이러한 이유로 정면 2칸×측면 2칸은 거주의 목적보다는 창고의 기능으로 추정되고 있다. 창고 시설은 취락의 생산·소비활동에 필요한 종곡 등의 물품을 보관·관리[20]하거나 주변의 유구 종류에 따라 공방지에서 생산된 제품을 보관한 것으로 추정[21]된다. 지상건물지의 조사가 증가됨에 따라 정면 1칸×측면 1칸 구조에 다각형 구조물이 있는 형태(도면 2-6) 등이 확인되고 있지만, 생활면이 지상에 있는 구조의 특성상 출토유물은 거의 없어 형태별 차이에 대한 연구까지는 이루어지지 못하고 있다.

18) 李弘鍾·許義行, 2014,「漢城百濟期 據點都市의 構造와 機能 -羅城里遺蹟을 中心으로-」,『百濟研究』60, 忠南大學校 百濟研究所, 93쪽.

19) 李弘鍾·許義行, 2014, 앞의 논문, 92쪽.

20) 이영철, 2016, 앞의 논문, 129쪽.

21) 대한문화재연구원, 2018, 앞의 책, 1108쪽.

〈표 3〉 영산강 상류에서 확인된 지상건물지의 구분

연번	지역	유적	수량	구조								
				1×1	1×2	2×1	2×2	2×3	3×1	3×2	3×3	기타
1	광주	가야	1				1					
2		동림동	77	12			64					65호
3		만호	2			1	1					
4		벽진동	1				1					
5		본촌동	15		1	1	12		1			
6		산정동 지실II	7	1		2	4					
7		산정동	35	4		7	21			3		
8		선암동	12				6			1	4	4×4(1)
9		세동	1				1					
10		신완	3	1			2					
11		오선동	88	3	7	3	69	2	1	1	2	
12		외촌	1	1								
13		월전동	7	2	1		4					
14		하남3지구	169	23	18	23	93	5	1	3	2	3×7(1)
15		하남동(호남)	29	6	1	2	17			2		4×1(1)
16		하남동IV	4	4								
17		흑석동	10	3		2	4			1		
18	담양	대치리	2				2					
19		성산리	2				2					
20		오산	3				3					
21		원천리	1				1					
22		월본리	5			1	4					
23		중옥	2	2								
24		태목리	7	1		1	3	21				
25		풍수리	2			1						
계			486	63	28	44	315	28	3	11	8	

4) 가마 등 기타 유구

토기가마는 광주지역에서 6개 유적 37기, 담양지역에서 1개 유적 1기

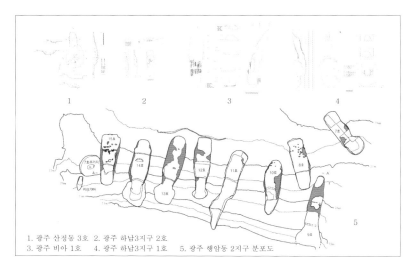

1. 광주 산정동 3호 2. 광주 하남3지구 2호
3. 광주 비아 1호 4. 광주 하남3지구 1호   5. 광주 행암동 2지구 분포도

〈도면 3〉 영산강 상류권 주요 토기가마(S 1/600)

가 확인되었는데[22] 광주 행암동 유적을 제외하면 한 유적에서 1~4기의
가마가 분포하고 있다. 영산강유역 토기가마는 장타원형과 타원형으로
구분되는데 대부분 장타원형[23]으로 소성실 최대너비의 위치에 따라 장
타원형 형태가 세분되기도 한다[24]. 영산강 상류에서 확인된 토기가마 중

---

22) 광주 비아 4기 · 산정동 4기 · 신창동 1기 · 용두동 2기 · 하남3지구 4기 · 행암동
22기, 담양 태목리 1기가 확인되었다. 그외 토기 생산 관련 유구는 말각(장)방형
의 노천요로 도지미를 생산했던 것으로 추정되는 광주 신창동 Ⅳ지점의 소성유구
와 토기 제작 폐기장으로 추정되는 광주 세동 5호 수혈이 확인되었다. 토기 생산
의 검토에 있어서 필요한 유구이지만 본고에서는 토기가마의 구조 및 출토유물
등을 살펴보기 위해 제외하였다.

23) 이지영, 2008, 「호남지역 3~6세기 토기가마의 변화양상」, 『湖南考古學報』30, 湖
南考古學會.
정일, 2009, 「호남지역 마한 · 백제 토기의 생산과 유통」, 『호남고고학에서 바라본
생산과 유통』제17회 호남고고학회 학술대회, 호남고고학회.

24) 이정민, 2019, 「전남지역 마한 · 백제 토기가마 변천과 파급」, 『東아시아古代學』
53, 東아시아古代學會.

전체적인 형태를 파악할 수 있는 18기를 대상으로 살펴보면 대부분 소성실 형태는 최대너비가 중반부에 위치한 장타원형(소성실 최대너비 위치 전반부:중반부=3:15)이며 연소실 불턱이 있는 구조(연소실 불턱 무:유=2:16)이다. 광주 행암동 3호의 경우에는 화구와 연소실 일부를 냇돌로 축조한 화구적석 구조이다.

  수혈은 광주와 담양에서 총 32개소 560여 기가 넘게 확인되었는데[25] 출토유물이 없는 경우에는 그 시기를 파악하기가 쉽지 않다. 수혈이 확인되는 유구분포를 살펴보면 주거지와 지상건물지가 같이 확인된 유적의 수가 많으며 지상건물지의 수량이 많을수록 수혈도 많은 편이다[26]. 영산강 상류에서 수혈이 50기 이상 확인되는 유적은 광주 동림동·평동·하남3지구, 담양 태목리 Ⅲ구역이 있는데 평동과 태목리의 경우에는 수혈분포의 정형성이 확인되지 않는다. 광주 동림동유적(도면 4-1)의 경우 규모가 작은 수혈들은 Ⅰ구역과 Ⅱ구역에서 주거지와는 어느 정도 거리를 두고 있는 반면, 어느 정도 규모가 큰 수혈들은 Ⅲ구역 내 주거지 근처에 분포하고 있다. 동림동 수혈 84호~89호는 65호 지상건물지에 선행하며 특히 89호는 과실이나 씨앗 종자를 저장한 수혈이다. 하남3지구의 수혈(도면 4-2)은 구하도(舊河道)를 따라 분포하며 지상건물지의 분포와 어느 정도 겹치는 경향이 파악된다. 이로 보아 삼국시대 생활유구와 관련된 수혈은 저장용임을 추정해 볼 수 있다.

---

25) 보고서에 수록된 전체 수혈 중 점토대토기나 경질무문토기가 출토된 경우에는 제외하고 연질이나 경질토기가 출토되거나 출토유물이 없는 수혈의 수량을 파악하였다.
26) 수혈만 확인된 유적이 2개소가 있으며 다른 생활유구와 같이 확인되는 경우는 다음과 같다. 수혈+주거지 12개소, 수혈+지상건물지 6개소, 수혈+주거지+지상건물지 10개소, 주거지+지상건물지+방형건물지 3개소이다.

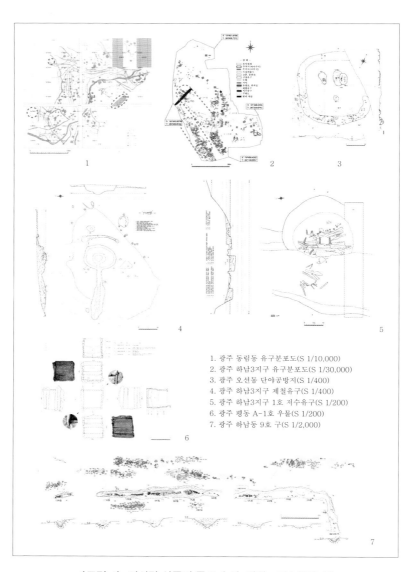

1. 광주 동림동 유구분포도(S 1/10,000)
2. 광주 하남3지구 유구분포도(S 1/30,000)
3. 광주 오선동 단야공방지(S 1/400)
4. 광주 하남3지구 제철유구(S 1/400)
5. 광주 하남3지구 1호 저수유구(S 1/200)
6. 광주 평동 A-1호 우물(S 1/200)
7. 광주 하남동 9호 구(S 1/2,000)

〈도면 4〉 영산강 상류권 주요 수혈, 제철ㆍ저수유구, 구 그 외에도 광주 오선동 단야공방지(도면 4-3)와 하남3지구에서 제철유구(도면 4-4), 평동 · 하남3지구에서 저수유구(도면 4-5 · 6) 등이 확인되었다. 또한 구상유구도 많은 유적에서 확인되었는데 출토유물이 많지 않거나 유물이 출토되지 않는 것이 대부분이다. 가장 잘 알려진 구상유구는 출토유물 수량이 많은 광주 하남동 9호 구(도면 4-7)이다. 9호 구는 호형분주토기, 고배, 유공광구호, 단경호, 장경호, 발형기대, 직구소호, 뚜껑, 완, 대부직구소호 등 270여 점이 넘는 토기들이 확인되었다.

2. 분묘유구

경기남부지역부터 호남지역을 아우르는 마한의 특징적인 묘제는 바로 분구묘이다. 영산강유역에서의 분묘는 크게 방형목관분구묘→제형목곽분구묘→방대형옹관분구묘→원형 · 장고형석실분구묘[27], 복합제형분단계→고총단계(옹관고총과 초기 석실분)→석실분단계[28]로 알려져 있는데 분구의 형태가 방형에서 제형, 방형 혹은 원형으로 변화하는 큰 흐름 자체는 동일하다. 영산강 상류권에서 조사가 이루어진 분묘유구[29]는 광주지역 21개 유적 198기, 담양지역 7개 유적 108기이다. 분묘유구는 분구형태를 기준으로 〈표 5〉, 〈도면 5〉와 같이 살펴볼 수 있다.

---

27) 林永珍, 2002,「榮山江流域圈의 墳丘墓와 그 展開」,『湖南考古學報』16, 湖南考古學會.
   임영진, 2014,「전남지역 마한 제국의 사회 성격과 백제」,『百濟學報』11, 百濟學會, 24쪽.
28) 金洛中, 2009,「榮山江流域 古墳 研究」, 서울大學校 대학원 博士學位論文.
29) 본고에서는 분구의 형태가 확인되지 않고 매장주체시설만 확인된 경우는 제외하였다.

〈표 5〉 분구 형태에 따른 영산강 상류권 분묘유구

연번	지역	유적	수량	분구 형태					매장시설
				제형	방형	원형	장고형	이형	
1	광주	각화동	2			2			원형: 석실 2기
2		금곡A	2	2					
3		금곡B	3	2		1			제형: 토광묘 5기, 옹관묘 1기 (주구: 옹관묘 2기)
4		기용	5	5					제형: 옹관묘 1기
5		명화동	1				1		장고형: 석실 1기
6		산정동 지실	3		3				
7		산정동	3			3			원형: 토광묘 1기
8		선암동	18			18			
9		쌍암동	1			1			원형: 석실 1기
10		양과동	1	1(말각)					매장주체시설 불확실
11		오선동	4	3	6				방형: 목관묘 2기
12		요기동	1				1		
13		용강	4			3			제형: 토광묘 1기
14		용곡B	6	5	1				제형: 토광묘 3기 방형: 토광묘 1기
15		용두동 거상	2	1	1				
16		용두동	36	14	6	9			제형: 목관묘 2기 원형: 석실 3기
17		운남동	1			1			
18		월계동	2				2		장고형: 석실 2기
19		평동	85	49	8	27		방형+제형	제형: 토광묘 1기, 옹관묘 4기 (주구: 토광묘 1기, 옹관묘 1기) 방형: 토광묘 2기
20		하남3지구	4	4					
21		하남동	14	13					제형: 토광묘 1기 (주구: 토광묘 2기, 옹관묘 1기)
22	담양	계동	2			2			
23		금구동	1			1			매장주체시설 불확실
24		서옥	12			12			2호분: 석실 2기 4호분: 석곽(?) 1기
25		성월리	1				1		장고형:석실 1기 (배장: 석곽 1기, 석실 서쪽)
26		월성산	3			2	1		
27		중옥리	1		1				
28		태목리	88	79	6				제형: 토광묘 6기, 옹관묘 1기 (주구: 토광묘 8기, 옹관묘 6기) 방형(주구: 옹관묘 1기)
		계	306	177	33	82	6		

〈도면 5〉 영산강 상류권 분구 형태별 분포도

　　영산강 상류의 분구묘 중에서 가장 많이 확인된 분구 형태는 제형으로,
조사 사례가 증가됨에 따라 하한연대가 6세기 초[30], 6세기 전엽[31]으로 조
정되고 있으며 제형에서 방형·원형으로 변화하는 과정에서 공존하는 시
기가 있음을 알 수 있다. 분구 형태별 분포를 통해 파악할 수 있는 영산강
상류권의 특징은 우리나라에서 확인되는 14기의 장고분 중에서 6기가 확
인된다는 점이다. 6기의 장고분 중 광주 요기동과 담양 고성리 월성산 장
고분을 제외한 4기에 대한 발굴조사가 이루어졌고 매장주체시설은 모두
석실이다. 분구 형태별 매장주체시설은 제형분의 경우 대상부에서 토광

---

30) 김낙중, 2015, 「영산강유역 梯形墳丘墓의 등장 과정과 의미」, 『百濟學報』14, 百濟
學會.
31) 오동선, 2016, 「榮山江流域圈 蓋杯의 登場과 變遷過程」, 『韓國考古學報』98, 韓國
考古學會.

(목관) 19기 · 옹관 7기, 주구에서 토광(목관) 11기 · 옹관 10기가 확인되었다. 방형분은 대상부 토광(목관) 5기 · 주구 옹관 1기, 원형분은 대상부에서 토광(목관) 1기 · 석실 6기 · 석곽 3기가 확인되었다. 옹관의 경우 이른 시기에 속하는 것들로 U자형 전용옹관은 확인되지 않으며, 일상용기인 이중구연호와 주구토기 등을 사용하기도 하였다.

영산강 상류권의 각 유구별 현황을 살펴본 결과 분포상에서 다음과 같은 특징이 확인된다. 먼저 생활유구인 주거지 · 방형건물지 · 토기가마가 수계별로 밀집분포하는 유적들이 확인된다는 점이다. 주거지 50기 이상이 확인되는 유적들은 수계로 구분할 수 있는데 각 수계에 1~2개의 주요 취락임을 알 수 있다. 영산강 상류 본류는 담양 태목리, 황룡천은 광주 선암동 · 평동, 광주천은 동림동 · 쌍촌동, 풍영정천은 산정동 · 오선동 · 하남동 · 하남3지구가 대표적이다. 그중 풍영정천은 확인된 주거지 수가 압도적으로 많을 뿐 아니라 방형건물지, 지상건물지도 다른 수계에 비해서 밀집되고 있다. 대촌천에서는 광주 행암동 22기의 토기가마가 집중되어 5~6세기의 주요 토기 생산지역임을 알 수 있다. 분묘유구는 분구 형태로 살펴보면 제형이 가장 많은 수를 차지하고 있으며 그 다음은 원형이다. 방형 분구는 규모에 따라 중소형과 대형으로 구분된다. 중소형의 방형 분구는 광주 평동 A1호분 · 하남동 3호분의 경우처럼 수평확장을 통해 제형화되기도 하고, 말각방형의 분구는 원형화되기 전에 확인되기도 한다. 대형의 방형분은 장고형 · 원형과 함께 확인된다. 장고분은 분구 형태뿐 아니라 출토유물에 있어서도 광주 월계동과 명화동에서 통형 분주토기가 확인되고 있어 왜계 요소가 강하다.

Ⅲ. 영산강 상류 마한세력의 성장, 그리고 백제

영산강유역권은 앞서 살펴본 유구뿐 아니라 토기 등 출토유물에서도 뚜렷한 특징을 지니고 있어 영산강양식 혹은 영산강유역양식으로 표현되고 있다. 영산강유역권 토기에 대한 연구는 특히 마한과 백제·가야·왜와의 관계를 살펴보는 데 의미있는 자료로, 특히 백제와의 관계에 대한 연구가 많이 이루어졌다. 영산강유역권 토기는 크게 재지적 요소와 외래적 요소(백제·가야·왜), 그리고 재지적 요소에 외래적 요소가 더해지면서 형성된 영산강양식으로 구분해 볼 수 있다. 이러한 특징은 주로 분묘유구 출토품에서 잘 확인되지만 영산강 상류 마한세력의 성장과정이라는 시기적인 흐름을 파악하기 위해서는 생활유구를 포함하여야 할 것이다.

생활유구 중에서 토기가마 등 생산유적이 아닌 주거지의 경우 존속기간이 한 세대 이상이 되는 경우가 있을 뿐 아니라 일상용기 특성상 단기간에 바뀌지 않는다. 주거지 출토유물의 대다수를 차지하는 취사용기(장란형토기·시루·심발형토기)와 저장용기(호·옹류)는 존속시기가 길기 때문에 전반적인 변화 양상만을 추정해 볼 수 있다. 여기에 유공광구호 등 특징적인 기종이 확인되고, 외래적 요소로서 새로운 기종(개배, 삼족배, 고배, 광구장경호, 기대, 병, 배부토기 등)이 들어와 영산강양식화되기 시작한다. 분묘유구의 경우 분구묘의 특성상 수평·수직확장[32]이 이루어지기 때문에 분구나 주구에서 출토되는 토기는 상한과 하한의 설정에 활용할 수 있다. 본고에서는 영산강양식 토기에 대한 연구뿐 아니라 개별적인 기종 연구를 통해 시기를 파악할 수 있는 토기 자료[33]를 기준으

---

32) 林永珍, 1997a, 「榮山江流域의 異形墳丘 古墳 小考」, 『湖南考古學報』 5, 湖南考古學會.
33) 全炯珉, 2003, 「湖南地域 長卵形土器의 變遷背景」, 全南大學校 大學院 碩士學位論文.

로 3세기~5세기 전엽, 5세기 중엽[34]~6세기 전엽, 6세기 중엽 이후로 구
분하여 시기별 변화상을 살펴보고자 한다.

서현주, 2006, 앞의 논문.

허진아, 2007, 「湖南地域 시루의 型式分類와 變遷」, 『韓國上古史學報』 58, 韓國上
古史學會.

宋恭善, 2008, 「三國時代 湖南地域 鉢形土器 考察」, 全南大學校 大學院 碩士學位論文.

姜銀珠, 2009, 「榮山江流域 短頸壺의 變遷과 背景」, 『湖南考古學報』 31, 湖南考古學會.

서현주, 2010, 「완형토기로 본 영산강유역과 백제」, 『湖南考古學報』 34, 湖南考古學會.

서현주, 2011b, 「영산강유역 토기문화의 변천 양상과 백제화과정」, 『百濟學報』 6,
百濟學會.

김낙중, 2012, 「토기를 통해 본 고대 영산강유역 사회와 백제의 관계」, 『湖南考古
學報』 42, 湖南考古學會.

곽명숙, 2014, 「전남지역 주거지 출토 심발형토기 연구」, 『湖南考古學報』 47, 湖南
考古學會.

서현주, 2014, 「출토유물로 본 전남지역 마한제국의 사회 성격 -5~6세기 토기를
중심으로-」, 『百濟學報』 11, 百濟學會.

金垠井, 2017a, 「湖南地域의 馬韓 土器 -住居址 出土品을 中心으로-」, 全北大學校
大學院 博士學位論文.

최영주, 2018, 「고고자료로 본 영산강유역 마한세력의 성장과 변동과정 -백제와의
관계를 중심으로-」, 『東아시아古代學』 52, 東아시아古代學會.

34) 5세기 중엽은 유공광구호, 직구소호, 개배, 고배, 기대 등 새로운 기종들이 영산강
유역에 등장하는 시기이다. 영산강양식이라는 특징적인 형식을 형성하는 기종들
이 나타나기 시작한다는 점에서 5세기 중엽이 지니는 의미가 크다. 그리고 이 기
종들은 점차 영산강유역 내부적으로 확산되어 5세기 후엽에는 다양한 형식으로
확인되고 있다. 영산강유역 내에서 물질문화가 전역으로 확산되는 계기는 각 지
역세력 간의 교류 · 협력 등을 상정해 볼 수 있다. 즉 5세기 중엽부터 영산강유역
각 지역세력 간의 소통이 더 활발해짐으로써 영산강양식이 형성되고 성행하기 시
작한 것으로 볼 수 있다.

그 외에도 영산강유역에 아궁이틀 B1식이 등장하는 시기가 5세기 중엽(徐賢珠,
2003, 「三國時代 아궁이틀에 대한 考察」, 『韓國考古學報』 50, 韓國考古學會, 88
쪽.)이다. 또한 완의 변천과정에서 낮은 기고에 동체가 넓게 벌어져 올라가는 것
들이 많아지는 4단계가 5세기 전반의 늦은 시기(서현주, 2010, 앞의 논문, 61쪽.)
라는 점에서도 5세기 중엽을 영산강양식의 형성 시점으로 볼 수 있다.

1. Ⅰ단계(3세기~5세기 전엽)

3세기~5세기 전엽까지 영산강 상류 마한세력의 존재는 생활·분묘유적에서 모두 출토되고 있는 범마한토기인 이중구연호와 양이부호, 완과 타날문 원저단경호를 들 수 있다. 그리고 유구 수량에서 대다수를 차지하고 있는 주거지 출토 취사용기뿐 아니라 조형토기와 평저광구호는 이 시기 마한세력을 살펴볼 수 있는 자료이다.

이중구연호는 대부분 원저로 편구형, 구형, 난형의 형태를 띠며 생활유구뿐 아니라 제형분의 대상부나 주구에 대옹·주구토기 등과 합구되어 옹관묘로 사용되기도 한다. 이중구연호는 동체의 형태와 문양, 문양의 범위에 따라 지역적 특색이 확인되는데35) 광주는 난형만, 담양은 편구형과 난형이 함께 확인되고 있어 영산강 상류권에서도 차이가 있다36). 양이부호는 평저와 원저가 같이 확인되다가 점차 평저가 말각평저화되는 경향을 보인다. 그리고 이부 부착상태는 종방향과 횡방향이 혼재되어 있으며 평저 양이부호의 경우 둥근 어깨의 평저직구호와 그 형태가 유사하다. 조형토기는 광주 동림동·선암동·오선동, 담양 태목리에서 확인되고 있는데 광주 동림동 52호·산정동 지실Ⅰ 1호 구 출토품을 제외하면 모두 주거지에서 출토되었다. 원저단경호는 편구형에 가까운 동체 형태에 구연부가 호형으로 벌어지는 형태들이 많으며, 4세기 중엽에 구순에 홈이 돌아가는 양식이 출현한다. 그리고 문양에 있어서도 격자문계가 우세하지만 복합문의 타날이 증가하고 있다.

---

35) 박형열, 2013, 「호남 서남부지역 고분 출토 이중구연호의 형식과 지역성」, 『湖南考古學報』 44, 湖南考古學會.

36) 金垠井, 2018, 「마한 일상용기의 지역성 -호남 서부지역 주거지 출토품을 중심으로-」, 『湖南考古學報』 59, 湖南考古學會, 154~155쪽.

취사용기는 경질무문계통에서 타날문계통으로 변화되는 양상이 공통적으로 확인된다. 취사용기 모두 구연부 형태에서 변화가 확인되는데 장란형·심발형토기의 경우 단순외반에서 경부가 형성되며, 시루의 경우 기존 점토대가 부착되었던 형태에서 직립, 직립에서 외반되는 변화의 경향이 확인된다. 특히 시루의 경우 저부 형태가 원저 혹은 말각평저에서 평저로 통일되며 증기공이 불규칙한 것에서 규칙적인 배치로 점차 바뀌어 간다. 평저광구호는 5세기를 전후한 시기까지 확인되는데 구연부 벌어짐 정도와 동체 높이에서 일부 차이가 있다. 5세기를 전후하여 완은 높이가 높은 것에서 낮은 것으로 변화한다. 유공광구호는 기존 5세기 중엽에 등장하는 것으로 알려졌지만 최근 이른 형식이 생활유구에서 확인되기 시작하면서 5세기 전·중엽에 영산강 상류에서 등장하여 전통성을 획득하면서 점차 영산강유역권 전역으로 확산되었을 것으로 보고 있다[37]. 5세기 중엽부터 영산강 전역에서 확인되기 시작하는 것으로 보아 유공광구호는 5세기 전엽의 늦은 시기에 영산강 상류권에서 등장하였을 가능성이 있다.

이러한 토기들이 확인되고 있는 유구 중 주거지는 주로 방형계로 사주공식과 무주공식이 모두 확인되고 있다. 광주 평동과 담양 태목리유적 등을 통해 원삼국시대와 연결되어 원형에서 말각방형, 방형계로의 변화를 살펴볼 수 있다. 토기가마에서는 등요가 나타나기 시작하면서 유적별로 주거지와 함께 확인되는데 광주 산정동 3호·하남3지구 2호, 담양 태목리 I구역 토기가마 등을 들 수 있다. 태목리에서는 토기가마 1기만 확인되는데 규모가 크지 않고 출토유물이 주거지 출토품과 유사하여 취락 내에서 생산과 유통이 이루어졌던 것으로 추정된다.

---

37) 원해선, 2015, 「유공광구호의 등장과 발전과정」, 『韓國考古學報』 94, 韓國考古學會.

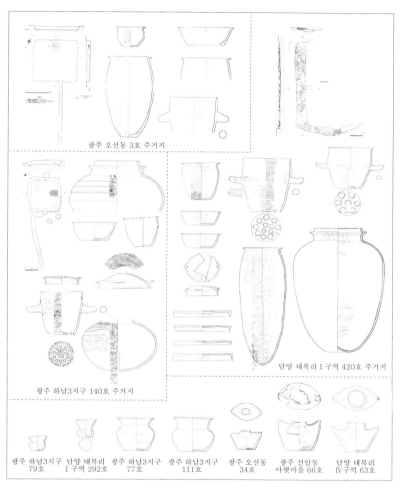

광주 오선동 3호 주거지

담양 태목리 I구역 420호 주거지

광주 하남3지구 140호 주거지

광주 하남3지구 79호　담양 태목리 I구역 292호　광주 하남3지구 77호　광주 하남3지구 111호　광주 오선동 34호　광주 선암동 아랫마을 66호　담양 태목리 IV구역 63호

〈도면 6〉 I 단계 주요 주거지와 출토유물 (주거지S 1/300, 토기S 1/15)

분묘유구는 주로 방형과 단제형(마제형)을 거쳐 장제형화되기 시작한
다. 제형분의 대상부와 주구에서 확인되는 토광(목관)묘와 옹관묘에서는
주로 호류(이중구연호, 원저 · 평저단경호) 1~2점이 출토되는데 일부 철

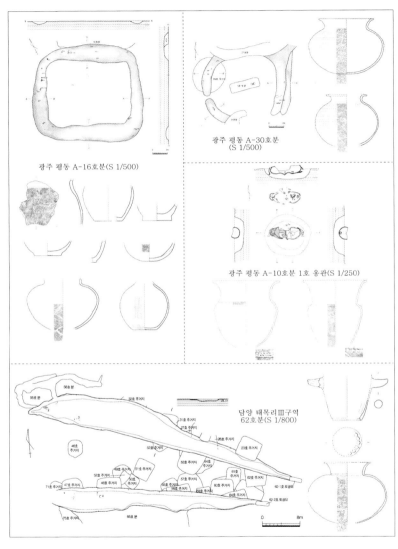

광주 평동 A-16호분(S 1/500)

광주 평동 A-30호분
(S 1/500)

광주 평동 A-10호분 1호 옹관(S 1/250)

담양 태목리Ⅲ구역
62호분(S 1/800)

〈도면 7〉 Ⅰ단계 주요 분묘유구와 출토유물 (토기S 1/15, 옹관S 1/50)

기류(철도자, 철부 등)가 공반되기도 한다. 대상부에서 토광(목관)묘는 광주 금곡B 3호분(3-1호~3-5호)·용곡B 2호~5호분·평동 A30호분과 담양 태목리 Ⅲ구역 14호분(14-2호)·42호분·44호분·48호분, 옹관묘는 광주 금곡B 2호분(2-1호)·기용 2호분·평동 A5호분(2호, 3호 옹관)과 A18호분·하남3지구 4호분에서 확인된다. 주구에서 토광(목관)묘는 광주 하남동 2호분, 담양 태목리 Ⅲ구역 12호분·13호분·14호분(14-3호)·32호분·47호분·60호분·62호분, 옹관묘는 광주 금곡B 2호분(2-2호, 2-3호)·평동 A10호분·하남동 2호분과 담양 태목리 Ⅲ구역 32호분(32-1호, 32-2호)·35호분·48호분·56호분·63호분에서 확인된다. 옹관묘는 Ⅰ식·Ⅱ식 옹관[38]을 사용하기도 하지만 이중구연호·원저단경호·주구토기 등 일상용기를 활용하기도 한다.

구상유구 중 담양 덕성리 영월 1호에서는 다른 토기편들 없이 호형 분주토기만 확인되었다. 형태는 뚜렷한 경부가 형성되고 구경부의 길이가 길며 나팔부의 벌어짐이 큰 편으로, 서현주 분류안[39]에 따르면 호형 무돌선a식과 호형 무돌선c식의 중간 단계라고 할 수 있다. 전체적인 형태뿐

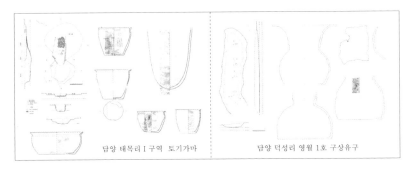

담양 태목리 Ⅰ구역 토기가마   담양 덕성리 영월 1호 구상유구

〈도면 8〉 Ⅰ단계 주요 토기가마 및 구상유구와 출토유물 (유구S 1/300, 토기S 1/15)

---

38) 吳東墠, 2008, 「湖南地域 甕棺墓의 變遷」, 『湖南考古學報』 30, 湖南考古學會.
39) 徐賢珠, 2018, 「墳周土器로 본 古代 榮山江流域」, 『湖西考古學』 39, 湖西考古學會.

아니라 동체부 문양도 무문과 격자문 타날이 혼재되어 있어 두 형식의 중간 시기로 파악된다. 호형 무돌선a식을 4세기대, 호형 무돌선c식을 5세기 중엽으로 볼 수 있어 담양 덕성리 출토 분주토기는 4세기대~5세기 전후 정도로 추정해 볼 수 있다.

이 시기 영산강 상류권은 마한의 공통적 정체성이 공유 · 확산되고 지역적 차이가 드러나기 시작[40]하면서 독자성의 발판이 형성되기 시작한다. 이른 시기의 주거지에서 경질무문토기와 타날문토기들이 확인되고 있는 점은 이 지역 마한세력이 재지집단 내에서 변화 · 성장하고 있음을 보여주는 것이다. 방형계 주거지를 바탕으로 광주 쌍촌동 · 오선동 · 하남동, 담양 태목리 등 대단위 취락이 형성되는데 범마한계 내에서도 이중구연호의 지역적 차이가 확인되고 있다. 분묘유구 역시 동일한 맥락으로 파악할 수 있는데 분구묘 주구에서 점토대토기+경질무문토기, 경질무문토기, 경질무문토기+타날문토기가 확인되는 양상(광주 평동A구역)은 재지집단의 성장을 보여준다. 단장에서 시작된 말각방형 · 단제형의 분구묘는 점차 다장을 통해 장제형화되기 시작하는데 혈연적 혹은 지역적 공동체의 성장을 추론해 볼 수 있다.

그리고 다른 지역과의 교류를 통해 다양한 요소들이 유입되기 시작한다. 가야계 요소는 영산강 상류권의 원형계 주거지가 호남 동부지역과 연결된다는 점에서 교류의 루트 역할을 상정하는 견해[41]로 고려하면 4세기 중엽 이후 장경소호나 광구소호 등 일부 요소의 유입과 관련될 가능성이 있다. 범마한적인 요소로 볼 수 있는 요소들의 유입은 금강유역권과의 교

---

40) 서현주, 2019, 「마한 문화의 전개와 변화 양상」, 『湖南考古學報』 61, 湖南考古學會, 84~88쪽.
41) 김승옥, 2019, 「호남지역 마한과 백제, 그리고 가야의 상호관계」, 『마한 · 백제 그리고 가야』 제27회 호남고고학회 정기학술대회, 호남고고학회, 17~18쪽.

류로 살펴볼 수 있는데 완의 형태나 수량, 출토유구 등에서 유사성이 확인[42]된다. 그 외에도 시루, 조형토기, 평저광구호 등을 통해 금강유역권과의 교류를 살펴볼 수 있다. 광주 오선동에서 확인되는 시루의 하향파수(도면 6)는 서울·경기지역의 경질무문에서 확인[43]되는데, 금강 중류의 청주 명암동 등에서 백제단계 이전에서도 확인[44]되고 있다. 광주 선암동 아랫마을 66호와 오선동 34호 주거지에서 출토된 조형토기는 어깨 벌어짐이 큰 편이며 짧은 직립구연을 가지고 있는데 이와 가장 비슷한 형태는 금강 하류의 서천 오석리 95-6호 토광묘 출토품이다[45]. 평저광구호[46] 중에서 동체 높이가 낮고 구연부의 벌어짐이 상대적으로 작은 광구b형은 영산강유역에서 특징적인 데 비해, 동최대경에 비해 동체 높이가 높고 구연부가 크게 벌어진 광구a형은 금강유역권과 관련된다. 광구a형 역시 가장 유사한 형태가 서천 오석리 94-7호 및 95-6호 토광묘에서 확인되고 있어 금강 하류와 영산강유역 간의 교류를 상정해 볼 수 있다.

　교류와 관련되는 양상은 주로 생활유구에서 먼저 확인되는데 대단위 취락 형성 등의 배경에 어느 정도 바탕이 되었을 것으로 추정된다. 그러나 이러한 요소들의 유입은 단발적인 것으로 추정되며 일부 유적에서만

---

42) 서현주, 2010, 앞의 논문, 61~62쪽.

43) 서현주, 2016, 「마한 토기의 지역성과 그 의미」, 『先史와 古代』 50, 韓國古代學會, 57~59쪽.

44) 서현주, 2011a, 「3~5세기 금강유역권의 지역성과 확산」, 『湖南考古學報』 37, 湖南考古學會, 41쪽.

45) 이러한 형태는 김영희 분류안에 따르면 ⅡA유형에 속한다. 광주 동림동 54호와 담양 태목리 Ⅰ구역 56호 주거지 출토품은 경부가 형성된 외반구연이 특징으로 김영희 분류안 ⅢC유형이다. 이 형식은 현재 영산강 상류에서만 확인되는 독특한 기종으로 분묘에서는 출토되지 않고 있다. 金永熙, 2013, 「호남지방 鳥形土器의 성격」, 『湖南考古學報』 44, 湖南考古學會, 85~88쪽.

46) 평저광구호 형식은 서현주 분류안(서현주, 2006, 앞의 논문, 29~35쪽.)에 따른 것이다.

확인되는 등 전반적인 확산으로까지 이어지지 않은 것으로 보인다. 그리고 완·조형토기·평저광구호 등으로 살펴볼 수 있는 금강유역권과의 교류는 중류의 북부지역과 하류로 구분할 수 있어 특정지역과의 지속적인 것으로 보기 어렵다. 또한 금강유역권과의 교류는 서해안을 통해서 영산강 상류로 유입되었을 가능성이 있어 간접교류에 속하며 이를 토대로 한 양식의 형성이나 확산이 이루어지지 않은 것으로 보인다.

2. II 단계(5세기 중엽~6세기 전엽)

5세기 중엽부터 6세기 전엽까지는 백제토기와 비교했을 때 독자성을 지닌 영산강양식 토기들이 형성되고 성행하는 시기이다. 이전 시기부터 확인되고 있는 기종들이 외래적 요소들의 유입으로 변화되기도 하며, 새로운 기종들이 다량 유입되어 영산강양식화되는 시기이기도 하다.

이전 시기부터 지속되는 기종으로 형태상의 변화가 파악되는 것은 완과 취사용기들이다. 완[47]의 경우 기고가 점차 낮아지고 직립B형이 나타나 외반B형과 성행하는데 영산강 상류권에서는 직립B형이, 영산강 중·하류권에서는 주로 외반B형이 분포하고 있다. 직립B형은 주거지뿐 아니라 토기가마, 구상유구, 분묘유구 등에서 다량 확인되고 있어 이 지역의 특징적인 형태로 볼 수 있다. 취사용기에 있어서 장란형토기와 심발형토기는 이전 시기에 비하여 기고가 낮아지는 경향을 보이며 구연부의 단순외반에서 경부가 형성되면서 외반되는 것으로 변화한다. 시루는 중앙 원공을 중심으로 증기공이 규칙적으로 배치되는 등 변화가 생긴다. 유공광구호는 5세기 중엽부터 다양한 형식이 영산강유역과 남해안권, 낙동강유역권에서 확인된다. 동체에 비해 구경부의 길이와 구경이 커지는 방

---

47) 이하 완의 형식은 서현주 분류안(서현주, 2010, 앞의 논문.)에 따른 것이다.

향으로 점차 변화해가는데 분묘유구뿐 아니라 생활유구에서도 많이 확인되고 있다. 이중구연호는 5세기를 전후한 시기에 사라지는 것으로 알려져 있었지만 주거지뿐 아니라 주구 등에서 계속 확인되고 있어 하한연대는 6세기 전후까지로 볼 수 있다. 원저단경호의 경우 점차 동체부는 길어지고 저부는 말각평저화된 것이 많아진다.

새롭게 등장하는 기종으로는 백제요소라고 할 수 있는 개배·고배·파배·삼족배·광구장경호·기대·병형토기·대부직구소호 등이 있다. 개배[48]의 경우 출토수량이 많은 기종으로 다양한 형식이 확인되고 있는데 개신이나 배신이 오목하여 심도가 큰 편이 주류를 이룬다. 특히 신부의 편평면 정도 차이 등 영산강양식 토기 중에서 세부 지역적 특징도 확인되는 기종이다. 영산강 상류권은 전체적으로 심도가 크고, 구순부가 면을 이루지 않고 뾰족하면서 신부의 상·하면이 둥글게 처리된 형태(Cc2형)가 많이 확인된다. 5세기 말이 되면 구순부가 경사지게 처리되고 신부가 둥글게 처리된 백제식(D형) 개배가 등장한다. 고배는 이른 시기 가야계 요소로 인해 무개식이며 투창이 있는 것이 먼저 나타났다가 6세기 전후한 시기에 백제계 유개고배로 변화한다. 주로 천안·청주 등 금강 중류의 북부지역에서 많이 확인되는 파배(컵형토기)는 생활유구에서, 백제의 전형적인 토기라고 할 수 있는 삼족배는 분묘유구에서 확인되기 시작한다. 한성 백제토기의 주요 기종인 광구장경호는 말각평저나 평저가 확인되며 동최대경이 중상위에 위치하는 구형이다. 동체에 수직집선문 등 타날 후 물손질하는 것이 특징이며, 평저로 경부에 돌대가 없는 영산강 중류권과 달리 상류권에서는 말각평저로 경부에 돌대가 돌아가는 특징을 보인다. 발형기대는 삼각형 투창 중심으로 대각이 낮은 것에서 높

---

48) 이하 개배의 형식은 서현주 분류안(서현주, 2006, 앞의 논문, 77~91쪽.)에 따른 것이다.

은 것으로 변화한다. 통형기대는 6세기 이후에 나타나고 있다.

가야계 요소로는 방형계 투창의 발형기대(광주 외촌, 행암동 4 · 13호 가마 출토), 상부에 점열문이 시문된 소가야계 개배(광주 동림동 102호 구 출토), 대가야계의 대각 달린 유개장경호(광주 장수동 점등고분 출토) 와 모자형 꼭지 달린 개(광주 명화동 장고분 출토)가 대표적이다. 왜계 요소는 스에키계 토기와 더불어 분주토기가 대표적이다. 광주 월계동 · 명화동 장고분에서 출토되는 분주토기는 월계동식으로 구분되는데 도립성형(倒立成形)으로 제작되었다. 월계동에서는 원통형과 호통형이 모두 확인되며 형태가 정형적인 데 비하여 명화동은 원통형만 확인되는 것으로 보아 월계동 1호분은 5세기 후엽, 명화동은 6세기 전엽으로 볼 수 있다. 그리고 광주 행암동 5호 토기가마에서 확인되고 있는 Y자형 토제품의 경우에는 경주 손곡동 토기가마 출토품과 유사[49]하여 II단계의 영상강 상류권은 여러 지역의 요소를 받아들이고 있음을 알 수 있다.

그리고 토기 이외 금속유물에서도 새롭게 나타나는 요소들이 있다. 기존에 마구가 출토되지 않던 영산강유역에 6세기 전후로 재갈(담양 제월리)과 등자(광주 쌍암동, 담양 대치리 · 제월리)가 나타나고[50] 주문경(광주 쌍암동, 담양 제월리), 찰갑(광주 쌍암동, 담양 성월리 월전) 등이 확인되고 있다.

이 시기 대표적인 유구의 변화상은 지상건물지를 포함한 취락 경관, 토기가마, 장고형 등 분구의 다양화라는 특징으로 살펴볼 수 있다. 영산강 상류권의 취락 경관은 마한 취락유형(거점취락, 하위취락)과 백제 취락

---

49) 정일, 2009, 앞의 논문, 199쪽.

50) 노형신, 2019, 「마구(재갈) 비교분석을 통한 마한 · 백제 그리고 가야」, 『마한 · 백제 그리고 가야』 제27회 호남고고학회 정기학술대회, 호남고고학회, 142~143쪽.

유형(중심취락, 거점취락, 하위취락)으로 구분하여 살펴본 연구[51]가 대표적이다. 86동의 주거지와 목조건물지군(65호 건물지군), 77개의 창고시설, 수혈, 우물, 도로 등 주거단위가 이루어진 광주 동림동유적이 중심취락이자 거점취락과 일반취락이 위계적 구조를 갖춘 것으로 파악[52]하고 있다. 토기가마는 22기가 대단위로 위치한 광주 행암동유적이 대표적인데 자비용기의 크기나 속성 등이 일정치는 않지만 개배·고배 등 계측치나 속성, 깎기 조정이나 분할성형 등 제작기법 상의 공통적인 양상이 파악[53]되며 재지계 토기와 함께 백제 관련 토기들이 함께 소성[54]되고 있다는 점이 특징적이다. 유구 현황과 분포에서 살펴본 것처럼 영산강 상류권에는 장고분이 6기 확인되고 있다. 장고형이라는 분구의 형태뿐 아니라 출토유물에 대한 연구는 결국 피장자와 축조배경에 대한 문제로 귀결된다. 장고분의 피장자와 축조배경에 대한 논의는 크게 일본에서 망명한 왜인설, 토착세력자설, 일본이 파견한 왜인설, 백제가 파견한 왜인설 등으로 구분된다[55]. 그리고 출토유물로 보았을 때 장제형화된 제형분이 꾸준히 조영되고 있으며 원형·방형도 나타나는 등 이 시기의 분묘유구는 다양성을 띤다.

5세기 중엽 이후 영산강 상류권은 재지적 요소에 외래적(백제·가야·왜) 요소를 받아들임으로써 독자적인 영산강양식을 형성한다. 유공광구호 등 5세기 전·중엽으로 상정되는 이른 시기 유물들이 생활유구에

51) 이영철, 2011, 「영산강 상류지역의 취락변동과 백제화 과정」, 『百濟學報』 6, 百濟學會.
52) 이영철, 2016, 앞의 논문.
53) 정일, 2009, 앞의 논문, 207쪽.
54) 서현주, 2011b, 앞의 논문, 96쪽.
55) 임영진, 2007, 「장고분(전방후원형고분)」, 『百濟의 建築과 土木』, 충청남도역사문화연구원, 387~391쪽.

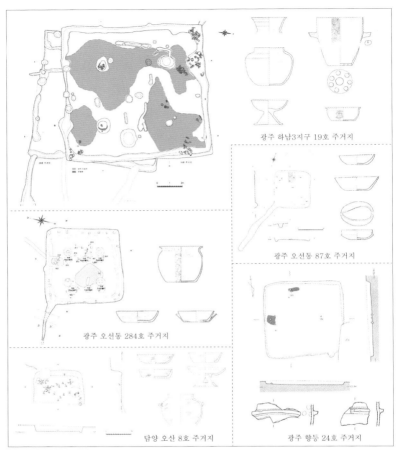

〈도면 9〉 II단계 주요 주거지와 출토유물 (주거지S 1/300, 토기S 1/15)

서 먼저 확인된다는 점에서 영산강양식의 형성 시기는 5세기 중엽으로 볼 수 있다. 이 시기 독자적인 영산강양식은 외래적 요소가 1개가 아니라 여러 개이며 이들의 조합으로 새로운 양식이 만들어지고 그 속에서도 지역성이 표출된다는 것이다. 이는 곧 외래적 요소들이 유입되는 데 있어 주체적으로 선택하고 이를 조합하는 세력이 있었음을 의미한다.

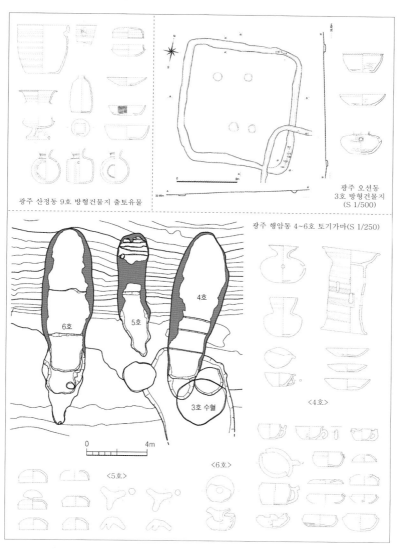

광주 산정동 9호 방형건물지 출토유물

광주 오선동
3호 방형건물지
(S 1/500)

광주 행암동 4~6호 토기가마(S 1/250)

6호

5호

4호

3호 수혈

0   4m

<5호>

<6호>

<4호>

〈도면 10〉 II단계 주요 방형건물지 및 토기가마와 출토유물(토기S 1/15)

새로운 취락 경관 유형으로 광주 동림동유적은 연기 나성리유적과 비교할 수 있는데, 유구별 분포 현황과 출토유물들을 고려하여 볼 때 나성리유적의 형성이 시사하는 바가 크다. 연기 나성리유적은 원삼국 단계부터 이어지는 재지집단의 성장을 바탕으로 지역기반의 연합체로 형성되고 이후 백제의 지방도시로 편제[56]된 것으로 보고 있다. 이와 마찬가지로 영산강 상류 마한세력은 재지적인 것에 다양한 요소들을 주체적으로 받아들임으로써 지역기반의 영산강양식을 형성·발전하였던 것으로 볼 수 있다. 영산강양식 토기의 경우 백제 기종들이 유입되지만 곧바로 백제화되지 않고 재지적으로 변화된 형태로 나타나고, 그 두 요소들이 더하여 새로운 양식화를 이룬다는 것이 특징이다. 광주 동림동유적의 재지계·백제계·왜계·소가야계 토기 등은 영산강 상류권을 대상으로 하는 물류의 거점 역할을 하면서 성장한 집단의 존재[57]를 보여주는 것이다. 광주지역에 수혈과 지상건물지가 다수 분포한다는 것 역시 이를 반증하는 것이다. 동림동유적 I구역(도면 4-1)의 경우 주거지는 적고 지상건물지가 구와 동일한 방향으로 일정한 공간을 형성하고 있다는 점에서 물류 교환의 공간일 가능성이 있다. 하남3지구의 지상건물지(도면 4-2)는 구하도를 따라 주로 조성되는데 2-2지점과 2-3지점에서의 분포양상은 대규모 수혈의 분포와 어느 정도 일치하며 동림동유적과 유사한 양상이 확인된다. 이러한 양상으로 보아 풍영정천을 중심으로 한 광주지역이 물류 거점의 공간이었을 가능성이 크다.

5세기 중엽 이후에 확인되는 백제 요소들은 백제 중앙보다는 금강유역권과의 교류 가능성을 보여준다. 이는 영산강 상류권에 집중되는 직립 B형 완과 아궁이틀, 청주 오산리유적과 유사한 토기가마 구조와 출토유

---

56) 李弘鍾·許義行, 2014, 앞의 논문, 109~113쪽.
57) 김낙중, 2012, 앞의 논문, 115쪽.

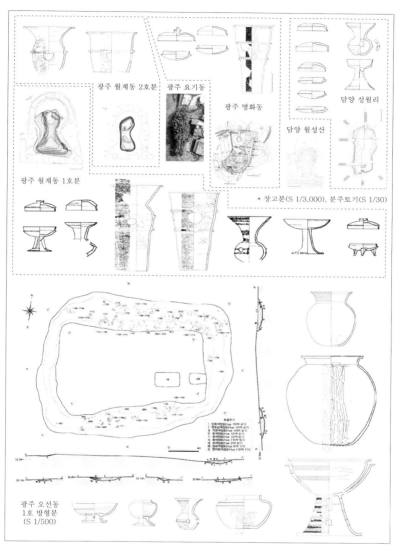

광주 월계동 2호분　광주 요기동

광주 명화동

담양 성월리

담양 월성산

광주 월계동 1호분

* 장고분(S 1/3,000), 분주토기(S 1/30)

광주 오선동
1호 방형분
(S 1/500)

〈도면 11〉Ⅱ단계 장고분 및 방형분과 출토유물(토기S 1/15)

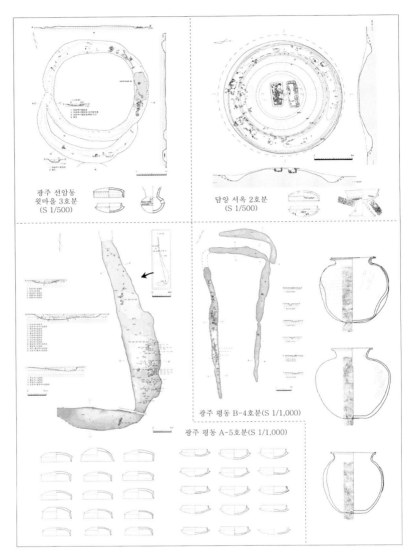

광주 선암동
윗마을 3호분
(S 1/500)

담양 서옥 2호분
(S 1/500)

광주 평동 B-4호분(S 1/1,000)

광주 평동 A-5호분(S 1/1,000)

〈도면 12〉 II단계 원형분 및 제형분과 출토유물(토기S 1/15)

물 양상[58], 생활유구에서 확인되는 파배[59] 등을 통해 확인할 수 있다. 이러한 관련성은 철기 생산과 유통에서도 확인할 수 있다. 3~6세기 호남지역은 외부에서 유입된 1·2차 소재에 대한 단야공정을 중심으로 철기를 생산하는데, 5세기 중엽 이후 영산강 상류 내륙지역이 주목된다. 특히 5세기 이후 주조철부가 광주 동림동·향등, 담양 태목리 등 영산강 상류의 취락유적을 중심으로 출토[60]되고 있는데 영산강유역으로 유입되는 철소재는 진천 석장리, 충주 칠금동 등 금강 중류의 북부지역으로 상정[61]된다. 최근 영산강 상류권에 제철유구와 단야공방지 등 철기 생산과 관련된 유적들이 확인되고 있는데 금강유역권과 영산강 상류 마한세력의 교류가 토기와 철기 등 다방면에서 이루어지고 있었음을 보여주는 것이라고 할 수 있다. 이러한 교류의 장소가 광주지역이었을 가능성이 있으며 이 과정에서 영산강 상류권에서는 자연스럽게 다양한 요소들이 나타나고 조합되어 새로운 양식이 형성·확산되었을 것으로 추정된다.

재지적 요소와 외래적 요소의 조합을 통한 영산강 상류권의 독자성은 유물뿐 아니라 유구에서도 확인된다. 장제형·장고형·방형·원형 등으로 다양한 분구 형태가 확인되며, 즙석이나 매장방법 등 외래적 요소들을 받아들여 영산강식 석실이 조영되고 있다는 점에서도 파악할 수 있다. 즉 고총고분에 새로운 매장시설로 횡혈식석실이 도입되지만 다양한 구조와 왜계의 매장방법을 수용하면서도 전통적인 매장방법이 지속되어 영산강

58) 徐賢珠, 2019b,「土器 生産遺蹟으로 본 古代 榮山江流域」,『湖西考古學』42, 湖西考古學會, 71~75쪽.

59) 김낙중, 2012, 앞의 논문, 103쪽.

60) 金想民, 2011,「3~6世紀 湖南地域의 鐵器生産과 流通에 대한 試論 -榮山江流域 資料를 中心으로-」,『湖南考古學報』37, 湖南考古學會.

61) 허진아, 2018,「호서-호남지역 사주식주거지 등장 과정과 확산 배경」,『韓國考古學報』108, 韓國考古學會, 39쪽.

상류 마한세력이 독자성을 가지면서도 어떤 세력에 완전히 종속적이지도 대립적이지도 않았음[62]을 보여주는 것이라고 할 수 있다. 그리고 분구 형태에 있어서도 제형분 묘역과의 연속성 및 군집분이 조성되는데 동일 묘역권에서 방형과 원형으로 나누어지는 등 개방적인 사회의 일면을 파악[63]할 수 있다. 이러한 양상은 분구 형태뿐 아니라 주구에서 출토되는 유물에서도 차이가 확인(도면 12)된다. 광주 평동유적 제형분 내에서도 A구역은 개배를 중심으로 다양한 기종들이 확인되는 데 비해 B구역은 단경호의 수량이 가장 많으며 원형분에서만 6세기 중엽으로 볼 수 있는 개배 등이 일부 확인되고 있다. 즉 제형분 집단 내에서도 개배를 매장의례에 사용하는 집단과 사용하지 않는 집단으로 구분되며 이는 통일된 양식의 확산이 아니라 외래적 요소를 선택적으로 수용하는 독자성에서 생겨난 차이로 생각된다.

3. Ⅲ단계(6세기 중엽 이후)

6세기 중엽은 538년 사비 천도 이후의 시기로, 영산강유역권이 백제석실분 단계로 들어서며 백제의 직접지배로 편입된 시기이다. 5세기 중엽부터 6세기 전엽까지 다양한 기종에서 성행하였던 영산강양식이 사라지고 백제양식으로 일원화되는 시기이기도 하다.

영산강양식의 대표적인 기종이었던 유공광구호는 이 시기에 구경부가 발달한 형태만 확인되다가 점차 사라지며, 다양한 형태로 발전하였던 개

---

62) 최영주, 2017,「韓半島 西南部地域 倭系 橫穴式石室의 特徵과 出現背景」,『湖西考古學』38, 湖西考古學會, 82~87쪽.

63) 한옥민, 2018,「영산강유역 원형분의 출현 배경과 의미」,『야외고고학』33, 한국매장문화재협회, 22~23쪽.

배는 신부가 낮아진 백제식으로 통일된다. 고배 역시 유개고배로 일원화되고 삼족배도 확인되며 직구소호 등 소형토기들을 중심으로 병형토기, 통형기대, 벼루 등이 확인되고 있다. 취사용기에서도 그 변화가 확인되는데 장란형토기와 심발형토기는 기고가 낮아지고 뚜렷한 경부가 형성되며 점차 구경부가 길어지는 양상이 확인되는데, 이는 승문계로 장동화된 형태를 보이는 백제계 장란형토기의 영향을 받은 것으로 추정된다. 장란형토기와 세트로 사용되는 시루는 장란형토기의 구경 변화에 따라 맞물리는 부분이 넓어짐으로써 시루의 동체 폭 또한 넓어지는 경향[64]이 확인되며, 생활유구 및 분묘유구에서 확인되는 단경호는 말각평저의 장동화된 형태가 많다. 광주 양과동에서는 사비양식 토기인 전달린 토기(1점)와 벼루(다족식 3점, 대족식 1점)가 출토되었다.

이 시기의 관련 유구는 대부분 평지에 위치하고 있어 확인 빈도 수가 이전 시기들과 비교하여 적은 편이다. 생활유구는 대부분 지상식 건물지화된 것으로 보이지만 광주 평동유적에서 6세기 중엽 이후의 개배가 출토되는 주거지가 확인되고 있어 이전 시기의 주거 전통이 어느 정도 지속되었음을 알 수 있다. 그리고 광주 행암동 토기가마 중 가장 늦은 단계로 볼 수 있는 3호 가마에서는 백제양식화된 유물들이 확인되고 있다. 분묘유구는 제형계 주구에서 개배가 확인되는 것으로 보아 일부 제형분이 앞시기에 이어 사용되었을 것으로 보인다. 분구 형태는 광주 선암동·평동유적에서 확인할 수 있는 것처럼 대체적으로 말각방형에 가까운 형태에서 점차 정원형화된다. 주구에서 확인되는 유물의 수량은 급격히 줄어드는데 주로 배신이 납작한 개배와 고배류만 확인된다. 영산강유역 전반적으로 백제식 석실로 변화하는 과정 속에서 영산강 상류권 역시 백제의 행정적 지배로 편입되었을 것인데 광주 양과동 도로 근처에서 전달린 토기

---

64) 金垠井, 2017a, 앞의 논문, 127쪽.

뿐 아니라 문서 작성과 관련되는 벼루 등이 출토되고 있는 것으로 보아 이를 추정해 볼 수 있다.

이와 같이 영산강 상류 마한세력은 각 단계별 성장과 변화를 통해 6세

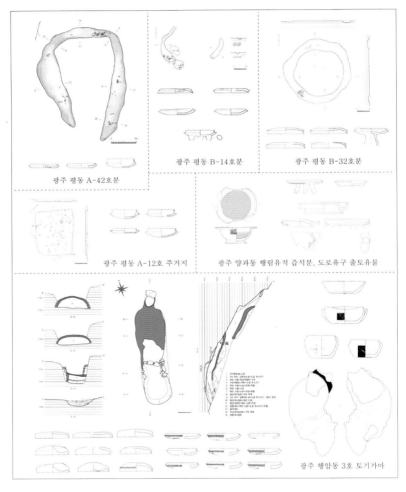

광주 평동 B-14호분

광주 평동 B-32호분

광주 평동 A-42호분

광주 평동 A-12호 주거지

광주 양과동 행림유적 즙석분, 도로유구 출토유물

광주 행암동 3호 토기가마

〈도면 13〉 III단계 주요 유구와 출토유물
(분구묘S 1/600, 주거지 및 토기가마S 1/300, 토기S 1/15)

기 중엽 백제의 지방지배로 편제된다. I단계는 경질무문토기에서 타날문토기로 변화하면서 마한세력으로서의 성장 발판이 마련된다. 이는 방형계 주거지 중심의 대규모 취락과 제형 분구묘 조영을 통해 살펴볼 수 있다. 수계별로 대규모 취락들이 형성되는데 이는 일정 공간 안에 인구밀집도가 높아지는 것으로 정치·사회적 지역세력의 형성을 보여준다. 단제형 혹은 중소형 방형 분구묘는 수평확장을 통해 장제형화되는데 지역세력의 공동체적 성격을 보여주는 것이라고 할 수 있다. 이 과정에서 범마한적인 요소로 금강유역권과의 단발적 혹은 간접교류가 이루어지고 내륙 루트를 통해 가야계 요소가 유입된다.

 II단계는 금강유역권 백제·가야·왜와의 교류를 통해 영산강양식이 형성되고 성행한다. 특히 광주·담양을 중심으로 한 상류권은 다른 영산강유역에 비해 영산강양식의 형성이 빠른 편이다. 영산강양식의 대표적인 토기인 유공광구호, 백제 기종인 개배 등이 상류권의 생활유구에서 먼저 확인되고 있는 점은 다른 지역에 비하여 영산강양식의 형성과 외래적 요소의 수용이 앞서 있었음을 보여주는 것이다. 이를 바탕으로 5세기 중·후엽에는 풍영정천을 중심으로 한 방형건물지·지상건물지의 밀집이 두드러진다. 이는 토기·철기 등의 교류에 있어 영산강 상류 마한세력이 금강유역권 백제-가야-왜를 잇는 물류 거점의 역할을 수행함으로써 영산강유역 내부에서 독자적인 성장을 하였던 것으로 보인다. 장제형 분구묘가 계속 이어지는 과정 속에서 방형·원형·장고형 분구들이 조영되는데 유구뿐 아니라 출토유물에서도 다양한 요소들이 확인되고 있다. 영산강 상류 마한세력은 금강유역권 백제와 경제·사회적으로 긴밀한 관계를 유지함으로써 웅진 천도 이후 498년 동성왕의 무진주 출병에서도 어느 정도 역할을 수행하였을 것으로 추정된다. 백제요소들이 수용되어 변화되기도 하면서 확산되는 동시에 장고분과 분주토기, 스에키토기 등 왜게 요소 또한 성행하고 있다. 이는 곧 영산강 상류 마한세력이 다양한 요소들을 받아들이고 이들을 조합함으로써 독자적인 성향을 나타내고자 한 것으로 볼 수 있다.

Ⅲ단계는 영산강양식으로 표현되었던 백제요소들이 백제양식으로 변화됨으로써 백제 지방지배에 편제된다. 이 과정은 Ⅱ단계에서부터 금강유역권 백제와의 교류를 바탕으로 백제화되는 것으로 문화적 충격 없이 받아들여졌을 것으로 보인다. 이는 분구의 형태가 점차적으로 원형화되며 출토유물상에서 큰 변화가 없는 점, 광주 행암동 토기가마가 단절적이지 않고 6세기 중엽 이후에도 조업되고 있는 점 등을 통해 추정해 볼 수 있다. 대촌천 일대 양과동 행림유적의 도로유구 등에서 확인되는 벼루·전달린 토기를 통해 백제 행정망 속에서 행암동에서 생산된 토기 유통 등은 지속적으로 이어진 것으로 보인다.

Ⅳ. 맺음말

본고는 영산강 상류권 마한·백제 생활유구와 분묘유구를 망라하여 유구별 현황과 토기를 중심으로 변화상을 살펴보았다. 생활유구와 분묘유구에서 출토되는 유물 중 시기 편년이 어느 정도 이루어진 토기 자료를 기준으로 한 변화 양상은 크게 3단계로 구분된다. Ⅰ단계의 재지적 성장 발판을 토대로 영산강 상류 마한세력은 Ⅱ단계에 재지적 요소에 다양한 외래적 요소를 조합하여 영산강양식의 물질문화를 발전시킨다. Ⅲ단계는 사비 천도 이후 백제 지방체제로 편입됨에 따라 백제양식으로 일원화되어간다.

Ⅰ단계(3세기~5세기 전엽)는 마한의 공통적 정체성이 공유되면서 독

자성의 발판이 형성된다. 경질무문토기에서 이어지는 재지세력의 지속적인 성장은 대단위 방형계 취락의 형성과 제형 분구묘의 조영으로 살펴볼 수 있다. 이 시기에 유입되는 외래적 요소들은 단발적 혹은 간접교류로 추정되며 주변의 확산으로까지 이어지지 않는다. Ⅱ단계(5세기 중엽~6세기 전엽)는 토기에 있어 영산강양식의 형성과 성행이 특징적이며 대단위 취락의 지속과 함께 새로운 취락 경관의 등장, 토기가마군의 등장, 다양한 분구의 형태가 확인된다. 다양한 외래적 요소들이 나타나고 조합되어 새로운 양식으로 형성되는데 이는 곧 유입되는 요소들을 주체적으로 선택하고 조합하는 세력이 있었음을 의미하는 것이다. 영산강 상류권은 금강유역권 백제-가야-왜의 교류에 있어서 물류 거점의 역할을 수행하였던 것으로 추정된다. Ⅲ단계(6세기 중엽 이후)는 백제토기의 일원화를 통해 백제 지방지배로 편제됨을 파악할 수 있다.

영산강 상류권을 포함하여 토기로 대표되는 영산강양식에 대한 연구는 2010년대 초반까지 꾸준히 이루어졌지만 그 이후 취락과 분묘가 같이 확인되는 대규모 유적들을 포함한 연구로까지 진전되지는 못하였다. 이에 본고는 영산강 상류권의 마한·백제유적들에 대한 다각적인 파악을 위해 생활유구와 분묘유구를 포괄하여 살펴보고자 하였다. 그러나 토기 중심 편년을 기준으로 거시적으로 영산강 상류 마한세력의 변화 흐름만을 살펴봄으로써 다른 지역과의 비교를 통한 이 지역만의 특징, 유구별 세부 특징과 출토유물별 외래적 요소의 검토까지는 미치지 못하였다. 차후 이를 보완할 수 있는 검토를 통해 영산강유역 고대문화의 공통성과 지역성에 대한 연구가 진전되기를 기대해본다.

【참고문헌】

姜貴馨, 2013,「潭陽 台木里聚落의 變遷 硏究」, 木浦大學校 大學院 碩士學位
論文.

姜銀珠, 2009,「榮山江流域 短頸壺의 變遷과 背景」,『湖南考古學報』31, 湖南
考古學會.

곽명숙, 2014,「전남지역 주거지 출토 심발형토기 연구」,『湖南考古學報』47,
湖南考古學會.

金洛中, 2009,「榮山江流域 古墳 硏究」, 서울大學校 대학원 博士學位論文.

김낙중, 2012,「토기를 통해 본 고대 영산강유역 사회와 백제의 관계」,『湖南
考古學報』42, 湖南考古學會.

김낙중, 2015,「영산강유역 梯形墳丘墓의 등장 과정과 의미」,『百濟學報』14,
百濟學會.

金想民, 2011,「3~6世紀 湖南地域의 鐵器生産과 流通에 대한 試論 -榮山江流
域 資料를 中心으로-」,『湖南考古學報』37, 湖南考古學會.

金承玉, 2000,「호남지역 마한 주거지의 편년」,『湖南考古學報』11, 湖南考古
學會.

金承玉, 2004,「全北地域 1~7世紀 聚落의 分布와 性格」,『韓國上古史學報』
44, 韓國上古史學會.

김승옥, 2019,「호남지역 마한과 백제, 그리고 가야의 상호관계」,『마한·백
제 그리고 가야』제27회 호남고고학회 정기학술대회, 호남고고학회.

金永熙, 2013,「호남지방 鳥形土器의 성격」,『湖南考古學報』44, 湖南考古學會.

金垠井, 2017a,「湖南地域의 馬韓 土器 -住居址 出土品을 中心으로-」, 全北大
學校 大學院 博士學位論文.

김은정, 2017b,「마한 주거 구조의 지역성 -호남지역을 중심으로-」,『中央考

古硏究』24, 中央文化財硏究院.

金垠井, 2018, 「마한 일상용기의 지역성 -호남 서부지역 주거지 출토품을 중심으로-」, 『湖南考古學報』59, 湖南考古學會.

김은정, 2019, 「전북지역 주거구조 비교를 통한 마한・백제 그리고 가야」, 『마한・백제 그리고 가야』제27회 호남고고학회 정기학술대회 자료집, 호남고고학회.

노형신, 2019, 「마구(재갈) 비교분석을 통한 마한・백제 그리고 가야」, 『마한・백제 그리고 가야』제27회 호남고고학회 정기학술대회, 호남고고학회.

대한문화재연구원, 2018, 『光州 鰲仙洞 遺蹟』.

朴淳發, 1998, 「4~6세기 영산강유역의 동향」, 『百濟史上의 戰爭』제9회 백제연구 국제학술대회 자료집, 忠南大學校 百濟硏究所.

박지웅, 2014, 「호서・호남지역 사주식 주거 연구」, 경희대학교 대학원 석사학위논문.

박형열, 2013, 「호남 서남부지역 고분 출토 이중구연호의 형식과 지역성」, 『湖南考古學報』44, 湖南考古學會.

徐賢珠, 2006, 「榮山江流域 三國時代 土器 硏究」, 서울大學校 대학원 博士學位論文.

서현주, 2010, 「완형토기로 본 영산강유역과 백제」, 『湖南考古學報』34, 湖南考古學會.

서현주, 2011a, 「3~5세기 금강유역권의 지역성과 확산」, 『湖南考古學報』37, 湖南考古學會.

서현주, 2011b, 「영산강유역 토기문화의 변천 양상과 백제화과정」, 『百濟學報』6, 百濟學會.

서현주, 2014, 「출토유물로 본 전남지역 마한제국의 사회 성격 -5~6세기 토기를 중심으로-」,『百濟學報』11, 百濟學會.

서현주, 2016,「마한 토기의 지역성과 그 의미」,『先史와 古代』50, 韓國古代
學會.

徐賢珠, 2018,「墳周土器로 본 古代 榮山江流域」,『湖西考古學』39, 湖西考古
學會.

서현주, 2019a,「마한 문화의 전개와 변화 양상」,『湖南考古學報』61, 湖南考
古學會.

徐賢珠, 2019b,「土器 生産遺蹟으로 본 古代 榮山江流域」,『湖西考古學』42,
湖西考古學會.

成洛俊, 1983,「榮山江流域의 甕棺墓研究」,『百濟文化』15, 公州師範大學 百
濟文化研究所.

成洛俊, 1988,「榮山江流域 甕棺古墳出土 土器에 대한 一考察」,『全南文化財』
創刊號, 全羅南道.

宋恭善, 2008,「三國時代 湖南地域 鉢形土器 考察」, 全南大學校 大學院 碩士
學位論文.

吳東墠, 2008,「湖南地域 甕棺墓의 變遷」,『湖南考古學報』30, 湖南考古學會.

오동선, 2016,「榮山江流域圈 蓋杯의 登場과 變遷過程」,『韓國考古學報』98,
韓國考古學會.

원해선, 2015,「유공광구호의 등장과 발전과정」,『韓國考古學報』94, 韓國考
古學會.

이영철, 2011,「영산강 상류지역의 취락변동과 백제화 과정」,『百濟學報』6,
百濟學會.

이영철, 2016,「백제 地方都市의 성립과 전개 -영산강유역을 중심으로-」,『韓
國古代史研究』81, 한국고대사학회.

이정민, 2019,「전남지역 마한·백제 토기가마 변천과 파급」,『東아시아古代

學』53, 東아시아古代學會.

이지영, 2008, 「호남지역 3~6세기 토기가마의 변화양상」, 『湖南考古學報』30, 湖南考古學會.

李弘鍾·許義行, 2014, 「漢城百濟期 據點都市의 構造와 機能 -羅城里遺蹟을 中心으로-」, 『百濟研究』60, 忠南大學校 百濟研究所.

임동중, 2013, 「호남지역 사주식주거지의 변천과정」, 전남대학교 대학원 석 사학위논문.

林永珍, 1990, 「榮山江流域 石室墳의 受容過程」, 『全南文化財』3, 全羅南道.

林永珍, 1997a, 「榮山江流域의 異形墳丘 古墳 小考」, 『湖南考古學報』5, 湖南 考古學會.

林永珍, 1997b, 「湖南地域 石室墳과 百濟의 關係」, 『湖南考古學의 諸問題』제 21회 한국고고학전국대회발표요지, 한국고고학회.

林永珍, 2002, 「榮山江流域圈의 墳丘墓와 그 展開」, 『湖南考古學報』16, 湖南 考古學會.

임영진, 2007, 「장고분(전방후원형고분)」, 『百濟의 建築과 土木』, 충청남도역 사문화연구원.

임영진, 2014, 「전남지역 마한 제국의 사회 성격과 백제」, 『百濟學報』11, 百 濟學會.

全炯珉, 2003, 「湖南地域 長卵形土器의 變遷背景」, 全南大學校 大學院 碩士 學位論文.

鄭一, 2006, 「全南地域 四柱式住居址의 構造的인 變遷 및 展開過程」, 『韓國上 古史學報』54, 韓國上古史學會.

정일, 2009, 「호남지역 마한·백제 토기의 생산과 유통」, 『호남고고학에서 바 라본 생산과 유통』제17회 호남고고학회 학술대회, 호남고고학회.

崔夢龍, 1976, 「潭陽 濟月里 百濟古墳과 그 出土遺物」, 『文化財』10, 文化財管

理局 文化財硏究所.

崔夢龍, 1979,「光州 松岩洞 住居址 發掘 調查報告」,『光州 松岩洞 住居址·
　　　　忠孝洞支石墓』, 全南大學校博物館.

최영주, 2017,「韓半島 西南部地域 倭系 橫穴式石室의 特徵과 出現背景」,『湖
　　　　西考古學』38, 湖西考古學會.

최영주, 2018,「고고자료로 본 영산강유역 마한세력의 성장과 변동과정 -백
　　　　제와의 관계를 중심으로-」,『東아시아古代學』52, 東아시아古代學會.

한옥민, 2018,「영산강유역 원형분의 출현 배경과 의미」,『야외고고학』33, 한
　　　　국매장문화재협회.

허진아, 2007,「湖南地域 시루의 型式分類와 變遷」,『韓國上古史學報』58, 韓
　　　　國上古史學會.

담양군 마한유적 현황과 활용방안

이영덕 (호남문화재연구원)

I. 담양지역에서 매장문화재는?

외부에서 바라보는 담양의 랜드마크는 무엇일까? '죽녹원' '메타세쿼이어' '소쇄원' '떡갈비' 아마 담양을 기억하고, 가보고 싶은 곳으로 마음속에 담아 둔 이들의 이미지는 여기에서 크게 벗어나지 않을 것이다.

잘 알다시피 죽녹원과 메타세쿼이어 가로수길은 2000년대 접어들면서 만들어진 담양의 명소이다. 거기에 떡갈비, 돼지갈비 등의 먹거리가 곁들어져 타지역 사람들에게 담양은 가보고 싶은 곳으로 각인되었다고 해도 과언이 아니다.

담양에 거주하고 있는 사람들조차도 담양의 문화유산이라고 하면 먼저 떠올리는 것이 소쇄원, 식영정, 환벽당, 송강정 등 다수의 정자와 그와 관련된 문학이다. 무등산 원효계곡의 물줄기에서 출발하는 자미탄, 증암천 주변의 원림과 누정은 담양지역이 예로부터 가사문학 산실이었음을 증명한다. 조선중기 문학사를 찬란하게 꽃피웠던 송순을 비롯한 송강 정철, 석천 임억령 선생 등 수 많은 문인들이 터를 잡고 주옥같은 작품을 남긴 유서 깊은 곳이다. 이러한 연유로 최근 죽녹원과 메타세쿼이어 이전에 담양의 대내외적인 이미지는 가사문학의 산실에 집중되었으며, 조선시대를 정점으로 가장 화려한 문화가 꽃피었던 것으로 인식되었다.

하지만 영산강 상류 지역으로서 담양에 많은 삼국시대 마한과 관련된 유적이 있다는 것을 아는 이는 거의 없을 것이다. 지상으로 드러나거나 문헌 등에 남겨져 유명세가 없는 땅속의 유적이 일반인들에게 인식되기는 쉽지 않을 것이다.

2000년대 이전까지만 해도 고고학적 연구 측면에서 보면 담양지역은 상당히 낙후된 지역이라 할 수 있다. 1970년대 이후 다른 지역은 주로 지역개발에 힘입어 수많은 유적들의 발굴조사가 이루어지는 상황이었지만 담양군에서는 담양댐 수몰지역 발굴조사 이외에는 지역개발과 연계된 발굴조사가 거의 이루어지지 못하였다. 더구나 담양지역의 삼국시대 문화는 인근 영산강 중·하류에 해당하는 나주와 영암 일대의 대형 옹관고분에 대부분의 고고학적 관심이 집중되면서 상대적으로 관심의 정도가 미약한 편이었다.

그러나 2000년대 들어 담양-대전간 도로, 고창담양 고속도로, 담양 일반산단, 담양 첨단단지 조성 등 영산강 상류역인 담양읍~대전면 권역의 발굴조사가 증가하면서 상당히 중요한 고고학적 연구 성과들이 축적되었다. 즉 이러한 발굴조사 결과를 토대로 담양지역이 영산강 상류를 거점으로 하는 삼국시대 마한에서 백제로 전화되는 과정의 복합유적이 자리했을 것으로 판단하고 있다.

그 중심에 고창담양 고속도로 발굴조사를 통해 드러난 태목리유적이다. 발굴조사 당시 중복상태나 규모면에서 남한 최대의 삼국시대 취락이라고 일컬어질 만큼 대규모 취락이었다. 하지만 이미 개설된 고속도로의 노선 변경이 어려운 상태라 그대로 도로 밑에 묻혀 있다. 또한 태목리 유적의 남쪽인 응용리유적[1]도 현재의 행정구역에 의한 구분일 뿐이지 태목리유적의 영산강쪽 경계에 해당하는 지점으로 발굴조사 양상은 태목리와 크게 다르지 않았다.

따라서 이 발표는 태목리·응용리유적을 중심으로 담양지역의 마한유적의 활용 방안에 대해 필자의 의견을 제시하고자 한다.

---

1) 일부 자료에서 응용리 태암유적으로 명명하고 있으나 태암마을의 경우 태목리에 해당해서 응용리유적과 태목리유적으로 구분짓는 것이 타당하다.

Ⅱ. 담양군의 마한 유적 현황[2]

담양지역에서 확인된 삼국시대 유적은 매장유적인 고분이 모두 21개
소로 110여기에 이르며, 외형상 확인이 가능한 분구가 남아있기도 하다.
고분유적은 영산강 북측의 대전면과 수북면에 대부분 분포하며 고분이
자리하는 입지는 구릉과 구릉 말단부에 조성되어 있는 것으로 확인되고
있다. 반면에 영산강의 남측과 동측의 담양읍 · 금성면 · 무정면 · 창평
면 · 고서면에서는 입지가 산지에 가까운 지형에 위치하고 있다[3].

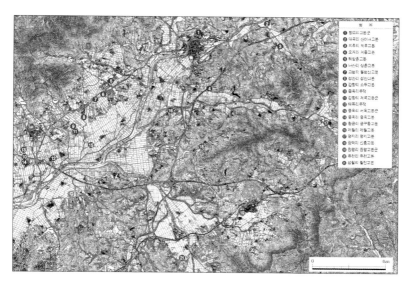

그림 1. 담양군 일대 삼국시대 고분 분포도(호남문화재연구원, 2011)

---

2) 마한유적이라고 했으나 담양지역에서 마한과 백제를 구분 짓는 것은 필자의 한계
가 있을 뿐만 아니라 유적의 활용방안 제시에 큰 의미가 없는 것으로 판단된다. 해
당 시대 연구자에 의한 유물과 유구의 분계와 같은 학술적인 맥락의 구분도 필요하
지만 활용의 측면에서 보면 오히려 혼돈을 일으킬 수 있다. 다만 향후 활용이 학술
적 연구의 심화를 위한 과정에서는 마한과 백제의 경계를 찾고 양자의 차이를 소재
로 한 활용 방안 제시도 필요할 것이다.
3) 송공선 · 박동수 · 임영달 · 이영덕, 2011, 「담양 향교리 일대 삼국시대 고분」, 『호남
문화재연구11』.

담양지역에서 분구가 남아있는 삼국시대 대표적인 고분으로는 전라남
도 문화재자료로 지정된 담양 성월리 월전고분, 황금리 금구동고분, 창평
리고분, 중옥리 중옥고분과 전라남도 기념물로 지정된 담양 고성리 월성
산 고분군, 담양군 향토유적인 중옥리 서옥고분군 등이 있다.

고분 외에도 태목리·응용리유적을 비롯하여. 성산리, 대치리, 화방리
물구심리들, 금성면 봉서리 대판유적, 창평면 삼지천유적, 창평면 오산유
적 등 영산강 상류인 증암천, 오례천 주변에서 다수의 삼국시대 유적이
발굴조사되었다.

간략하게 담양지역에서 조사된 유적을 살펴보면 다음과 같다.

1. 담양 제월리 제월고분(최몽룡 1976)

봉산면 제월리 서봉마을의 구릉 능선 하단부에서 수습조사되었다고
하나 현재는 그 위치를 알 수 없다. 조사결과에 따르면, 동-서 172㎝, 남-
북 189㎝, 깊이 20~30㎝정도 토광을 파고 30~40㎝ 크기의 할석을 이용하
여 동서 양측에 일단으로 구획지은 매장주체부가 조사된 바 있다. 출토유
물은 유개합, 평저단경호, 마구류, 대도, 소도, 철창, 금동제지환, 금동제
세환이식, 유리구슬, 동경 등이 있다.

제월리 제월고분(1995년)　　　석실 평면도(복원)　　　철기와 마구 출토 모습

사진 1. 담양 제월리 제월고분 현황

2. 담양 성월리 월전고분(영해문화유산연구원 2015)

　고서면 성월리 379번지에 위치하며, 분형이 방형과 원형 봉분이 이어져 있어 전방후원형 고분으로 알려져 왔으며, 발굴조사 결과 동쪽의 방형부, 서쪽의 원형부가 확인되었다. 분구의 장축방향은 동-서이고 규모는 분구 끝자락을 기준으로 총길이 47m, 방형부 21m, 원형부 26m, 높이는 4m로 확인되었다. 석실의 규모는 길이 410㎝, 너비 200~240㎝, 잔존높이는 10~40㎝이다. 석실에서 개배, 고배, 광구호, 기대, 소호, 삼족토기 등의 토기류와 철겸, 철부, 철촉, 갑주편 등의 철기류와 다양한 종류의 옥 등이 출토되었다.

성월리 월전고분　　　　　　석실　　　　　　석실내 유물출토 모습

사진 2. 담양 성월리 월전고분 현황

3. 담양 황금리 금구동고분(전남문화재연구원 2008)

　수북면 황금리 금구동 마을에 위치하며, 전라남도 문화재자료 제 233호(2001. 9. 27.)로 지정되었다. 남쪽으로 1㎞ 떨어진 곳에 영산강 본류가 흐르고 있어 고분 주변은 넓은 평지를 이루고 있다. 원형분으로 봉분의 규모는 직경 18m, 높이 3m정도이다. 시굴조사 결과 봉분 주면으로 원형의 주구가 돌아가는데 주구를 포함한 직경은 20~22m내외이며, 봉분 중

앙 정상부에서 수혈식석곽 또는 횡혈식석실로 판단되는 매장주체부가 확인되었다.

황금리 금구동고분(1995년)   황금리 금구동고분(2007년)   황금리 금구동고분(2019년)

사진 3. 담양 황금리 금구동고분 현황

4. 담양 고성리 월성산 고분군(전남대학교박물관 1995)

수북면 고성리 710-23번지 일대에 분구가 비교적 잘 남아있는 3기와 분구가 거의 남아있지 않은 2기 등 모두 5기가 확인되었다.

월성산고분①은 분구형태가 약간 훼손되었지만 원형을 띠고 있다. 분구의 규모는 직경 약 12m, 높이 1.5m정도이다. 월성산고분②는 월성산고분①에서 남쪽을 약 200m 떨어져 있다. 분구의 평면형태가 남북이 약간 길어 보이는 원형을 이룬다. 고분의 규모는 직경 약 18m, 높이 2.5m정도이다. 월성산고분③은 월성산고분②에서 남동쪽으로 약 100m 떨어져 있다. 고분의 형태는 동쪽은 원형에 가깝고 서쪽은 방형을 띠고 있어 전

고성리 월성산고분①   고성리 월성산고분②   고성리 월성산고분③

사진 4. 담양 고성리 월성산고분 현황

방후원형 고분과 흡사한 것으로 알려져 있다. 고분의 규모는 길이 24m, 추정원부 직경 14m, 추정방부 너비 12m, 높이 2.5m정도이다.

5. 담양 계동고분군(호남문화재연구원 2007)

고속국도 12호선(고서-담양간) 확장공사 과정에서 발굴조사된 유적이다. 담양읍 오계리 계동 437번지 일대로 구릉의 말단부 사면에 해당한다. 매장주체부가 유실된 상태로 원형의 주구만 확인되었으며, 주구 내부에서는 호형토기, 개배, 고배, 대옹 등이 출토되었다. 유물의 양상으로 볼 때 계동고분군을 6세기 전반대로 비정하였다.

| 분구묘 전경 | 1호분 | 출토유물 |

사진 5. 담양 계동고분군 현황

6. 담양 서옥고분군(호남문화재연구원 2007;대한문화재연구원 2017)

중옥리 서옥고분군은 태목리유적의 발굴조사 과정에서 발견된 고분군이다. 분구가 낮아 외형에서 분형이 확연하게 드러나지 않아 간과할 수도 있는 고분군이기도 하다. 낮은 구릉의 중앙 평탄지에 12기가 확인되었는데 이중 4기가 발굴조사되었다. 그 중 2기(2호분, 4호분)의 분정에서는 수혈식석곽이 확인되었으며, 나머지 2기(3호분, 12호분)에서는 매장주체부가 확인되지 않았다. 출토된 유물은 호형토기, 개배, 고배, 도자, 부형

철기, 철도, 철축, 옥 등이 있다.

| 서옥 고분군 | 2호분 | 출토유물 |

서옥고분군 현재 상태

사진 6. 담양 서옥고분군 현황

7. 담양 성산리유적(호남문화재연구원 2004)

담양-대전간 국도 확장공사 과정에서 발굴조사된 유적으로 대전면 성
산리에 위치한다. 청동기시대 주거지가 조사되기도 하였으며, 삼국시대
주거지는 모두 12기가 확인되었다. 그리고 부속건물인 지상건물지 2기와
수혈, 구 등이 확인되었다. 주거지는 모두 방형계이며 전체적인 구조는 4

  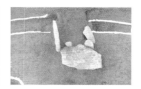

| 담양 성산리유적 전경 | 삼국시대 2호 주거지 | 2호 주거지 부뚜막 |

사진 7. 담양 성산리유적 현황

주식을 이루고 있다. 또한 외부에 방형의 도랑을 돌린 주거지가 있어 주목된다. 내부에서는 부뚜막, 벽구, 주공 등이 조사되었다. 출토유물은 발형토기, 장란형토기, 유공광구소호, 개배, 완형토기, 시루 등이다.

8. 담양 대치리유적(호남문화재연구원 2004)

담양-대전간 국도 확장공사 과정에서 발굴조사된 유적으로 대전면 대치리에 위치한다. 삼국시대 주거지 6기와 수혈, 지상건물지 등이 조사되었다. 삼국시대 주거지의 평면형태는 대부분 방형이며, 내부시설로는 부뚜막, 주공, 장타원형구덩이 등이 조사되었다. 특히, 4호 주거지의 부뚜막은 여러 매의 할석을 이용하여 벽을 만들고 판 것으로 덮개를 씌운 형태로 백제식 주거지의 유형이 도입되기 시작하는 것으로 보인다. 출토유물은 발형토기, 장란형토기, 대옹, 호형토기, 고배, 시루, 파수부토기, 소형토기 등이다.

담양 대치리유적 나지구   3·4호 주거지

사진 8. 담양 대치리유적 현황

9. 담양 화방리 물구심리들유적(영해문화유산연구원 2013)

월산면 화방리 일대로 담양 홍수조절지 건설공사 과정에서 발굴조사가 이루어졌다. 낮은 구릉이 만나는 곡간부로 구와 수혈 등이 조사되었다. 구는 조사지역의 자연지형을 따라 흘러가는 양상으로 유물은 대부분 구 내부 퇴적토에서 출토되었다. 출토된 유물은 이중구연호, 시루, 뚜껑, 호형토기, 장란형토기, 발형토기, 주구토기, 완형토기, 파수, 아궁이틀 등 이다.

3지점 3호 구상유구 모습   구상유구 유물출토 모습   이중구연토기

사진 9. 담양 화방리 물구심리들적 현황

10. 담양 삼지천유적(호남문화재연구원 2014)

창평면사무소 증축사업 과정에서 발굴조사가 이루어졌으며, 삼국시대 주거지 14기와 수혈 등이 조사되었다. 삼국시대 주거지의 평면형태는 방형으로 규모가 길이 2~4m 내외이며 내부에 부뚜막이 잘 남아있다. 유물은 장란형토기, 주구토기, 이중구연호, 시루, 토기뚜껑, 방추차 등이 출토되었다.

담양 창평리유적   6호 주거지   5호 주거지 부뚜막

사진 10. 담양 창평리유적 현황

11. 담양 오산유적(호남문화재연구원 2007)

창평 대중골프장 건설사업 과정에서 발굴조사된 유적으로 삼국시대 주거지 11기와 지상건물지, 수혈 등과 함께 묘실 바닥면만 남아있는 석실분 1기가 조사되었다.

삼국시대 주거지의 평면형태는 방형계로 내부에서는 부뚜막, 벽구, 4 주공 등이 확인되었다. 출토유물은 발형토기, 장란형토기, 시루, 양이부호, 고배 등이다. 그리고 묘실 바닥면만 남아있는 석실분에서는 고배, 개, 호형토기 등 다량의 경질토기류가 출토되었다.

| 오산유적 전경 | 3호 주거지 | 석실 출토유물 |

사진 11. 담양 오산유적 현황

Ⅲ. 태목리 · 응용리유적의 현황

1. 발굴조사 경과 및 의의

담양 태목리 · 응용리유적은 영산강 변에 위치한 대규모 마을유적이다. 태목리유적의 경우 단위면적당 가장 많은 삼국시대 주거지가 확인된 곳이라고 할 수 있다. 또한 고창-담양간 고속도로 건설과정에서 도로가 개설되는 부분만 조사가 되었기 때문에 도로노선 이외의 주변까지 유구

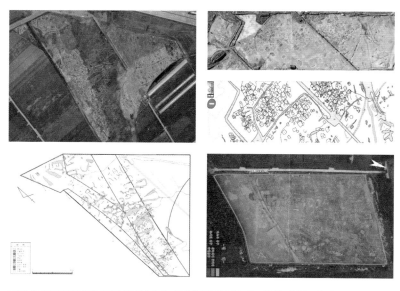

그림 2. 담양 태목리 유적 및 응용리 태암 유적 유구 분포양상(대한문화재연구원 2016)

가 확인될 가능성은 충분하다.

태목리유적의 발굴조사는 크게 2차례에 걸쳐 진행되었다. 첫 번째 발굴은 고창-담양 고속도로의 본선구간에 대하여 2004년~2005년에 실시하였으며, 두 번째는 북광주IC 부지의 발굴조사로 2007년~2008년에 걸쳐 진행되었다.

태목리 유적의 발굴조사 결과, 청동기시대로부터 삼국시대에 걸쳐 조성된 수많은 유구와 유물들이 드러났다. 이 가운데 마한과 관련된 유구는 주거지 1,280여동(965동 발굴조사 완료)을 비롯하여 고분 79기, 수혈유구 83기, 구 26기, 우물 4기, 창고시설 7기, 토기가마 1기 등이 확인되었다. 전반적으로 주거지는 본선구간과 북광주IC 구간의 남동쪽 구역을 중심으로 분포하며, 고분은 북서쪽 구역에 집중되고 있어 주거공간과 매장공간이 분리되었음을 알 수 있다.

응용리유적은 2009년 '4대강 살리기 영산강권' 문화재 지표조사에서 '태암유물산포지'로 보고되었으며, 2014년에 '담양 대전천 수질정화공원 조성사업' 문화재 지표조사 과정에서 태암유물산포지 일부가 포함되었다.

'담양 대전천 수질정화공원 조성사업'의 일환으로 진행된 표본조사는 2014년 12월에 호남문화재연구원에서 실시하였는데 담양 태목리유적과 유사한 장방형 및 방형 주거지, 수혈 등이 확인되었다.

발굴조사는 기호문화재연구원에 의해 16,365㎡에 대한 조사를 실시했으며, 노출된 유구만 600여기에 달해 당시 구제발굴은 중단되고 일부유적에 대한 내부조사 진행 뒤 복토하여 원형보존 조치되었다. 그리고 발굴조사 제외 지역(응용리 50, 51번지)에 대한 추가적인 시굴조사가 대한문화재연구원에 의해 실시되었다.

그리고 두 유적의 학술적, 역사적 맥락을 파악하기 위한 학술회의가 2016년 10월 14일~15일 '담양 태목리 · 응용리유적 국가사적 지정추진 국제학술대회'를 개최되었다.

담양 태목리유적과 응용리유적을 구분하는 것은 현재로서는 큰 의미가 없다. 단지 고속도로와 수질정화공원 조성사업을 하기 위한 사전 조사로서 발굴조사가 진행되었을 뿐이다. 그리고 조사기관이 달랐을 뿐이지 전반적으로 조사내용은 대동소이하다.

태목리유적의 조사 당시 청동기시대 주거지 17동을 제외하면 대부분 원삼국~삼국시대에 해당되는 유구들로 호남지방 최대의 밀집도였으며, 응용리유적 역시 20~30동이 겹쳐진 지점도 확인될 만큼 밀집도가 높았다. 이처럼 좁은 공간에 수백기의 유구가 여러 번 중첩되어 축조된 현상은 이 유적이 영산강변에 입지한 거점유적으로서 오랜 기간 중심적 위치를 점하고 있었음을 보여준다고 할 수 있다.

전반적으로 주거지는 방형계이며, 내부에 쪽구들이 위치하거나 부뚜막이 시설되는 등 일부 공통적인 모습은 있으나 시기에 따라 평면형태 및 내부시설에서 변화상이 엿보인다. 분묘는 주거공간과 구분되어 북쪽에 위치하며, 그 사이에 환호가 설치되어 있다.

이상과 같이 태목리·응용리유적은 4~5세기를 중심시기로 한 영산강 상류의 대단위 취락의 규모와 공간배치, 그리고 시기별 변화상을 보여주는 유적이라고 할 수 있다. 출토유물은 장란형토기, 발형토기, 원저직구호, 발, 파수부토기, 시루, 조형토기, 옹 등 다양한 기종의 생활용기가 주종을 이루고 있다.

태목리·응용리유적의 범위는 태목리 유적의 북쪽 구간에서부터 영산강 변인 응용리유적까지 유구가 잔존하는 것으로 볼 때 남북 직선길이가 1.2km에 이르고 있다. 그리고 동서 범위에 대해서는 정확하게 파악되지 않았다.

고고학적으로 보았을 때 대규모 마을이 형성되는 시점은 기원후 2세기에서 3세기로 태목리유적의 대규모 마을이 형성되는 시점이기도 하다. 이 시기 토기의 변화, 본격적인 농경 등장, 주거형태 다변화 등 다양한 요인에 의해 마을이 급속하게 성장하는데 태목리 유적 역시 이러한 사회경제적 변화와 맥락을 같이 한다고 할 수 있다. 이는 주거지의 중첩이나 조사된 유구의 규모, 면적 등 현상적인 부분일 뿐 이 두 유적의 전반적인 맥락을 설명해주는 것은 아니다. 따라서 향후 두 유적의 조사와 연구과정에서 논의 되어야 할 문제를 언급하고자 한다.

첫째, 2000여동 이상으로 추정되는 주거지 중 동시기로 분기될 수 있는 공간의 변화가 어떻게 되는지? 즉, 취락의 규모와 존속기간에 대한 세분이 필요할 것으로 판단된다. 분명 발굴과정에서 경질무문토기 단계의 타원형주거지도 확인되었으며, 삼국시대 방형의 주거지라 할지라도 축조와 폐기의 반복이 동일지점에서 20여기가 넘게 확인된 지점도 있다. 수혈주거지의 축조에서부터 폐기의 시간에 대한 고민이 선행되어야 하겠지만 최소한 몇세대에 걸친 동일지점의 점유현상인 것만은 분명하다.

둘째, 주거지 구조에 대한 문제이다. 태목리유적에서 확인된 삼국시대 주거지의 대부분은 방형의 굴광선에 내부에서 중심주공이 확인되지 않는 구조이다. 호남지역에서 빈번하게 발견되는 사주공의 주거지는 몇 예에 불과하다. 수혈주거지에서 깊은 주공은 상부의 보나 도리를 보조하여 기둥의 중심을 지탱하는 역할을 하는데 태목리유적의 경우 주거상면위에 기둥을 세우고 중간에 별도의 시설을 했을 가능성이 있다. 즉, 사주공의 주거지보다는 지상으로 올라온 구조일 가능성도 있다.

셋째, 태목리유적에서는 동일지점이기는 하나 주거지가 확인된 지점과 분묘가 확인된 지점은 유적내의 공간에서는 분리가 된다. 이러한 양상은 영산강 상류지역인 광주 선암동유적이나 산정동유적 등에서도 확인되는데 구릉을 달리한다거나 지점을 달리하지 않고 동일 지점에 분묘와 주거공간이 공존하고 있다. 이들 유적은 대규모 주거지가 확인된 곳으로 집과 분묘가 취락의 경관을 이루고 있는 것으로 판단된다.

현재까지 조사된 이 두 유적은 주변에 넓은 들이 있음에도 불구하고 조사구역내에서는 주거지와 분묘만이 확인되었다. 태목리유적의 앞으로는 영산강을 끼고 있으며, 뒤로는 병풍산, 불대산이 위치하고 있어 천혜의 배산임수의 지형으로 논이나 밭 경작에 좋은 조건을 갖추고 있다. 즉, 집약된 마을을 유지했던 생산 기반에 대한 고민도 앞으로 진행되어야 할 것이다.

2. 태목리 · 응용리유적의 보존현황

2005년과 2007~8년 2차 발굴조사 후 태목리유적의 존재나 위치를 제대로 파악하고 있는 사람은 현장에서 발굴조사를 진행했던 조사원들밖에 없을 것이다. 사실 발굴조사의 일부 기간 참여를 했던 주체의 한 사람으

로서 태목리유적을 지나칠 때마다 아쉬움이 남는다. 발굴조사 당시 호남
지역 최대의 취락이라고 했던 것이 무상할 만큼 발굴조사의 흔적은 보고
서로만 남아있으니 아쉬움이 더할 수밖에 없다.

최근 이 글을 준비를 하면서 다시 태목리유적을 찾았다. 결론적으로 말하
면 그 길을 지나칠 때 느꼈던 아쉬움을 그대로 확인하는 정도였을 뿐이다.

응용리유적은 성격파악을 위한 일부분의 발굴조사가 대한문화재연구원

사진 12. 태목리유적 안내판

에 의해 진행되고 있으며, 나머지 구간은 시굴조사 이후의 모습 그대로이다.

두 유적의 주변은 고창담양 고속도로가 개설되면서 도로에 포위된 상
태이다. 태목리유적은 고속도로 본선이 그대로 통과하고 일부는 IC진입
로에 해당된다. 응용리유적 역시 용산교에서 대전면 소재지로 연결되는
도로로 인해 가시적인 면이 전혀 드러나지 않는다.

태목리유적의 2차 발굴조사(2008년) 이후 북광주IC 진출입로 중간 부
분의 녹지대는 발굴조사를 유예하고 노출 당시의 윤곽선에 수목을 심어
서 표시했다. 그리고 안내판을 세워 유적의 존재를 알 수 있게 했다.

한편 2005년 1차 발굴조사 이후 태목리 태암마을 주민들은 고속도로와

접해 있는 부지의 일부에 마을 근린 공원을 조성했다. 그리고 태암지석묘로 명명되었던 지석묘를 이전복원했으며, 1차조사 당시 가장 상태가 양호했던 주거지 1동도 전사복원하여 유리 보호각 내부에 전시를 했다.

사진 13. 태암근린공원 전경

사진 14. 전시각 판넬 상태

그러나 현재 태목리유적이 자리한 북광주IC 진출입로 부분은 잡초가 무성하고 누구나 들어갈 수 없는 철제 팬스와 자물쇠만이 반겼다. 유적을 설명하는 안내판은 10년 동안 한 번도 수정하거나 관리되지 않은 상태였다. 북광주IC 진출입로는 한국도로공사에서 관리를 하는 곳으로 도로 관리차원에서 정기적으로 제초작업이나 쓰레기 등을 처리하겠지만 유적보호나 관리 차원은 아닌 것으로 보였다.

태암근린공원으로 이전된 지석묘와 전사복원전시각도 역시 마찬가지 현상이었다. 보호각이 만들어지고 나서 두차례인가 사진 판넬 교체 작업이 이루어진 것으로 알고 있는데 직사광선에 노출된 판넬이 오래 가지는 못했다. 이전복원된 지석묘 역시 함께 심어진 조경수에 의해 덮힌 상태였으며, 상석의 상면만 간신히 찾을 수 있었다.

이상과 같이 태목리·응용리유적의 보존 현황은 어떻게 보면 발굴조사 후 어느 유적과 별반 차이가 없는 상태라고 할 수 있다.

응용리유적이야 당초 시설하기로 했던 대전천 수질정화공원 조성사업을 변경하여 발굴조사 이전의 경작지 지형이 그대로 남아있어 그나마 다행이다. 하지만 태목리유적의 경우 어느 누구도 인지하지 못하는 상태로 유적이 방치되고 있다. 그리고 이전복원된 태암지석묘나 전사복원 보호각 역시 흉물로 전락한 느낌이다.

IV. 영산강 상류 마한유적의 중심지로서 태목리 · 응용리유적의 활용

1. 당장 진행해야 할 일

태목리 · 응용리유적의 학술적 · 역사적 중요성은 발굴조사 성과나 그동안의 연구성과에서 충분히 알려져 왔다고 생각한다. 하지만 앞장에서도 언급했듯이 당장 유적 활용이라는 논의나 실행을 할 수 있는 단계는 아니다. 즉, 2016년 담양군에서 추진했던 '담양 태목리 · 응용리유적 국가사적 지정'이 선결되어야 한다. 물론 현재의 보존상태나 학술적 성과로는 국가사적 지정은 요원할 수 있다. 당장 할 수 있는 일과 지속적으로 준비하면서 진행해야 할 일을 구분해야 할 것으로 필자는 판단한다.

그렇다면 당장 진행해야 할 일은 무엇인가?

이 두 유적은 담양군이든 전라남도든 지정문화재 지정조차도 진행되지 않았다. 즉, 보존방안이나 향후 관리주체가 부재한 상태에서 현재에 이르고 있다. 따라서 유적의 규모나 영산강유역의 삼국시대 유적 중에 두 유적이 차지하는 위상에 견주어 볼 때 전라남도 지정문화재 지정이 우선되어야 할 것으로 판단한다. 또한 태목리유적의 경우 현재는 관리주체가

사진 15. 태목리 · 응용리유적 전경

북광주 IC 관리차원의 한국도로공사이지만 유적 관리차원에서 주체가 행정단위가 되어야 할 것으로 판단한다. 이후에 2016년 추진했던 국가사적 지정 신청을 위한 준비 작업이 진행되어야 하지 않을까 생각한다.

앞에서도 언급했듯이 두 유적이 어느 지점까지 연장되는지에 대한 조사가 전혀 진행되지 않았다. 남북의 경계는 북광주IC 건설과정에서 시굴조사를 통해 태암마을 위쪽으로는 더 이상 진행되지 않는 것으로 판단했으나 동서의 경계는 아직 확인되지 않은 상태이다. 특히 태목리유적이 발굴조사된 지점은 도로공사라는 범위가 한정되었기 때문에 동일한 지형이 연장되는 동서 방향의 현경작지에 대한 조사는 진행되지 않았다. 향후 국가 사정지정 신청을 위한 준비 과정에서 유적의 범위가 어느 정도 명확해야 한다. 그렇기 때문에 발굴조사된 지점만을 대상으로 할 것이 아니라 주변의 지표조사나 간단한 시굴조사를 통해 유적의 범위에 대한 정확한 정보가 필요하다.

아울러 두 유적의 대부분 유구가 주거지라는 점은 당시 그들의 생업 현장에 대한 검토를 요구하고 있다. 단순히 주거공간의 밀집도가 아니라 그들의 마을을 유지할 수 있었던 동력, 즉 생산적 기반에 대한 검토도 필요하다.

2. 연계할 수 있는 것

태목리 · 응용리유적을 중심으로 수북면과 대전면 지역에는 분구가 남아있는 삼국시대 고분이 다수 분포한다. 이중 중옥리 서옥고분은 2차례에 걸쳐 발굴조사가 이루어졌으며, 황금리 금구동고분은 분구와 주변에 대한 시굴조사가 이루어졌다. 이 외에 분구가 남아있는 고분은 고성리 월성산고분, 성산리 성산고분, 갑향리 소두고분, 갑향리 계곡고분, 중옥리 중옥고분 등 광주에서 담양읍을 잇는 국도 13호선을 따라 다수 분포한다.

주지하다시피 담양군은 여타 시군에 비해 문화관광 산업이 정책적으로 지속되고 있는 곳이다. 현재까지 담양의 문화관광 산업은 크게는 두 갈래 방향으로 진행되어 왔으며, 최근에 추월산권역을 중심으로 용마루길과 같은 새로운 자원을 개발하고 있다.

기존의 관광자원은 먼저, 담양읍을 중심으로 한 '죽녹원' '관방제림' '메타세쿼이아길'의 산림자원과 대담미술관, 복합문화의 거리, 담빛예술창고, 메타프로방스의 문화예술을 엮은 것이 하나이다. 또 다른 하나는 고서면과 가사문학면을 중심으로 한국가사문학관, 독수정원림, 소쇄원, 식영정, 송강정, 면앙정, 명옥헌원림 등 조선 중기 누정과 정원, 그 속에서 꽃피웠던 시가문화와 호남사림이라는 정신적인 사상을 표출하였던 전통문화자원이다. 어쩌면 담양군 '700만 관광객 시대'라는 슬로건을 걸게 된 동력이 이 두 개의 문화자원 권역이 있었기 때문일 것이다. 이처럼 지난 20여년 가까운 기간 담양군의 관광경쟁력은 '대나무'라는 지역 생태자원의 인식전환과 장소마케팅, 행정의 강력한 추진력을 밑바탕으로 다른 지방자치단체보다 우수한 성과를 보인 것은 사실이다.

하지만 '죽녹원' '메타세쿼이어'라는 재생된 자연자원과 '가사문학권'의 전통문화자원을 보완하면서 새로운 문화관광 자원의 개발 필요성이 대두되고 있다.

이러한 문화관광 자원의 확장을 위한 담양군의 노력은 2000년대 후반 들어 '담양 오방길'로 탄생했다. 제주 올래길이 큰 호응을 얻으면서 각 지역마다 유행했던 'ㅇㅇ길'을 담양화한 '자연의 미학을 담은 담양 녹색오방(五方)로드'라는 슬로건을 걸고 있다. 즉, 창평 삼지천 마을이 슬로시티로 인증된 이후 녹색탐방 관광자원으로서의 길과 지역명소 및 농촌마을연계 필요성의 발로라고 할 수 있다.

녹색 오방로드는 명품숲 가로수길(관방제림, 죽녹원, 메타세쿼쿼이아 가로수길), 담양호 산막이길(가마골, 도래수마을, 담양호, 추월산), 담양 습지 둑방길(환경부 습지보전지역), 누정문화길(소쇄원, 식영정, 지실마을, 명옥헌원림), 슬로시티 사목사목길(창평 삼지천마을, 상월정)이다. 대체로 이미 많은 사람들의 발길이 닿아있으며, 나름대로 성과를 거둔 관광자원이라고 할 수 있다.

이중 담양습지 둑방길은 응용리유적과 맞닿아 있는 담양하천습지보호지역으로 현재는 탐방안내소와 아울러 주차장 시설, 대나무 숲길 데크 등이 시설되어 있다. 필자는 태목리·응용리유적을 중심으로 한 대전면, 수

사진 16. 담양습지 둑방길

북면 지역의 삼국시대 유적 벨트를 담양습지 둑방길과 연계해서 활용하는 방안이 필요하다고 생각한다. 기왕의 오방길에 새로운 길을 더하는 것이 아니라 확장개념으로서 영산강 상류에 위치한 담양의 역사성을 담보해주었으면 한다.

현재처럼 단지 유적이 있다가 아니라 최소한 해당 유적을 찾아갔을 때 내용을 알 수 있는 시설(안내판)의 정비와 함께 그 길에 대한 홍보도 필요하다. 장기적으로는 고성리 월성산고분, 금구동고분, 성산리 성산고분, 갑향리 소두고분, 갑향리 계곡고분, 중옥리 중옥고분 등 안내판뿐만 아니라 걷는 걸음의 의미를 찾을 수 있는 아이템 개발도 필요하다.

또한 관람로, 안내판과 같은 시설정비뿐만 아니라 단계적 학술조사를 통해 지역민뿐만 아니라 외부 탐방객의 관심을 유도해야 할 것으로 판단한다.

V. 장기 전망으로서 삼국시대 마을 야외 박물관

최근 들어 유적을 기반하여 시설된 지역박물관이 변화하고 있다. 상설전 중심의 수구적인 운영체계에서 이제는 지역 콘텐츠를 양산하는 공간으로 일부 박물관이 변화를 하고 있다. 대표적인 곳이 전곡선사박물관이다. 1990년 발굴 당시만 해도 지역 발전의 저해공간으로 유적을 바라봤던 주민들의 시각이 이제는 주먹도끼를 연천군의 랜드마크로 할 만큼 자부심을 갖고 있다. 수많은 우여곡절이 있었던 30여년의 과정이 현재의 전곡선사박물관을 만들었다. 전곡선사박물관을 필두로 공주 석장리박물관, 울주 반구대박물관과 반구대포럼, 제주 고산리유적전시관, 시흥 오이도박물관, 나주 복암리전시관 등 주민의 휴식과 교육공간으로 변화하고 있다. 이는 지역박물관이 주민들과 함께 해야 한다는 흐름이라고 할 수 있다.

표 1. 보존 정비 · 활용 계획 종합구상안(대한문화재연구원 2016)

가. 담양 응용리 · 태목리유적
  ▶ 유적 경관 복원 및 정비
   - 마을 내 유구 발굴 · 복원
   - 집자리 발굴 · 복원
   - 고분 발굴 · 복원
   - 창고시설 발굴 · 복원
   - 저장시설 발굴 · 복원
   - 광장 복원
   - 마을 내 로드(이동로) 조성
  ▶ 마을 도로망 회복 - 마을 내 주간선 도로망 복원
   - 샛길 복원
   - 마을 내 보행전용도로 재현
  ▶ 집자리 원형 복원
   - 집자리 복원 및 생활사 일상 전시
   - 유적 체험시설관 조성
  ▶ 마을 최고 우두머리인 읍락의 주수(主帥) 집자리 복원

나. 문화재 지정 및 보호구역
  ▶ 문화재 지정구역 및 보호구역 지정
   - 문화재 지정구역 : 주거지, 수혈, 창고 등 토지매입 지역
   - 문화재 보호구역 : 주거지, 수혈, 창고, 분묘, 경작지 등 토지 미매입 지역

다. 편의시설계획
  ▶ 유적 외곽에 주차장 신설
   - 유적 내 외부차량 통행제한
  ▶ 유적안내센터 및 체험시설관 건립
   - 응용리 · 태목리유적 관련 유적 전시 · 홍보
   - 출토유물 등 전시 · 홍보
  ▶ 유적 외곽에 탐방로 조성

라. 활용계획
  ▶ 유적활용계획
   - 발굴조사 및 유적 탐방
  ▶ 유적 활용
   - 담양 하천습지보호구역을 연계한 영산강포구, 주변 고분유적과 연계한 마한 왕로 코스 개발
  ▶ 담양 응용리 · 태목리유적 역사문화유적공원 조성

일반적으로 유적이 발굴되고 학술성, 역사성이 뛰어날 경우 박물관 건립을 우선 생각한다. 그 첫 번째 실천으로 종합정비계획을 수립하고 그 내용에 전시관이나 박물관을 건립하는 구상을 한다. 이상적인 상상일수도 있으나 예산과 관리인원의 배치, 운용능력 등 다양한 각도에서 검토가 되어야 한다.

　당장의 욕심이야 그럴듯한 시설을 만들고 그것을 통해 지역의 위상을 보여줄 수 있다면 더할 나위 없을 것이다. 그러나 준비되지 않는 실천은 결국 감당하기 어렵다는 명분으로 누구도 책임지지 않는 공간이 될 수 있다. 또한 박물관의 경우 많은 예산과 노력이 투자된 것에 비해 성과가 없을 때 오히려 유적을 망치는 결과를 초래할 수도 있다. 2000년대 들어 각 지자체별로 바람이 분 것 중에 하나가 바로 지역박물관이다. 인구 5만도 안 되는 작은 농촌에서 박물관은 건립 당시는 지역의 표상일지도 모른다. 하지만 변화가 없고 내용을 담지 못한 지역박물관이 언론의 뭇매를 맡는 것은 어쩌면 준비되지 않는 행정과 정책의 결과일수도 있다.

　최근 경기북부어린이박물관의 사례는 지자체 운영의 문제를 그대로 보여준다고 할 수 있다. 매년 적자와 관람객 수 감소라는 명분으로 동두천시에서 운영을 포기하고 결국 경기도로 이전되었다. 박물관이 운영을 통해 흑자를 내는 사례는 극히 미미할 것이다. 박물관은 수익성을 내는 공간이 아니라 문화자원을 만들고 활용하며, 지역민의 공유 공간이라는 개념 변화가 필요하다.

　좁은 의미에서 문화재와 넓은 의미의 문화유산, 그리고 문화유산 자체뿐만 아니라 그것이 차지하고 있는 장소, 경관과 역사적 배경, 기술적 요소 등을 가공한 유무형의 재화적 가치를 문화자원이라고 할 수 있다(그림 3). 즉, '문화재'라는 현상적 관점에서 벗어나 '문화자원'으로서 재화적 가치로 확산시키고기 위해서는 활용을 위한 정책적 관심과 연구자, 행정 담

당자들의 변화가 전제되어야 한
다. 각각이 엇박자가 아니라 당장
실행할 수 없더라도 부단한 노력
이 필요하다. 과거의 사람들이 현
재의 우리에게 전해주었듯이 미래
의 세대에게 온전히 전해주어야
할 의무가 현재의 우리에게 있다.

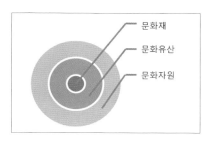

그림 3. 문화적 자산의 범주

담양 태목리 · 응용리유적의
2016년 사적지정 신청을 위한 연
구 용역 과정에서 작성된 문화재
보존 정비 · 활용 계획(안)의 종
합구상은 현재 유적 상태에 기반
한 구상이다(표 1). 유적 경관 복
원 및 정비, 보호구역 지정, 편의
시설, 활용 등의 구상을 하였으
나 현재까지 구체적인 실천은 없

사진 17. Sagnlandet Lejre 전경

는 상태이다. 앞에서 언급한 것과 같이 연구 집단이나 행정 단위에서 태
목리 · 응용리유적과 같은 경우 박물관이나 전시관 혹은 유적공원 등을
구상할 수 있다. 그러나 여타의 시설물(전시실, 모형복원, 연구실, 수장고
등)보다 우선 고려되어야 할 것은 지역민과 관련 전문가의 참여이다. 필
자는 유적 박물관의 개념이 시설 중심보다는 사람 중심이 되어야 한다고
생각한다. 예를 들어 유럽 각 지역에 있는 Open-air museum의 경우 유
적에 기반하기는 했지만 박물관 시설부터 건립된 것은 아니다. 관련 전문
가 중심으로 부단한 연구와 지역민들이 결합을 하면서 지역의 역사물을
만들고 있다.

사진 18. Sagnlandet Lejre 활용 프로그램(2018년)

덴마크 'Land of Legend'라고 불리는 "Sagnlandet Lejre"의 경우 불과 주변이 5,000명도 안 되는 마을임에도 불구하고 지역 주민과 전문가 집단이 협업을 하고 있었다. 놀라운 것은 1963년도에 발굴된 철기시대 집자리를 1964년도에 복원하고, 1967년에 화재주거지 실험, 1993년에 재발굴 등 한세대를 넘는 고고학적 실험과 활용이 공존하고 있었다.

물론 화재주거지의 실험 이외에 늪지, 거대 봉토분 축조 및 발굴 등 다양한 프로젝트가 지금도 진행되고 있다. 비단 "Sagnlandet Lejre" 뿐만 아니라 필자가 보았던 독일, 덴마크 지역의 Open-air museum들은 유적 기반 연구와 지역민, 행정, 후원 등의 협업이 현재의 생명력이었다. 그리고 그들은 50년, 100년 이후의 유적을 다시 만들고 있었다. '문화재'가 '문화자원'으로 가는 길을 그들은 만들고 있었다.

담양 태목리·응용리유적을 중심으로 한 마한 관련 유적이 학술적 가치를 넘어서 이제는 담양의 새로운 문화자원으로 만들어져야 한다고 생각한다. 당장 어떤 시설물을 세우기보다는 지역주민이 공감하고 관련 연구자(혹은 집단), 정책과 행정담당자가 지속적인 고민과 실천을 통해 하나씩 준비해 나갔으면 한다.

그것이 Sagnlandet Lejre와 같은 과정을 거친 삼국시대 마을 야외 박물관이다.

【참고문헌】

권남영, 2017, 「누구를 위한 고고학인가?」, 『고고학과 대중』, 제1회 대중고고학 학술대회, 대중고고학포럼 · 전곡선사박물관.

대한문화재연구원, 2017, 『담양 중옥리 서옥고분군』

문화재청, 2007, 『문화재 활용 가이드북』.

신희권, 2014, 「고고유적 활용 방안 연구」, 『야외고고학』제 19호, 한국매장문화재협회.

영해문화유산연구원, 2013, 『담양 화방리 물구심리들유적』

영해문화유산연구원, 2015, 『담양 성월리 월전고분』

이영덕, 2018, 「대중고고학과 문화공동체 형성」, 『한국 대중고고학 개론』, 한국대중고고학회

전남대학교박물관, 1995, 「담양군의 고고학 유적」, 『담양군 문화유적 학술조사』, 전라남도 · 담양군

전남문화재연구원, 2008, 『담양 황금리 금구동고분』

최몽룡, 1976, 「담양 제월리 백제고분과 그 출토유물」, 『문화재10』, 문화재관리국 문화재연구소

호남문화재연구원, 2004, 『담양 대치리유적』

호남문화재연구원, 2004, 『담양 성산리유적』

호남문화재연구원, 2007, 『담양 계동고분군』

호남문화재연구원, 2007, 『담양 서옥고분군』

호남문화재연구원, 2007, 『담양 오산유적』

호남문화재연구원, 2014, 『담양 삼지천유적』

호남문화재연구원, 2014, 『담양 삼지천유적 II 』

'영산강유역 마한사회와 백제의 유입'
학술대회 종합토론

최성락 : 오늘 '영산강유역 마한사회와 백제의 유입'이라는 주제로 오전부터 기조발표와 여섯 분의 주제발표가 있었습니다. 마지막 종합토론은 이를 정리하는 자리로 학술대회의 꽃이므로 이것이 잘 이루어져야 학술대회의 의미를 찾는 것입니다.

우선 토론에 참여하신 분만 소개시켜드리겠습니다. 첫 번째 주제발표에 대한 토론은 아시아문화원의 배재훈 선생님입니다. 두 번째 주제발표에 대한 토론자는 동아시아역사문화연구소의 문안식 선생님, 세 번째 주제발표에 대한 토론은 전남대학교 최영주 선생님, 다섯 번째 주제발표에 대한 토론은 국립나주문화재연구소의 이지영 선생님, 마지막 토론은 담양군청의 윤재득 선생님입니다.

오늘 학술대회의 흐름은 무덤으로 본 마한과 백제의 관계, 마한이 어떻게 형성되고 백제에 의해 어떻게 변화되었는지, 고고학 자료로 보았을 때 마한이 어떻게 구성되고 또 백제는 어떻게 변화되었는지, 마지막으로는 마한유적의 현황과 보존 방안 등입니다.

저는 학술대회 좌장으로서 첫 번째는 다양한 발표주제를 잘 종합하고 그 의미를 찾는 것, 두 번째는 학술대회의 학문적인 즐거움을 느끼게 하는 것, 세 번째는 정해진 시간 안에 진행하는 것 등 3가지를 목표로 하고 있습니다.

지정토론을 1시간 정도 진행하고, 특별주제, 질의응답 순으로 진행하도록 하겠습니다. 우선 지정토론은 순서대로 한 주제에 10분 정도씩 진행하고, 논의해야할 주제가 많지만 큰 주제를 중심으로 진행하겠습니다. 첫 번째 주제 발표에 대해서 배재훈 선생님이 토론해 주시겠습니다.

배재훈 : 네, 토론을 맡은 배재훈입니다. 전진국 선생님의 발표는 마한에 대한 인식 및 문헌에서의 기록 양상에 대한 분석을 통해서 사서 편찬자의 인식 틀 형성과 마한의 실체, 사서 내에서의 실체, 그리고 그것이 형성되는데 기여한 대외 교류의 양상, 마지막으로 백제의 본격적인 등장으로 인한 마한사회의 변화에 대해서 주목한 글입니다. 실제 제목은 '문헌 속 마한의 대외 교류와 백제'이기 때문에 이를 통해 학술 발표 기획자가 요구했던 사항을 유추해보면, 본래 의도는 마한이 어떻게 주변국과 교류하고 있는가? 그리고 이러한 마한과 백제의 관계는 어떠했는가와 관련된 것이었던 듯싶습니다. 하지만 실제 이 논문에서 다루고 있는 것들은 마한에 대한 인식론에 가깝고, 마한을 어떻게 정의하고 이해할 것인지, 마한으로 언급되는 실질적인 존재들을 어떻게 역사 속에 자리매김해야 할 것인가? 이런 내용이 더 많았지 않나? 하는 생각이 들었습니다. 관련 사항들을 토론문에서 몇 가지로 정리했습니다만, 여기에서는 인식론과 관계된 부분을 집중하여 말씀드리고 싶습니다.

전진국 선생님께서는 3장의 내용에서 『삼국지』나 『후한서』 단계의 마한 54국을 북에서 남으로 이어지는 각 집단을 기록한 것으로 볼 경우, 전남 지역의 일부는 제외될 수 있다는 언급을 하신 바 있습니다. 한편으로 이러한 인식은 이 지역에서 진과 교류한 주체인 신미제국이나 백제에 대한 저항을 보인 침미다례 등의 존재와 관련된 문제를 해결하는데 실마리가 될 수 있다고 보여지기도 합니다. 중국측 사서에서는 등장하지 않지만, 우리 기록이나 일본 기록 속에서 모습을 드러내는 정치체의 모습들은 엄청 다양하게 확인되고 있습니다. 물론 당시 중국측 기록의 마한은 54개국이고 그 기록들에 개별적인 54개국이 명시는 되어 있습니다. 하지만, 그 세력들과 연관 짓기 어려운 존재들도 여러 사료 속에서 언급되고 있습니다. 이러한 정치세력들에 대한 언급은 마한이 역사 속에서나 사료 기록 속에서 사라지는 시점 이후에 주로 등장하기 때문에, 과연 이들과 마한의 54개국을 동일한 정치체나 존재로 볼 수 있는가? 하는 문제가 남게 됩니다.

기본적으로는 현 시점에서 가장 중요한 문제는 정말 우리가 영산강 유역을 중심으로 존재했던 어느 시점의 정치체를 '마한'으로 정의할 수 있는가? 하는 점입니다. 이 세력들이 정말로 마한으로 지칭된 적이 있기는 한가? 이러한 부분들이 조금 더 고민이 되어야 한다고 생각됩니다. 이 부분에 대한 선생님의 생각을 듣고 싶습니다.

다음은 토론문의 5번에 해당되는 질문입니다. 어떤 역사적 과정이 진행된 뒤의 기록에서 이를 명명한다는 것에 있어서의 이중성 문제입니다. 첫 번째는 자기 자신이 그것을 내세울 때의 문제입니다. '나는 마한이다' 혹은 '나는 마한 왕이다' 이러한 인식을 가졌던 존재들이 사서에 등장하고 있습니다. 그 외 진국이나 월지국이나 신분고국도 하나의 세력으로 등장하기도 합니다. 그 다음에 이에 대한 역사가 결국 어떤 역사적 실체로 전개가 되나 하는 점을 고려할 필요가 있습니다. 물론 마한과 관련된 역사는 백제로부터 전개가 됩니다. 이러한 경우가 있었을 때 이 역사를 모두 통합한 존재, 그 역사적 주체는 백제입니다. 이 경우 백제에게 있어서 마한의 모든 과정은 백제의 역사가 되어버린 상황입니다. 그랬을 경우에 백제가 언급된 존재 속에는 다양한 마한의 역사들이 일부 포함되어 있다고 이해해야 하는 측면이 있습니다.

그 다음으로는 외적 표상이나 외부인의 인식에 있어서 '마한'의 문제입니다. 이에 대해서는 일본이 내세운 모한 등을 일부 언급한 적이 있습니다. 이러한 외적인 주체들에 있어 자신과 병행하는 주체, 즉 자신을 '무엇이라 설명하는 주체'를 대할 때에, 그 이전의 역사 관계에 대한 이해가 충분하지 않은 상태에서는 그대로 받아들일 수밖에 없는 문제가 발생할 수 있다는 점입니다. 이러한 문제는 3세기경『晉書』에 등장하는 '마한'이나 '마한 왕'이라는 존재와 관련하여 해석해 볼 여지가 있는 것 같습니다.

토론문은 장황하게 썼지만, 이 시간에는 이러한 부분에 대해서 집중적으로, 선생님이 생각하는 마한 인식에 대한 문제점, 그리고 이것이 역사적으로 누층되어 오면서 나타나게 되는 변화상이나 인식 문제 등에 대해서 정리해주시면 좋을 것 같습니다.

최성락 : 예. 3번과 5번째 질문을 중심으로 해주셨습니다. 3번째 질문은 조금 복잡한 문제로 이 질문은 오늘의 결과라고 할 수 있습니다. 그래서 5번째를 중심으로 답변 부탁드리겠습니다.

전진국 : 예, 토론 감사합니다. 최성락 선생님께서 말씀하신대로 5번 질문 위주로 답변 드리겠습니다. '마한이라는 이 명사를 과연 백제에서도 쓰지 않았는지?' 가 질문의 요지가 아닌가 합니다. 제가 생각하는 결론을 말씀드리자면 저는 부정적으로 생각하는 입장입니다. 백제에서 쓴 사료에 그러한 기록이 전혀 보이지 않는다는 것과, 제가 발표 중에 말씀드렸다시피 마한 54국 각각의 국명이 있었기 때문입니다. 마한 54국은 각각 그 자국의 이름을 대내외적 사용했을 것이고, 광역의 54국 전체를 마한이라 한 것

은 외부에서 지칭한 것이 아닌가 생각합니다.

최성락 : 부정적으로 본다면 마한은 마한이고 백제는 백제라는 것입니까?

전진국 : 예, 그렇습니다.

최성락 : 쉽게 이야기하면 그런 의미라는 겁니다. 알겠습니다. 질문은 많이 준비되었는데 제가 앞에서 나머지 질문을 잘라버렸으니 하나 밖에 질문하지 못하였기에 추가 질문을 받겠습니다. 조금 더 질문하고 싶으신 부분 있으시면 부탁드리겠습니다.

배재훈 :『晉書』내에서 마한이 등장하는 기록 양상은 상당히 구체적입니다. 우리는 일반적으로 중국인들이 간접적으로 한반도를 지배했기 때문에, 그들의 한반도에 대한 역사상이나 정치에 대해 인식은 편협했다거나 제한적이었다라고 생각하기 쉽습니다. 그런데『晉書』제기에서 언급되는 내용들은 구체적으로 마한 왕이 사신을 보냈다. 이런 식으로 되어 있습니다.

　　3세기 중후반, 3세기 후반 경에 주로 이런 기록이 나타나는데, 이 '마한 왕'을 어떻게 봐야 하는지가 문제입니다. 대체적으로는 이것을 백제왕이 마한 왕을 참칭했다거나 혹은 칭했다고 보는 견해가 주류를 이룹니다. 그리고 기본적으로 이 문제는 인식 틀의 문제입니다. 마한이라는 세력이, 혹은 마한이라는 단어가 어떤 종족명이나 구체화되지 않는 집단에 대한 명칭으로 쓰였다고 할지라도, 중국 역사에서 마한은 이미 역사적 용어가 되어버렸습니다.

　예컨대 인식론적인 관점에서 이 지역에서 누가 왔다라고 했을 때, "그렇다면 마한 사람이 왔겠구나"라고 생각할 수 있었다는 것입니다. 그러한 경우 내가 그 지역의, 한반도 서남 지역에서 제일 잘 나간다고 했다면, 그 주체는 마한 왕이라고 참칭했을 수 있었을 것입니다. 이것은 제 생각이지만, 이런 가능성이 있다고 했을 때, 그것을 적어도 이 시점, 3세기 후반에 내세울 가능성이 높은 사람은 아마도 백제 왕이었을 가능성이 높다고 생각됩니다.

　질문이라기보다는 이 부분과 연관된 제 생각을 말씀드린 것으로 선생님께서 달리 생각하시는 바가 있으시면 말씀해주시기 바랍니다.

최성락 : 예, 알겠습니다. 질문한 의도를 쉽게 표현하면 『晉書』 기록을 어떻게 보느냐에 따라, 마한왕을 백제왕이라는 입장과 마한왕이라는 입장으로 나뉜다고 볼 수 있습니다. 발표자께서는 마한왕으로 해석하는 것이죠?

전진국 : 예, 선생님. 저도 이 부분과 관련해서 2017년에, 머리말 각주 1번에 제시한 「『晉書』에 보이는 馬韓의 대외 교류와 百濟의 성장」이라는 주제로 논문을 썼습니다. 저는 이 부분에서는 배재훈 선생님과 조금 의견을 달리하는 입장을 가지고 있습니다. 『진서』 마한전에서는 백제가 특별히 큰 나라로 기록된 바 없습니다. 물론 280년대 백제는 마한 여러 나라 중에서 큰 나라이고 경기도 지역 대부분을 통합한 단계로 설정해 볼 수 있겠죠. 그러나 어

디까지나 마한이라는 개념은 하나의 나라가 아니고 54개의 나라 전체를 말하는 것이고, 전라남도 지역까지 포괄하는 광역입니다. 따라서 진서의 마한 왕은 54국 각각의 왕을 말하는 것으로 보아야 한다고 생각합니다.

최성락 : 네, 알겠습니다. 이 부분은 연구자의 소신 차이입니다. 이를 맞다 틀리다 말하기는 어렵고, 실제 현재 역사학계에서도 나눠지고 있기 때문에 이를 가지고 계속하여 토론하기는 어렵습니다. 첫 번째 주제에 대해서는 여러 질문이 준비되어 있지만 계속할 수 없기 때문에 이 정도에서 마무리하고, 나중에 시간 여유가 된다면 추가 질문을 받아 진행하도록 하고, 두 번째 발표로 넘어가도록 하겠습니다. 정동준 선생님의 발표에 대해 문안식 선생님이 질문해 주시겠습니다.

문안식 : 정동준 선생님의 글은 일목요연하게 마한과 백제의 관계, 백제의 마한의 진출과정을 볼 수 있도록 최근의 연구 성과까지 잘 정리되어 있습니다.

　선생님께서는 금강이남 전북지역, 영산강유역을 비롯한 전남 서남해 연안지역, 전남 동부지역 이렇게 3가지의 공간적 범위로 구분하셨습니다.

　삼국사기는 우리나라에서 가장 오래된 역사책으로 백제본기에 의하면 온조왕 당대에 이미 영산강유역 그리고 전남지역의 마한세력은 백제에 병합되어 있습니다. 백제사만 있을 뿐이고, 마한사는 백제의 건국 후 사라지는 것으로 기록되어 있습니다. 하지만 다른 사료에 의하면 3세기 후반에도 마한관련 기록이 남아있습니다. 사료의 차이로 우리는 백제본기에 보이는 마한 관련기록에 대해서 일반적으로 믿지 않습니다.

발표자께서 말씀하셨던 《日本書紀》神功紀 기록을 보면 남만(南蠻) 자료가 있는데, 영산강 유역의 마한지역과 관련된 기록일 가능성이 높습니다. 이병도 선생님 이래 통설로 받아들여지고 있으며, 백제가 근초고왕 때 이르러 369년 무렵에 전남 남해안까지 진출한 사실을 반영하는 것으로 보고 있습니다.

발표자께서는 그것마저도 부정하고 있습니다. 전남·전북지역이 근초고왕 전후에도 백제의 지방지배가 실현 되지 않았다는 점을 지적하는 것 같습니다. 또한 영산강유역 마한사가 통설과는 다르게 어쩌면 6세기 전엽까지도 백제와 다른 독자적인 역사를 이루었을 가능성은 높습니다. 영산강 유역의 여러 고고자료를 통해서도 입증될 수 있습니다.

첫 번째 질문은 노령 이남은 우선 차차하고, 노령이북과 금강이남지역에 분포한 마한의 하한을 언제까지로 볼 수 있는지? 혹시 문헌기록을 통해 이해할 수 있는지? 의견을 말씀해 주시기 바랍니다.

두 번째 질문은 고고유적에서 백제와 다른 영산강유역의 정치적인 집단이 있다면, 이들의 실체가 마한인지 아니면 마한과 다른 제 3의 집단인지, 아니면 가야와 연관된 집단인지? 아니면 어떤 다른 갈래인지 선생님의 의견을 여쭤보고 싶습니다.

세 번째로는 전남 동부지역에 해당되는 섬진강 유역의 진출과정과 영역화를 말씀해 주셨습니다. 저도 그 부분에 동의하지만, 523년도부터 600년(7세기 중반)까지 정리하면 80년이라는 큰 시간 범위가 설정이 되어 조금 좁혀 보았으면 합니다. 사실

백제가 서울에서 웅진으로 천도하는 475년 이후에 대가야가 팽창하면서 전북 동부와 전남 동부지역의 영역화, 정치세력화, 문화적 융합과정은 인정할 수 있습니다. 그 이후에 백제가 다시 웅진과 사비로 내려오고 방군성제로 이어지면서 대가야와 충돌에 대해서는 《日本書紀》와 고고자료에 남아 있습니다.

특히, 선생님께 한 가지 말씀드리고 싶은 점은 530년 무렵에 백제가 함안 일대에 城主를 파견한 기사입니다. 이는 538년 사비천도 이후에 최초 보이는 방군성제 관련 기록인데, 사비 천도 이후에 지방지배를 강화하기 위해 방군성제를 설치하기에 앞서 경남 서부지역으로 진출했을 가능성을 시사합니다.

이렇게 본다면 성왕 때에 앞서 무령왕 치세 때에 경남 서부와 호남의 동부지역까지 백제의 영역지배가 일정정도 이루어졌을 가능성이 있지 않을까 생각됩니다. 이 세 가지를 선생님께 말씀드립니다. 이상입니다.

최성락 : 네, 세 가지 질문입니다. 두 번째 질문은 마지막에 정리하는 게 좋을 것 같습니다. 첫 번째와 세 번째 질문만 답을 해주시길 바랍니다.

정동준 : 예, 먼저 첫 번째는 근거를 대기가 조금 어렵긴 합니다. 대략적인 시기를 결론부터 먼저 말씀드리면 웅진천도를 정한 시기부터 내려오면 6세기 초반, 510년을 넘지 않는 시점 정도를 볼 수 있다고 생각합니다. 예를 들어 일단은 이 시기를 어느 정도 백제 영역권에 들어온 시기로 보고 있는데 그렇다면 그 이북지역은 그보다 좀 더 강화된 지배력이 펼쳐지진 않았을까 하는 하나

의 근거자료로 볼 수 있습니다. 또 하나는 웅진천도 이후에 천도를 하게 되면서 백제의 전반적인 지배체제가 흔들리는 상황에 놓였을 때 이를 복구하기 위한 임시적인 수단으로 저는 보고 있습니다. 그렇다면 영역화로 나아가기 위한 중간단계라고 봤을 때 처음에는 안보일 시점이고 마지막으로 보이는 게 495년이니까, 이 시점이 끝나는 시점을 전후한 정도에는 일부지역은 왕권 쪽 지지자들 먼저 영역화 시키고 일부 지역은 어느 정도 정리해서 영역화로 나가는 동시기적인 과도기로, 동성왕 때는 이러한 시기로 설정할 수 있지 않을까 그 정도로 말씀드리겠습니다.

섬진강유역에 대해서는 제가 미처 못 살핀 부분입니다. 530년 사료를 지적받고 다시 살펴보니 큰 거는 아니지만 530년이 아니고 531년입니다. 그 내용을 보면 안라 근처로 지금 함안지역으로 추정되는 지역에 군대를 파견하고 영향력을 미치고 했다는 내용입니다. 군대를 파견한다는 행동으로 나타났나는 것으로 봤을 때 함안 주변까지, 지금 지명으로 본다면 진주 정도까지 백제가 영향력을 행사할 수 있었다면 그 후방에 해당하는 섬진강유역은 어느 정도 안정화 되지 않았을까 생각되지만, 방군성제와 직접적인 연관은 곤란하다고 생각합니다.

방군성제와 관련된 자료를 찾아보니 백제가 가야지역에 성주를 파견했는데 이를 물리라는 사료가 나옵니다. 적어도 이 시기에는 명확하게 나오기 때문에 방군성제의 시점은 일단 함안은 그 시기로 볼 수 있고 섬진강유역에 대해서는 530년대로 올려볼 수 있다는 지적에는 어느 정도 소급할 수 있다고 답변을 드릴 수 있습니다.

최성락 : 예, 대답은 자세히 하셨는데 정리가 부족한 것 같습니다. 3번부터 정리하면 질의자가 질문할 때는 백제가 530년경 섬진강유역에 진출하였고, 영역화되었다고 보는데 발표자께서는 그보다 더 늦다고 보시는 것입니까?

정동준 : 예, 그렇다고 생각하고 있습니다.

최성락 : 예. 이렇게 정리하도록 하도록 하고 4세기 후반부터 6세기까지의 문제는 제가 별도로 다시 질문을 드리겠습니다. 이해해주시길 바랍니다. 세 번째 김진영 선생님의 주제 발표에 대해서 최영주 선생님이 질문해주시겠습니다.

최영주 : 예, 저는 소개 받은 최영주입니다. 간단하게 질문을 하고자 합니다. 주로 전공하는 시기는 발표해주신 김진영 선생님보다 뒤에 발표하시는 강은주 선생님 발표했던 시기가 주 전공시기로 분구묘와 주구토광묘의 관계, 시기 및 연대가 관심 분야입니다. 특히 오늘 김진영 선생님께서는 영산강상류지역 마한 형성기의 고고학 자료를 통해 유적의 성격이나 특징을 잘 살펴봤습니다. 간단하게 4가지 문제를 질의를 드렸습니다. 첫 번째부터 세 번째까지만 질의를 드리고 4번째 질의는 강은주 선생님께 해당하는 시기이기에 넘어가도록 하겠습니다.
　필자께서는 영산강 상류지역 마한형성기를 기원전 3세기~기원후 2세기 중후반까지 3단계로 구분하고 해당되는 표지적인 유적·유물을 근거로 들었습니다. 제시하신 시기구분과 표지 자료에 대한 필자와의 차이가 있어 부연적인 설명이 해주셨으면 합

니다. 제가 궁극적으로 질문을 하고 싶은 것은 2세기 중후반을 3단계로 편년을 하셨는데 언급하신 광주 평동유적, 복룡동, 담양 태목리 유적에서는 도시화 현상이 나타난다고 보셨습니다. 많은 자료가 소개가 되었지만 이 자료가 증가하는 것은 3세기 이후 자료가 많이 때문에 시기를 좀 더 늦춰봐야 하지 않을까 합니다.

2번 문제는 마지막 질의와 같은 맥락인데, 실제로 저 같은 경우는 광주 동림동유적을 발굴을 했습니다. 조사 당시 주거지 바닥면에서 타날문토기와 경질무문토기가 같이 확인되었습니다. 본문에서는 2세기 중반이 되면 전부 타날문토기 일색으로 변화한다고 보고 있는데 이 부분에 대해서 의견을 듣고 싶습니다.

세 번째는 광주 신창동유적에서 광주 복룡동, 평동 일대인데 중심지가 되는 계기를 변·진한의 철기 유통망의 영향을 받아서라고 말씀하시고 계십니다. 그렇다면 유통망의 변화가 영산강상류사회 마한사회에 어떤 영향을 주어서 중심지가 이동하는지에 대한 세부적인 검토가 없이 서론적인 주장으로 이 부분에 대해 생각을 듣고 싶습니다.

최성락 : 네. 세 가지 질문입니다. 김진영 선생님 답변 부탁드립니다.

김진영 : 네. 제가 원고를 작성하는 과정에서 느꼈던 부분을 최영주 선생님께서 날카롭게 지적해주셨습니다. 현재까지 제가 가지고 있는 자료를 가지고 설명을 드리도록 하겠습니다.

제가 발표한 시기는 범 시대, 즉 3~5세기, 6세기까지 우리가 마한이라고 생각하고 있고 그 시기에 집중하고 있었던 가장 큰 이유는 랜드 마크가 있었기 때문입니다. 즉 옹관고분과 같은 랜드 마크가 있었는데 오늘 제가 발표를 한 시기에는 이러한 랜드 마크가 보이지 않아 딱 집어 말씀을 드리기에 상당히 어려운 부분들이 많이 있습니다. 제가 오늘 발표한 시기의 성격에 대해 말씀을 드리자면 전개성과 불확실성으로 정리를 해보고 싶습니다. 이것들을 해소역할을 한 것이 새로운 문화 교통로에 열린 이야기를 하고 싶었습니다.

최영주 선생님께서 마한의 형성시점과 관련하여 다른 연구자들께서 1단계를 기원전 5세기 ~ 4세기까지 보는 견해가 있는데 이 부분을 어떻게 생각하느냐란 부분입니다. 이 부분은 아마도 세형동검문화와 세형동검문화가 포함하고 있는 같이 어우러져 나오는 원형점토대토기문화가 한반도에 언제 유입되었는지 하는 그 시기와 맞물린다고 이해를 해볼 수 있다고 생각합니다.

금강유역 중동부지역과 관련해서 볼 수 있다고 생각됩니다. 통상적으로 이 견해를 가지고 있는 분도 있지만, 더 높게 기원전 7세기경까지 AMS자료를 통해 보시는 연구자도 있습니다. 중동부지역에 세형동검문화가 한반도 영산강유역까지 확산되는 시기는 통상 1단계로 구분한 시기 중에 4~3세기경에 정말 간헐적으로 1~2개 유구에서 확인되는 정도라고 말씀을 드리고 싶습니다. 충청도지역에 점토대토기 문화가 확산되는 과정에서 영산강유역에 왔다는 점이 큰 의미를 가진다고 볼 수 있습니다.

그 다음으로 제가 구분한 3단계에 대한 부분에 대해 말씀해 주셨는데 원고를 작성하면서 표현을 하지 못했던 부분으로 보입니다. 제가 기술하는 과정에서 저의 실수입니다. 저도 최영주 선생님과 마찬가지로 일부 도시화 현상이라고 표현을 했는데 이런 부분은 전체 자료를 통해 봤을 때도 3세기 때 이후에 나타나는 양상

들입니다. 제가 구분하는 3단계, 기원후 2세기 후반에 해당한다
는 것입니다. 영산강유역에서 3~4세기에 구분되고 있는 마한유
적들의 세세한 유구의 상황들을 출토유물과 본다면 기원후 2세기
중후반까지 올라가는 주거지들이 광주 평동, 담양 태목리 유적을
비롯하여 영산강 중·하류 쪽으로 가면 분명히 있기에 그 부분을
염두를 둔 것으로 표현상의 오류가 있었다고 말씀드립니다.

　마지막 3번입니다. 광주 복룡동 유적군 일대에 집중화 현상을
변·진한의 철기유통의 변화와 맞물려서 나타난다고 이해를 했
다는 말씀인데, 아직까지 영산강유역에서 철기유물의 자료는 많
지가 않습니다. 변·진한의 자료 중 진한지역을 보면 경주 황성
동유적에서 철기를 생산·유통했던 양상들이 확인이 되고 일정
부분 매우 1~2점이긴 하지만 영산강유역으로 넘어오는 모습이
확인됩니다. 그런데 기원전 1세기가 넘어가면서 변·진한의 철
기유통망이 경주에서 김해지역으로 넘어가는 부분은 거의 통설
적인 내용입니다. 이러한 변화와 더불어서 영산강유역의 양상을
봤을 때 광주 신창동유적이 기원전 1세기에 급격하게 해체되고,
지금 현재까지 조사된 자료를 봤을 때 복룡동 유적이 성장하는
것을 봤을 때 아마도 해양성 전통이 요구하는 선택이 있었을 거
라는 말씀을 드리고자 합니다. 이 부분은 비단 복룡동유적만을
한정해서 보는 것이 아니라 영산강에 있는 해남 군곡리 유적과
연계를 해서 설명을 해야 될 것으로 생각됩니다.

　보다 구체적으로 뒷받침해줄 수 있는 실질적인 철기유물들이
출토되지 않습니다. 그런데 1세기가 넘어 가면서 영산강유역 토
광묘 내에서의 철기 부장이 1점 또는 2점을 부장한 토광묘 수가
늘어나고 있고 이러한 토광묘들이 영산강유역 전역에 걸쳐서 산

발적으로 분포하고 있다는 점은 영산강유역의 어떤 정치체의 성장과정에서 매우 중요한 의미를 가지는 것으로 보고 그것이 곧 군사력의 확보, 즉 정치적으로 성장을 하기 위한 이 지역의 모습으로 이해하고자 했습니다. 이 부분은 앞으로 제가 더 집중적으로 검토해보도록 하겠습니다.

최성락 : 최영주 선생님, 추가 질문 있으십니까? 청중 여러분들에게 한 가지 설명을 해드리면 무덤으로 보면 연대가 정확하지 않습니다. 마한의 형성을 어떻게 보느냐를 앞에 발표를 해주셨습니다만 대체로 기원전 2세기, 올라가도 3세기에 삼한의 형성 또는 마한의 형성을 보고 있지만 고고학에서의 연대는 유물을 가지고 결정하기 때문에 딱 떨어지지 않는 점을 말씀드립니다.

또 하나는 우리나라 고고학에서는 마한의 형성을 세형동검이나 점토대토기를 기준으로 잡기 때문에 호남지역에서 기원전 4~3세기, 중부지역에서는 기원전 5세기까지 올라가는 차이가 있습니다. 제 개인적인 생각으로는 세형동검과 점토대토기를 가지고는 삼한의 형성을 이야기 하기는 곤란하다는 입장입니다. 기원전 2~3세기에 철기문화가 들어오는 단계부터 잡는 것이 더 명확하지 않을까 생각하지만 이건 제 개인적인 생각입니다.

일부 고고학자들은 삼한의 형성을 기원전 4~5세까지 올리는 분도 있고, 다른 연구자들은 기원전 3세기부터 잡는 분도 계십니다. 그리고 기원전 2세기로 보기도 하여 모순으로 보이기도 합니다만 유적만으로 연대를 정할 수가 없습니다. 그러한 현상이 문제가 아닌가 싶습니다. 그런 정도로 정리를 하겠습니다.

4번째 주제인 박수현 선생님 발표에 대해 별도의 질문자가 없습니다. 발표자와 토론자 중에서 의문이 있으시면 질문해 주시기 바랍니다. 이를 준비하는 동안 제가 질문을 드리겠습니다. 박수현 선생님의 발표를 통해 영산강상류인 담양지역에서 많은 유적과 중요 유적이 조사되었음을 알 수 있습니다. 다만 이것을 종합적으로 정리하는 노력이 부족하지 않았나 싶습니다. 제 질문은 114쪽의 첫 번째 월전고분이 통상 전방후원형 고분, 장고분의 범위에 들어오는지 시굴결과를 보고는 조금 애매하다고 생각합니다. 발표자께서는 이를 어떻게 보시는지 시굴결과를 보고 전방후원분, 장고분으로 볼 수 있는지 질문 드리겠습니다.

박수현 : 예. 사실 토론자가 없어서 마음을 놓고 있었는데요. 일단 시굴조사를 담당한 보고자들의 의견을 1차적으로 반영하여 소개하였습니다만, 담양 월전고분의 분형은 훼손된 부분이 있고 또한 전방후원분의 매장주체부가 주로 원형분 쪽에서 확인되는 것에 반하여 자료집 125쪽 항공사진을 보게 되면 석실이 위치하는 곳이 방형분으로 판단되거든요. 이러한 부분들은 앞으로 세밀하게 검토해야할 부분으로 생각합니다. 덧붙여 담양 월전고분의 출토유물이 광주 월계동 전방후원분의 출토유물과 유사하다는 점도 앞으로 검토 과정에서 함께 면밀하게 검토되어야 하지 않을까 싶습니다. 여기까지 말씀을 드리겠습니다.

최성락 :예. 담양군에 전방후원형고분이 2기가 있습니다. 한 고분은 전혀 조사가 안되었고, 다른 고분은 조사를 했지만 이게 진짜 다른 전방후원형고분과 동일한지 조금 궁금합니다. 정밀조사가 필요한 부분이지만 시굴하고 애매한 상태에서 끝나버려서 안타까운 생

각이 듭니다. 나머지 1기도 연구자로서 궁금한 부분이 많이 있습니다. 담양군에서 전방후원형고분의 유무는 큰 차이가 있기 때문에 언젠가는 조사가 되어야 하며 잘 보존되고 활용되기를 요청하겠습니다.

그 외에도 보면 많은 중요한 유적들이 발표가 되었습니다. 이를 앞으로 어떻게 보존하고 관리하느냐가 큰 문제입니다. 혹시 또 질문하실 분 안계십니까?

청　중 : 110쪽 8번 청동기시대 출토유물 제일 앞의 유물은 무엇인가요?

박수현 : 구연부에 각목이 새겨진 각목돌대문토기입니다. 청동기시대 조기의 표지적인 유물 중 하나로 담양 태목리 유적, 담양 성산리유적 등에서 출토된 바 있습니다.

최성락 : 아마 잘 아시겠습니다만 돌대문토기는 우리나라 청동기시대 조기 토기에 속합니다. 기원전 1300년경 청동기시대로 넘어온 단계에서 아주 중요한 토기입니다.

질문이 없으시면 다음 토론으로 넘어가도록 하겠습니다. 다섯 번째 토론입니다. 강은주 선생님의 발표에 대해서 이지영 선생님이 토론해주시겠습니다.

이지영 : 네. 강은주 선생님의 발표에 대한 토론을 담당한 이지영입니다. 선생님께서는 영산강상류에서 3~6세기 대 유적을 중심으로 살펴보셨습니다. 생활유구와 분묘유구로 구분을 지어서 분포와 특징을 살펴보셨습니다. 또 편년된 토기상을 바탕으로 영산강

세력의 성장에서 백제화되는 과정을 크게 3단계로 나누어서 구분해주셨습니다.

전반적인 발표내용은 2018년도까지 확인된 새로운 신규자료를 추가하셨다는 점에서 의미가 있다고 생각합니다. 내용을 듣고 3가지로 구분해서 토론문을 작성해 보았습니다. 먼저 분기 설정 근거에 대한 부분입니다. 영산강유역은 근초고왕의 남진 이후 주변지역에 새로운 영향이 미치기 시작하면서 토기상에 있어서도 새로운 변화가 확인된다고 할 수 있습니다. 특히 상류지역은 비교적 외래요소의 유입이 조금 더 일찍부터 시작되었다는 의견이 많이 있습니다. 발표자께서는 영산강양식의 성행과 외래요소의 유입이라는 큰 특징을 가지고 2단계의 상한을 2세기 중엽부터 보셨습니다. 이렇게 늦춰보시는 근거가 무엇인지에 대한 궁금증이 있습니다.

1단계에는 영산강양식이라는 표현을 쓰지 않으셨습니다. 2단계부터 이런 표현을 사용하셨는데 이렇게 좀 더 강조하게 된 이유가 무엇인지, 발표자께서 생각하고 계시는 영산강유역 양식이라는 개념이 무엇인지 보충설명을 부탁드리겠습니다.

두 번째는 방형건물지에 대한 검토입니다. 발표자께서 주거유적에 대한 사례들을 정리하시면서 방형건물지에 대한 사례도 함께 소개해주셨습니다.

방형 건물지는 일반적인 수혈 건물지와는 다르고, 규모도 상당히 대형이며 구조적인 차이가 조금 있습니다. 지상화 된 구조의 주거지라 볼 수 있는데 일부에서는 특수기능을 가진 시설로도 판단하고 있습니다. 이러한 방형 건물지가 백제의 중심지역이라고 볼 수 있는 지역에서 많이 확인이 되고 있고, 벽주건물과도 유사한 구조를 갖추고 있습니다.

영산강유역에서도 일부 중·하류지역은 5세기 중엽경에 등장하는 것으로 보고 있는데, 특히 영산강상류에 집중되는 양상을 보이는 것 같습니다. 이런 점이 가장 특징적이라고 할 수 있습니다. 발표자께서 언급하시는 단계적 양상에는 이 부분이 빠져 있는 것 같아 이 부분에 대한 등장배경과 기능에 대한 발표자의 생각을 들어보고 싶습니다.

개인적인 의문이긴 한데, 저도 관련된 방형 건물지를 조사한 경우가 있어서 이러한 방형 건물지라는 개념이 아직은 정립이 되지 않는 것 같습니다. 일반적으로 지상식 건물지라고 부르는 그런 개념과 분리되어 해석하는 경우가 있는데 그런 용어적인 부분도 발표자의 생각을 들어보고 싶습니다.

마지막으로는 이번 발표·토론 전반적인 학술대회의 전반적인 주제가 영산강유역 상류가 대상이 된 것 같습니다. 발표자께서 발표하신 시기에서 볼 수 있는 영산강상류만의 고대문화의 특징을 간단하게 언급해주시면서 마무리 해주시면 감사하겠습니다.

최성락 : 네, 답변 부탁드립니다.

강은주 : 네. 답변 드리겠습니다. 첫 번째 질문입니다. 분기 설정의 근거는 영산강양식이라는 새로운 문화, 기종이 아니라 기존에 있던 양식에서의 지역색 같은 것이라고 볼 수 있습니다. 1기, 1단계라고 하는 것들을 보면 크게 새로 들어오는 기종이 없기 때문에 영산강양식이라는 표현은 사용하지 않았습니다. 설령 있더라도 그것에 대해서 저는 간헐적인 유입으로 보고 있습니다. 여

러 유적들에서 동일한 양식 자체가 발견이 되면 하나의 양식이 형성된 것으로 볼 수 있겠지만, 1단계에서는 일부 유적들에게서만 보이기 때문에 2기부터 영산강양식이 성립, 그리고 영산강양식으로 볼 수 있는 새로운 기종들이 등장한 것부터 보고 있습니다. 영산강양식으로 판단되는 것들 중에 유공광구호는 1단계 후반에 등장하지 않았을까 추정됩니다. 영산강양식 자체는 새로운 기종이 아니라, 기존에 있던 것들이 외부에서 들어온 것들에 비해 그 지역에 맞춰서 변화하는 지역색 자체라고 저는 생각하고 있습니다.

두 번째는 방형 건물지에 대한 것입니다. 방형 건물지는 벽선 자체가 확인되지 않기 때문에 지상식 건물지라고 볼 수 있습니다. 저도 이번에 자료를 정리하면서 이 용어가 얼마나 타당한지 고민했습니다. 충청지역의 경우 주구부 건물지라고 표현을 하고 있습니다. 영산강 상류지역에서 보이는 방형 건물지도 어떻게 보면 주거지 자체가 상부에 있기 때문에 지상식 건물지와 동일하게 볼 수 있고, 다만 주구가 추가된 것으로 볼 수 있겠습니다. 그렇다면 영산강유역과 충청지역 등 다른 지역과 비교 검토를 통해 주구부 건물지와 같은 용어가 적합할 수도 있다고 생각했습니다. 이번 자료를 정리하면서 우선은 기존 보고서에 있던 것들을 그대로 반영하여 방형 건물지로 기술하였습니다. 2단계로 볼 수 있는 시기에 방형 건물지가 출현하고 규모가 크다는 점, 특히 광주 산정동유적 28기 중에서 중복되는 방형 건물지가 확인되었기 때문에 일반적인 주거지 건물과는 다른 특수한 기능이었을 것으로 생각하고 있지만 아직까지는 자료가 좀 더 축적되고 분석이 이루어져야 할 것 같습니다.

세 번째는 영산강 상류지역 고대문화의 특징입니다. 영산강 유역 전체적으로 보면 상류쪽이 영산강양식이라고 볼 수 있는 것들의 성행하는 시기가 조금 빠르다는 생각이 듭니다. 영산강 양식의 형성 이후 성행기에는 분묘유적보다는 생활유적에서 많이 출토되고, 다른 지역과 비교할 때 많은 영산강양식이 확인되는 점이 특징인 것 같습니다.

정리하자면 영산강양식이 형성되고 성행되는 시기가 다른 지역에 비해서 빠르다는 특징이 있습니다. 영산강 상류쪽에서 생활유적과 분묘유적 중에 생활유적 자체가 외래적인 요소가 많다는 것이 특징적으로 이것은 제가 2단계의 특징으로 언급했던 교류거점의 역할과 연관되지 않을까 생각합니다.

최성락 : 네, 감사합니다. 영산강상류지역의 고대문화의 특징은 앞으로 조금 더 연구해야 될 부분입니다. 지금 말씀하신 것과 같이 현재까지 중하류지역에는 고분문화가 발달된 것에 비해 상류지역은 생활유적이 많습니다. 이는 조사가 많이 이루어진 부분도 있겠지만 앞으로 연구되어야할 과제라고 생각합니다.

질문 중에 방형건물지가 이슈가 될 것 같은데, 질문자께서는 혹시 다른 생각이 있으십니까?

이지영 : 예. 저는 다른 생각이라기보다는 방형 건물지가 이 지역만의 주거문화는 아니라는 생각을 가지고 있어서 외래문화의 유입이 이 주거라는 문화에도 확인되었던 핵심적인 증거가 되지 않을까란 생각에서 질문을 드렸습니다.

최성락 : 혹시 백제 양식의 벽주 건물과 연관시켜 보신 것인가요?

이지영 : 네, 그 부분이 가장 큽니다. 백제중심지역에서 이러한 벽주건물
이 많이 확인이 되고 있고 유사한 구조이기 때문에 관련지어서
말씀드렸습니다.

최성락 : 아마 앞으로 그 부분은 연구를 해봐야 될 부분으로 생각됩니다.
사실 5세기가 되면 영산강유역 고대문화가 상당히 활발해집니
다. 일본, 왜, 가야, 백제 문화요소들이 다양하게 유입되는 시기
이기 때문에 여러 지역의 문화와 서로 교류가 이루어졌고 그 양
상이 영산강유역에서 꽃피는 것입니다. 저는 30년 이상 고대문
화를 연구를 해오면서 영산강유역의 문화가 가장 활발했던 때
가 언제냐고 하면 바로 5세기부터 6세기 전반까지입니다. 이것
이 우리나라 어느 지역 못지않게 활발하게 나타나고 있습니다.
그런 양상의 하나라고 생각합니다. 이정도로 정리하겠습니다.
　마지막으로 여섯 번째로 이영덕 선생님께서 담양지역의 유
적, 특히 태목리 유적을 중심으로 어떻게 활용할 것인지 이 부분
에 대한 발표가 있었습니다. 윤재득 선생님 질의 부탁드립니다.

윤재득 : 예, 안녕하십니까? 담양군청 문화재담당 윤재득입니다. 앞서 주
제 발표나 토론을 해주신 분들이 마한에 대해서 문헌사료나 발
굴조사를 토대로 결과성과물들을 마한에 대해서 역사나 문화를
논해주셨습니다. 실질적으로 그 성과물들을 어떻게 현실적으로
풀어나갈 것인가 하는 문제에 대해서 이영덕 선생님께서 발표
를 해주셨습니다.

저 또한 문화재 행정을 담당하면서 상당히 많이 공감되는 부분도 있었습니다. 발표자 선생님께서 태목리·응용리유적에 대한 깊이 있는 부분을 말씀해 주셨습니다. 국가 또는 전라남도 문화재 지정을 통해 관리해야하며, 유적의 범위를 명확하게 하기 위해 지표조사 및 시굴조사를 우선적으로 시행해야 하는 의견, 하천습지를 연계하여 관광객 말씀도 해주셨습니다. 그리고 장기적으로는 사람중심이 되는 문화자원으로서 야외 박물관운영도 제안을 해주셨습니다. 상당히 공감이 가는 부분입니다.

먼저 질의에 앞서 저희 태목리·응용리유적에 대한 문화재 지정과정에 대해서 간단하게 설명을 해드리게 좋을 듯싶습니다. 태목리·응용리유적에 대해서는 2014년도에 담양 대전천 수질정화복원 조성사업으로 토지매입을 실시하면서 사업예정부지에 지표조사~발굴조사까지 일련의 과정을 거쳤지만 유적에 대한 학술적 역사적 가치로 보아 군에서 사업을 중단하고 보존을 하자는 결정을 내렸습니다. 그 이후에 2016년에 국가사적 지정을 위해 국제학술대회를 개최했고 2017년에 사적 지정신청서를 문화재청에 제출하고 유적의 명확한 성격 등을 파악해서 발굴조사 면적을 조금 더 확대한 후 재심의 및 전라남도 문화재 지정공고가 나왔습니다. 2019년 2월 전남도에 전라남도 기념물 지정신청서를 제출하고, 국립나주문화재연구소에 향후 학술조사나 발굴조사에 협조요청을 보내는 한편 현재 군비를 확보해서 일정부분 발굴조사가 진행되고 있다는 말씀을 먼저 드리겠습니다.

저는 3가지를 질문했는데 두 번째는 이영덕 선생님께서 주제발표시간에 많은 부분을 이야기 하셔서 제외하겠습니다. 궁극적으로 태목리·응용리유적이 가는 방향이 야외박물관 사람중심

이 되어야 한다는 것에 충분히 공감하고 있습니다. 호남문화재
연구원에서는 지역문화유산프로그램을 하고 계신 것으로 알고
있습니다. 지금 응용리나 태목리 유적의 활용방안에 대한 초장
기라고 보고 있습니다. 다른 지역에서의 사례 프로그램들이 있
으면 구체적으로 말씀해주시면 감사하겠습니다.

　마지막으로 저희들이 작년 2018년에 담양이라는 지명을 갖는
역사문화 기념사업들을 준비했는데 그중 하나가 기초역사자료
사업을 진행했습니다. 그 와중에 나왔던 것이 지역학 개념으로
서 담양학에 대한 관심이 서서히 일어나고 있는 추세인데 마한
유적이 담양학 관점에서 어떤 위치에 해당하는지 간단하게 말씀
해 주시면 감사하겠습니다. 이상입니다.

최성락 : 네, 이영덕 선생님. 답변해주시길 바랍니다.

이영덕 : 과정을 조사한 것이 발굴이고 그 다음이 현재 사람들이 미래를
생각하는 과정이라고 생각합니다. 우리가 현재 유적에서 어떤
행위자체는 어렵습니다. 태목리유적을 예를 들어 말씀드리겠
습니다. 학술적으로 조사된다면 유적 주변의 경계가 어디까지
인지 조사를 하는 점이 지역주민들과의 공감대가 형성이 되어
야 합니다. 이 부분은 재산권 행사문제도 있으며, 지역주민들의
생활권이기 때문에 반대도 있을 수 있습니다. 경계를 찾고 나서
그 다음의 문제는 계속 말씀드리는 부분으로 삼국시대 대단위
취락이라는 개념 속에서 대단위 취락의 실체적 접근할 수 있는
어떤 프로그램들이 필요하다고 생각합니다. 구체적으로 삼국
시대 주거문화 복원 프로젝트 같은 일련의 과정이라고 할 수 있

습니다. 태목리 유적에서 발굴된 집을 통해서 주변에서 집을 한 채 짓는 것입니다. 연구결과를 근거로 지역주민들과 집을 짓고 그게 10년이 되면 10채가 되는 것입니다. 10채가 되는 과정에서 집을 짓는 결과물을 만들어 내는 것이 아니라 그 과정자체가 지역주민들과 같이 하는 것이고 심지어 일체가 되었을 때는 그것이 하나의 단위가 되는 겁니다.

그럼 하나의 베이스캠프라고 할 수 있습니다. 물론 주거지만을 가지고는 어렵기에 태목리 출토 토기를 통해 토기를 제작하거나 구울 수도 있습니다. 이러한 프로젝트들이 준비되고, 종합정비 계획 속에서 전시관이나 체험센터가 된다면 그것이 국가에 산을 받으면서 정비가 이루어 질수 있다는 생각이 듭니다.

다음은 담양학 이야기를 하셨습니다. 저도 담양학에 대한 전반적인 매커니즘은 잘 모릅니다. 하지만 제가 발표할 때 담양하면 무엇이 생각나는지 보면, 시가 문화 외에 없다고 인식을 하는 것입니다. 인류가 흔적은 10만년 전부터 확인됩니다. 10만년 전부터 지금까지 구석기-신석기-청동기시대 이 과정들에 대해서 직접관련이 있든 없든, 그것의 근간들을 찾아내는 작업들이 인문학의 개념 속에서 담양지역에서는 담양학이 되는 겁니다. 유적이 있다는 것이 아니라 유적을 깊게 들어갈 수 있는 여러 가지 연구 내지는 방법들을 찾는 것이 필요하다고 생각합니다. 필요하다면 앞서 말씀드린 프로젝트 같은 계획을 진행하면서 왜 이 사람들은 여기에 무덤을 만들었을까? 이러한 고민을 할 수 있는, 이러한 것들도 인문학적으로 중요하다고 생각합니다.

최성락 : 네. 태목리 · 응용리 유적에 대해서는 저도 해야 할 이야기가 많

다고 생각합니다만, 우선 간단하게 태목리와 응용리유적의 의미를 생각해보고자 합니다. 사실 우리나라 선사시대부터 삼한단계 고대사에서 취락 규모로 봤을 때 가장 잘 남아있는 곳은 태목리 유적입니다. 다른 지역에 나온다고 하더라도 다 파괴되고 없으며, 거의 완벽하게 남아 있는 것은 태목리 유적입니다. 일단 여기서 의미를 찾을 수 있습니다.

아까 담양군청에서 사적 지정문제를 이야기 했습니다만, 언젠가는 사적이 될 것입니다. 절차를 밟으면요. 우리나라에 이만큼 잘 남아있는 유적이 없습니다. 태목리 유적은 우리나라 대규모 집단 취락입니다. 수 천 기의 취락이 남아 있는 곳입니다. 언젠가는 지정되어야 한다고 다시 한번 말씀드립니다.

또 담양학을 이야기하셨는데요. 제가 군수님에게 시작할 때 부탁드렸습니다. 이 담양학을 하기 위해서는 꾸준한 연구가 필요하고, 또 지역주민들에게 담양의 중요성을 계속 알리는 학술대회가 필요하다는 말씀을 드렸습니다. 그것이 잘 되기를 기원하는 의미에서 말씀드렸습니다.

자, 일차 지정토론이 끝났습니다. 마무리 짓기 전에 방청객 여러분들이 아침부터 지금까지 들으시면서 생긴 의문에 대한 질의사항을 받고 난 뒤에 마무리를 하겠습니다. 그래서 오늘의 핵심이 되었던 것을 정리하기 전에 혹시 여러분 발표자 토론자 중에 질문이 있으면 질문을 받고 정리하겠습니다. 질문을 간략하게 말씀해주시기 바랍니다.

청 중 : 영암군에서 왔습니다. 아침부터 열심히 들었습니다만 연구를 많이 하시고 정리잘 하셔서 발표해 주셨습니다. 저는 전공이 역

사는 아닙니다만 마한과 관련된 논쟁이 있더라고 정립해서 교과서에 넣어줬으면 합니다.

최성락 : 말씀 감사드립니다. 또 질문 있으십니까? 질문 더 없으시면 질문은 없는 것으로 하고 제가 처음 질문을 토론 중에서 끊었습니다. 오늘의 핵심이 무덤으로 본 마한과 백제 아닙니까?

진행 중에 유사한 두 가지의 질문이 나왔는데 가장 핵심이기에 그 마무리를 위해 뒤로 미뤘습니다. 삼한, 마한에 대한 기록만 본다면 290~300년경에 『삼국지』 위지동이전에 끝났습니다. 그 뒤에 영산강유역에 남아 있던 지명과 소국이 나오지만 그 실체를 무엇으로 볼 것인지가 하는 것이 첫 번째 질문이었습니다.

그리고 두 번째 주제에 대한 토론에서도 비슷한 질문이 있습니다. 발표내용에서 이미 답을 하셨지만 정동준 선생님은 그것을 우리는 마한으로 불러야 하는지? 에 대한 질문이 나왔습니다.

첫 번째 질문인 무덤으로 본 마한과의 백제의 관계, 또 영산강유역에 나타나는 마한을 어떻게 봐야 하느냐? 문헌적인 입장으로 전진국 선생님, 정동준 선생님께서 이야기를 해주시고, 질문자에게도 기회를 드릴 테니 간단하게 본인의 소신을 밝혀주시면 좋겠습니다.

전진국 : 예. 영산강유역이 『삼국지』 단계에도 앞서 말씀드린 것처럼 마한 50여국을 열거했을 때 저는 들어간다고 생각합니다. 또 한편으로 의문을 가질 수 있는 것은 『晉書』에서 나오는 마한 신미제국에 대해서 "역세미부(歷世未附)"라고 하여, 이제까지 중국과 교류가 없었다는 거죠. 그 부분을 중시해서 보면 『삼국지』 단계

에서 영산강 유역은 미지의 세계인지, 마한 신미제국을 어디로 볼 것인지 하는 점이 문제가 되겠죠. 하지만『삼국지』에 기술되어 있는 교류, 교통로를 통해서 보면 서북한 지역의 낙랑·대방에서 서해·남해 연안을 타고 내려가서 김해의 구야국을 찍고 왜(일본)까지 가는 교통로가 그려집니다. 그렇다면 분명 이 지역을 지나갔겠죠. 그리고 해남 군곡리나 고흥 그런 곳에서 발견되는 유물을 통해서 보아도 그러한 정황이 확인되고요. 따라서『삼국지』,『진서』에서 마한의 범주·범위로 기록된 것으로 생각됩니다. 그 이후는 정동준 선생님께서 말씀해 주셔야 할 듯싶습니다.

최성락 : 이어서 말씀해 주시죠.

정동준 : 연결이 되어 있습니다. 일단 앞부분 3세기까지는 전 선생님 의견과 크게 다르지 않습니다. 4세기 이후부터 마한이라는 것은 영산강유역이나 그 이북의 세력을 어떻게 볼 것인가 입니다.

저는 일단 새로운 세력이 들어와서 싹 바꿔버렸다는 것은 사료 상으로 보았을 때 그런 흔적을 찾을 수 없기 때문에 동의하기는 어렵다고 생각합니다. 기존의 세력이 소위 말하는 토착세력을 유지하면서 새로운 세력이 들어오면서 일부를 이루었을 뿐이지 주류로 성장하지 못했다고 생각을 하고 기존 세력이 주류로 남아 있다고 보는데 문제는 이름입니다.

과연 마한이 소위 말하는 목지국이라는 구심점이 없어지고도 마한이라는 이름을 그대로 사용했을 것인가? 제가 이 글을 작성하기 전까지는 그 생각을 했는데 이 글을 작성하면서 관련용어를 찾아보니까 마한의 구심점이라는 게 사라지고 나서 이 사람들이 다른 이름을 쓸 가능성도 있겠다. 자기들이 마한의 중심 세력도 아니었고 중심점이 사라졌다면 군이 그 이름을 대신할 필요성을 느꼈을까란 가능성을 염두에 둘 필요성도 있다고 생각합니다. 이 부분은 잠정적으로는 구 마한잔여 같은 학술용어로 부를 수 있겠지만 실제 그들이 마한이라는 이름을 사용하였는지는 새로운 자료가 나오기 전까지는 유보해 두는 게 좋지 않을까 생각합니다. 지금으로서는 마한이라고 부르는 게 일반화되어있지만 조심할 필요성이 있다고 생각합니다.

최성락 : 네, 연구자로서 신중한 입장을 말씀해 주셨습니다. 그 다음으로 배재훈 선생님과 문안식 선생님 각자 의견 부탁드립니다. 문헌사 입장에서 지금의 입장을 말씀 부탁드립니다.

배재훈 : 개인적인 입장입니다만, 삼국지 단계에서 마한은 중국과의 연관성이 높고, 중국문화에 대한 동경을 표면적으로 드러내는 존재라 할 수 있습니다. 이들 중 유력자는 한 군현에서 인수의책을 사여받아 착용했고, 그렇지 못한 하호의 경우에도 이를 착용하고자 하였다거나 하는 기록들이 나타나고 있습니다. 이들은 한 문화에 대한 지향성이 상당히 높은 주체들이라 할 수 있습니다. 그러나 실제로 영산강 유역을 보게 되면, 삼국지가 그리는 시기에 한정해서 본다면 그런 성격들을 가려내기 어렵습니다.

그런 측면에 있어서 (한 세력이) 실제로 접촉했던 주체들, 파악했던 54국도 어떻게 보면 전진국 선생님께서 말씀하신 것처럼, 그중에서 일부는 파악이 되었겠지만 일부는 파악이 되지 않았을 가능성이 높다고 할 수 있습니다. 그리고 그 중의 일부는 교통 과정, 즉 일본에서 중국으로 가거나 중국에서 일본으로 갔을 때, 그들이 접촉했던 세력일 가능성이 높습니다. 아울러 이처럼 그들이 접촉할 수 있었던 집단은 기록되었을 수도 있지만, 그렇지 못했던 상당수는 또 제외되었을 가능성도 있다고 생각합니다.

지금 관건이 되는 것은 5세기, 6세기 영산강권의 정치세력을 어떻게 보아야 하는가? 하는 문제인데, 저도 이 시점을 다루는 비슷한 글을 작성할 때, '영산강유역 정치체'라는 표현을 썼습니다. 왜냐하면, 마한은 이미 사료 상으로 없어졌던 시점입니다. 또한, 당시는 마한이라는 명칭을 중국 세력이든 한반도의 세력이든 일본이든 언급을 하지 않는 상황이었습니다. 따라서 자신을 '마한'이라고 내세우거나 그에 대한 종주권을 주장할만한 메리트가 없어진 상황이었다고 할 수 있습니다.

한편으로 백제 입장에서도 마한은 이미 극복했고, 이미 그 단계에서는 대방이나 낙랑을 두고 고구려와 경쟁하는 관계였습니다. 그래서 의외로 빨리 마한이라는 어떤 정치체에 대한 기억, 그 집단에서 주도권을 잡는다는 것에 대한 의미가 사라졌다고 생각됩니다. 이런 현상은 이 지역에도 나타났을 것 같고, 그것이 구체적인 자료로 드러나는 것이 신미제국입니다. 사료상으로는 '마한신미제국'이라 나왔습니다. 여기에는 마한도 들어갈 수 있고, 신미도 들어갈 수 있는데, 신미 뒤쪽에 또 '제국'이 있어 이는 해석하기 나름이라 할 수 있습니다. 이를 마한에 속했던 신미의 여러 세력들로 볼 수 있습니다. 이 부분에 대해서는 다양한 해석이 가능합니다. 이 시점에서 굳이 마한을 내세우지 않고 자기 존재, 즉 신미를 내세운 점에 주목해야 할 것입니다. 그리고 여기에는 신미만 기록되었지만, 실제로 교빙 주체는 다른 여러 나라를 포함하는 것일 수도 있다고 생각합니다.

　그렇다면 영산강유역이라는 아주 넓은 영역 내에 있는 이 세력들이 과연 자신을 마한이라 내세웠을까? 하는 생각이 들고, 결국에는 이 지역에서도 각각의 영역권이나 세력권을 구분해서 각각의 세력들이 할거했을 것으로 보는 게 오히려 더 합리적이지 않을까하는 생각입니다.

최성락 : 네, 문안식 선생님 말씀해 주십시오.

문안식 : 백제의 역사 속에서 마한의 역사, 마한의 정체성, 상한과 하한의 문제, 여러 가지 문제가 결합되어 있는 것 같습니다. 우리가 한 민족을 단일 민족으로 운운하지만, 신라인과 고구려인 및 백제인 등의 분립적 계승의식이 극복된 것은 고려 후기에 대몽항쟁을 겪으면서 발생한 정서적 공동체 형성과정에서 이루어졌습니다. 신라 통일 이후에 너무나 많은 시간이 흐른 이후입니다.

　이와 마찬가지로 마한의 상한과 하한이 고고학적으로 다른데 문제는 백제의 역사 속에서 마한의 정체성입니다. 문헌으로 볼 때 마한의 상한은 위만 관련 사료에서 준왕의 남쪽지역으로 이주 과정에서 보입니다. 위만이 고조선에서 왕이 되자 토착세력이 익산 방면으로 내려옵니다. 서기전 195년입니다. 따라서 BC 200년 정도에는 늦어도 마한이 등장합니다. 마한의 하한의 문제는 『晉書』마한전, 그러니까 AD 280년 무렵입니다.

　고고학적인 관점에서 볼 때 점토대토기가 등장하는 BC4세기 전후부터 영산강 유역의 독자적인 토기문화와 묘제가 소멸되고 백제와 되는 538년 무렵 이전까지가 마한의 정체성이 유지되는 것 같습니다. 마한은 백제와 다른 독자적인 역사공동체가 최소한 6세기 중엽 이전까지 지속되며, 양직공도를 통해 볼 때에도 523년 이전까지는 마한 소국 관련기록이 남아 있습니다. 백제의 주변에 위치한 가야, 신라와 동일한 국가 단계는 아니겠지만 마한계통의 소국들이 당시까지 존속한 사실을 보여주고 있습니다. 이렇게 마한의 상한과 하한 및 정체성 문제 등을 고려할 때 신중한 검토가 필요한 것으로 판단됩니다.

　282년 이후의 역사적 실체를 마한으로 볼 것인지? 제3의 정치체로 볼 것인지 아니면 왜로 볼 것인지, 가야의 영향으로 볼 것인지 등에 대해서도 신중한 접근이 필요합니다. 여기에 대해서 여러 가지 검토가 필요하겠지만 백제의 역사 속에서 538년 사비천도와 방군성제 실시는 획기가 되고 있습니다. 그 이전 백제 중앙과 구분되는 영산강 유역의 역사공동체가 남아 있고, 그 실체를 문헌에 보이는 마한으로 설정하는 것이 타당한 것이 아닌가 생각합니다.

최성락 : 문헌사의 입장인 네 분의 의견을 들어봤습니다. 다음으로는 고고학적 양상입니다. 고고학 자료로 보았을 때 소위 마한문화에서 백제문화로 변화되는 양상에 대한 주제발표는 강은주 선생님밖에 없어 강은주 선생님 생각을 들어보고 나머지 분들 중에 자기 소신이 있으시면 말씀해주십시오. 먼저 강은주 선생님 말씀해주시기 바랍니다.

강은주 : 백제문화로 변화된다는 것은 문화양상이 백제 중앙과 동일하게 나타나고, 나타나는 시점부터는 백제의 영역화가 되었다고 생

각합니다. 6세기 전후한 시기까지 영산강유역은 백제 중앙과 동일하지 않고 지역적인 양상이 확인되고 6세기 중엽 이후에 백제의 영역화로 볼 수 있습니다. 즉 그런 영산강양식들이 있기 때문에 저는 이에 대해서는 백제라고 하기는 어렵고 영산강유역의 백제 영역화는 6세기 중엽 정도가 맞지 않을까 생각하고 있습니다. 이상입니다.

최성락 : 예, 고고학적으로는 6세기경으로 보신다는 거죠?

강은주 : 네, 6세기 중엽정도로 생각하고 있습니다.

최성락 : 다른 분도 의견이 있으시면 말씀을 부탁드립니다.

이지영 : 강은주 선생님 말씀처럼 백제의 영역화 되었다는 기록에 있어서 이견은 없습니다. 다만 그 이전 문화에 있어서 새로운 문화의 유입들에 보이는 특징들이 있고 또 문헌사적으로도 기록이 있어 조금 더 신중히 생각해 보아야 되지 않을까 생각하고 있습니다.

최성락 : 예, 알겠습니다. 또 다른 분도 의견이 있으시면 말씀해주십시오.

김진영 : 마한을 이야기 하면서 3세기부터 시작합니다. 그래서 마한이 언제 끝났는가, 문헌사 하시는 분들은 고고학 자료로 보면 마한의 백제 영역화를 말씀을 하십니다. 왜 마한이 6세기까지 존재 유무에 있어 마한의 근간을 이루는 힘이 마한의 문화의 정체성이 어디서 나오는지를 봐야 한다고 생각을 합니다.

마한을 이야기 할 때 마한의 형성기를 조금 집중적으로 볼 필요가 있다고 생각합니다. 학술대회, 연구회에서도 마한을 이야기 할 때 시작시기에 대한 부분을 이야기 해보고 싶습니다. 최근 들어 전남문화재연구소에서 마한의 여명과 성장하는 과정이란 주제로 형성기를 다루기는 했습니다. 하지만 가까운 충청지역으로 보면 1세기부터 확인됩니다. 그렇지만 고고학 자료는 명확하지 않을뿐더러 문헌자체가 없기 때문에 고고학 자료를 면밀히 분석해서 보면 송국리문화, 즉 지석묘 문화로 대표되는 그러한 문화들이 성장, 변화해가는 모습들이 분명히 확인됩니다. 저는 그렇기 때문에 마한 형성기를 기원전 4세기에서 AD 2세기 중후반까지 주거지와 타날문토기를 통해 성장해가는 모습들을 집중적으로 살펴볼 필요가 있지 않나 생각합니다. 그래야만 마한이 충청지역을 중심으로 내재적이고 지속적인 변화 발전과정을 겪어왔다는 것을 증명할 수 있다고 생각합니다.

최성락 : 네. 지금까지 문헌사와 고고학적으로 마한을 어떻게 볼 것인가를 말씀해 주셨습니다. 일단 중간 정리를 하면 문헌사적으로는 기원전 200년 전후로부터 기원후 300년경까지입니다. 그런데 고고학 자료로는 기원전 3~4세기부터 기원후 5~6세기까지 본다는 것입니다. 문화적인 흐름이 그렇게 흘러간다는 것입니다. 그래서 고고학과 문헌적인 시각이 일치하지 못하는 점이 현실이라고 보입니다. 정확한 기록이 없다보니까 이러한 불일치가 나오는 것 같습니다. 결론적으로 마한의 시간적인 범위를 어떻게 볼 것인가? 라는 문제는 오늘 당장 결론을 낼 문제는 아니라고 봅니다. 오늘 충분의 논의가 되었으니 이런 논란 속에서 여

러분이 각자 그 마음속에 받아들인 것이 바로 마한의 역사가 아닐까 생각합니다.

마지막으로 태목리 유적, 담양 유적에 대한 마무리 이야기를 하겠습니다. 이영덕 선생님 못 다하신 말씀 있으시면 마무리 말씀 부탁드립니다.

이영덕 : 당시에 기술을 복원하고 당시 실제 재료를 가지고 진행을 하고 있습니다. 지역사회와 함께 진행을 하고 있는데 그런 사진들을 보여드렸으면 좋았을 거라고 생각합니다. 뜬금없이 말씀드린 것일 수도 있지만 고고학은 발굴해서 기초자료를 얻지만 반대로 이런 실험고고학적 과정을 거쳐서 검증작업을 하게 됩니다. 이런 과정들이 과거 문화를 복원하는 작업이라고 저는 생각합니다.

최성락 : 네, 감사합니다. 다른 선생님들은 없으십니까?

윤재득 : 결국 태목리 유적을 어떻게 활용할 것인가? 가장 중요한 것 같습니다. 제가 담양군 전체의 입장을 대변하지는 못하지만 지금까지 이 유적을 관리해왔던 경우에 비춰봤을 때 제가 오해했던 것이 태목리유적에 대한 유적의 중요성을 군수님과 담양군은 뼈저리게 느끼고 있습니다. 그래서 문화재청 문화재위원에서 나왔던 점들을 인정하고 조사를 실시하고 있습니다. 이런 부분들이 한순간에 모두 이뤄진다고는 생각하지는 않고 담양군이 노력할 수 있는 발굴조사의 범위로부터 이영덕 선생님이 말씀하셨던 태목리 응용리유적이 과연 범위가 어디까지 나오는지 지표조사 등의 조사를 통해 빠른 시일 내에 할 수 있도록 군에서

노력하겠다는 말씀을 드리겠습니다. 이 유적이 정말 영산강상류가 아니라 전체 마한유적에서 취락유적으로서 대표될 수 있도록 참가해주신 전문가들의 조언을 부탁드리며 말씀을 마무리하겠습니다. 감사합니다.

최성락 : 네. 감사합니다. 태목리·응용리 유적은 담양군뿐만 아니라 우리나라를 대표하는 취락유적입니다. 1차적인 목표는 지방문화재가 되고, 그 다음은 국가사적으로 지정이 되어야 할 것입니다. 2차적인 목표는 이영덕 선생이 말씀하신 것처럼 유적이 외국처럼 잘 활용되는 것입니다. 그 가치를 지역 주민들이 느끼면서 활용되는 겁니다. 그 과정은 그렇게 간단하게 되는 것이 아니라 지난한 과정을 거치면서 완성됩니다. 그러나 오늘 태목리·응용리 유적의 중요성을 다 같이 공감하고 사적이 될 수 있도록 마음속으로 기도하고 노력하면 언젠가 될 것으로 생각합니다.

이렇게 마무리 하겠습니다. 오늘 아침부터 영산강유역 마한사회와 백제의 유입이라는 주제로 학술발표와 토론이 있었습니다. 여러분이 만족하실만한 결론을 얻으셨는지는 모르겠지만 발표자와 토론자들이 최선을 다해 발표하고 토론했다고 생각합니다. 그 윤곽이 희미하지만 마한사회를 살펴보았고, 담양의 중요한 유적을 살펴봤습니다.

남은 과제는 앞으로도 계속 노력을 해야 될 것 같습니다. 이것으로 오늘 학술대회를 마치면서 발표자 및 토론자 여러분 모두 수고하였습니다. 무엇보다도 아침부터 끝까지 방청석에 앉아 계셨던 여러분들께 대단히 감사하다는 말씀을 드리겠습니다. 이상으로 토론을 마치겠습니다. 고맙습니다.

고대 동아시아 교류의 역사에서
영산강유역이 차지하는 위상

권오영 (서울대학교)

Ⅰ. 영산강유역의 지정학적 조건과 중국과의 교류

중국의 동해안과 한반도 서해안에 의해 둘러싸인 황해는 선사시대부터 현재에 이르기까지 동북아시아 교류의 장이다. 한반도의 중서부와 서남부를 차지한 백제는 지리적인 위치로 말미암아 황해를 사이에 두고 중국과 활발한 교섭을 전개하였다.

한반도의 중서-서남부에는 요령성일대에서 발전하던 비파형동검 문화가 바다를 통해 전래되었으니 대표적인 유적이 기원전 6세기 무렵에 해당되는 부여 송국리유적이다. 여수반도의 고인돌유적에서도 많이 발견

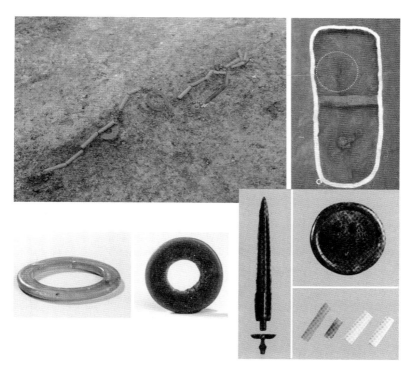

〈그림 1〉 완주 신풍과 장수 남양리의 초기철기시대 유물

된 비파형동검도 역시 바다를 통한 요령지역 비파형동검문화의 파급으로 이해할 수 있다. 중국식 동검이 무더기로 발견된 완주 상림리유적도 황해를 통한 중국과 한반도 서해안지역 교섭의 생생한 증거이다.

청동기문화가 난숙해지면서 한반도 중서부와 서남부 곳곳에서는 다량의 청동기를 독점한 지배 엘리트집단이 등장하였다. 대전 괴정동, 예산 동서리, 아산 남성리, 부여 구봉리, 함평 초포리, 화순 대곡리 등지의 무덤에서는 청동 검, 거울, 그리고 팔주령·쌍두령·간두령 등의 각종 방울을 많이 부장한 무덤이 발견되었다.[1] 토기는 대개 점토대토기가 부장되는데 이는 요령지역의 점토대토기가 파급된 것으로 이해된다. 예산 동서리 무덤에서 발견된 나팔모양 동기는 요동의 심양(沈陽) 정가와자(鄭家窪子) 유적에서 그 조형이 발견된다. 따라서 기원전 4세기 무렵 한반도 중서부와 서남부 일대에는 난숙한 청동기문화를 바탕으로 황해를 통하여 요령지역 청동기문화와 교섭을 전개하던 정치체가 성장하고 있었음을 알 수 있다.

기원전 3세기 무렵에 접어들면 기존의 점토대토기와 청동기에 더하여 철기와 유리구슬이 무덤 부장품에 추가된다. 부여 합송리, 공주 봉안리, 당진 소소리, 장수 남양리, 완주 갈동과 신풍유적(그림 1), 해남 군곡리유적 등이 대표적이다.[2] 점토대토기와 청동기는 앞 단계 세형동검문화의 발전과정에서 연속된 반면, 새로이 부장되기 시작하는 철기는 모두 주조품으로서 전국시대 연(燕)의 철기와 맥이 닿는다. 푸른 빛을 띠고 대롱모양의 납-바륨 유리가 부장되는 것이 특징적이다.

---

1) 국립중앙박물관·국립광주박물관, 1992,『한국의 청동기문화』
2) 국립전주박물관, 2009,『마한 숨 쉬는 기록』
   국립전주박물관, 2016,『고고학으로 밝혀 낸 전북혁신도시 -유적, 유물, 발굴 그리고 전시-』

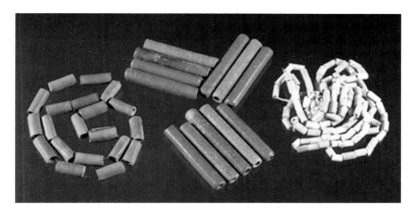

〈그림 2〉 길림성 출토 유리구슬

　이러한 유리구슬은 원래 중국 남부에서 제작되기 시작된 것으로서 길림성(吉林省)과 일본 큐슈(九州)에서도 유사한 형태의 구슬이 출토되는 점(그림 2)을 볼 때 중국 남부-길림성-한반도 서남부-일본 큐슈로 이어지는 광역의 교섭망이 형성되었음을 알 수 있다.

　이때는 중국 동북지방에 위치한 고조선이 국가적 발전을 꾀하면서 연나라와 군사적으로 충돌하던 시기이며, 훗날 고구려와 부여를 형성하는 예맥집단들이 철기문화를 수용하며 사회통합을 전개하던 시점이다. 한반도 중서부와 서남부에서는 韓이라고 불리는 집단들이 등장하였다.

　기원전 2세기 초, 고조선의 왕통이 교체되어 새롭게 위만이 왕위를 차지하게 되자 그 전의 왕이었던 준왕과 그를 따르는 세력은 바다로 나아가 韓의 땅에 자리 잡았다고 한다. 그 곳은 초기철기시대 이후 한반도 남부에서 가장 선진적이고 중국 및 요령지역과 긴밀한 교섭을 전개하던 금강-동진강유역일 것이다. 이 세력은 사서에 자신들의 이름을 뚜렷이 남기지는 못하였으나 훗날 익산에 자리 잡은 건마국이 그 계승자일 가능성이 높다.

기원전 108년 위만조선이 멸망하면서 한반도에는 커다란 변화가 발생하였다. 위만조선의 주민 중 일부는 무리를 이루어 고국을 등지고 남하하였고 소백산맥을 넘어 영남지역 곳곳에 정착하면서 한반도 동남부 곳곳에서 그전부터 거주하던 집단들과 섞여 현재의 郡 정도 되는 면적의 작은 정치체들을 형성하였다. 그 흔적은 대구, 경산, 영천, 경주, 그리고 김해 등 곳곳에 남아 있는 무덤과 부장품에 잘 반영되어 있다. 이 정치체들은 훗날 진한과 변한의 24개 "國"으로 발전하였다.

반면 중서부와 서남부에서는 지역 정치체의 발전이 무더지고 영남에 비해 대외 교섭의 모습도 잘 포착되지 않는다. 기원전 1세기-기원후 2세기 무렵에 해당되는 영남 각지의 무덤에서는 한반도 서북지방에 설치된 낙랑군을 경유하거나 낙랑군에서 제작된 중국계 물건들이 많이 부장되지만 중서부와 서남부에서는 이 시기에 해당되는 유적, 유물의 수가 그리 많지 않다.

기원후 2세기 무렵이 되면 임진강유역에서는 연천 학곡리유적처럼 강돌로 만든 적석총(혹은 적석분구묘)이 등장하고, 경기 남부와 충청 내륙에서는 유개대부직구호라고 불리는 특이한 형태의 토기를 부장한 목관묘가 나타난다. 한편 경기 북부와 동부, 그리고 강원 영동과 영서의 마을에서는 낙랑에서 제작되었거나, 기종·기형·제작기술면에서 낙랑토기의 영향을 받은 토기류가 자주 발견된다.

3세기 이후 경기, 충청, 전라지역에서 수많은 지역 정치체들이 성장하면서 마침내 50여개로 정리되었고 이들은『삼국지』에 마한이라고 통칭되었다. 영남지역에서는 진한과 변한에 각각 12개 정도의 정치체가 있었기 때문에, 모두 합하면 한반도 중부 이남에는 70여 개의 정치체가 병존하였던 셈이다. 이 중에서 먼저 두각을 나타낸 세력은 아산-천안일대를 무대로 성장한 목지국이었다. 천안 청당동의 주구토광묘에서 발견된 중국제

허리띠, 아산의 명암리 밖지므레의 주구토광묘에서 발견된 수천 점의 유리구슬은 모두 외부에서 수입한 것이다.

3세기 후반 무렵, (서)진이라는 통일 왕조가 등장하게 되면서 황해를 통한 마한사회와 서진의 교섭이 본격화하였다. 당시의 상황은『진서』에 기술되어 있는데 마한의 여러 세력들이 무리를 이루어 서진에 사신을 보내면서 적극적으로 교섭에 나서는 모습을 보여준다. 서진이 망하게 되는 영가(永嘉)의 난을 거치면서 양자강유역에는 서진을 계승한 동진이라는 새 왕조가 들어섰다. 이 무렵 분립되어 있던 마한의 여러 정치체들은 차츰 서울 강남에서 성장한 伯濟國을 중심으로 통합되고 전북 일부와 전남에 소재한 마한 세력들은 여전히 독자성을 유지하고 있었다.

그 중에서도 가장 오랫 동안 독자성을 유지한 세력은 영산강유역에 있었던 정치체이다. 이들에 의해 나주 반남고분군과 정촌고분군, 영암 시종고분군 등 대형 고분이 축조되었다. 이 세력이 성장할 수 있었던 원동력 중의 하나는 영산강유역이 중국과 한반도, 그리고 일본열도를 잇는 해상 교통로 상의 목줄이었기 때문이다. 그 결과 전남 서부와 남부의 해안가 곳곳에는 전방후원형 고분이나 왜계 문물이 나오는 유적이 점점이 분포하며 국제적인 해상 교역의 상징물인 부안 죽막동유적이 존재한다.[3] 이곳은 왜, 가야, 신라 모두 중국으로 가는 연안항로의 길목이기 때문에 모든 선박은 이곳을 지나야만 하였다. 항해의 안전을 기원하는 제사가 비단 백제만이 아니라 여러 국가들이 참여한 상태에서 이루어졌고, 그 결과 다양한 국적의 유물들이 발견된 것이다.

5세기 이후 남하해 오는 고구려에 대응하기 위한 백제 중앙의 노력에도 불구하고 결국 475년 고구려의 대군에 의해 한성이 함락되고 개로왕이 살해되었다. 백제가 공주로 천도한 후에도 송, 제, 양 등 중국 남조와

---

3) 국립전주박물관, 1998,『부안 죽막동 제사유적 연구』

의 교섭은 계속되었다. 이를 잘 보여주는 것이 무령왕릉이다. 최근 해남의 용두리고분(전방후원형), 함평의 표산고분(전방후원형), 금산리고분(방대형)에서도 전문도기나 자기가 출토되어(그림 3), 웅진기에 들어와서도 백제는 지방의 수장층을 포섭하기 위해 중국산 도자기를 활용하고 있음을 보여준다.

〈그림 3〉 부안 죽막동과 함평 금산리 출토 중국제 도자기류

Ⅱ. 한반도와 일본열도를 연결한 영산강유역

섬이라는 고립적인 입지조건으로 인하여 선진적인 물물의 수입에 곤란을 겪던 일본으로서는 고대국가 체제를 갖추는 데에 필요한 하드웨어(제철, 토목, 건축 등의 기술)와 소프트웨어(제도, 사상, 통치이념, 종교) 모두 백제에 기대는 바가 컸다. 중서부-서남부지역과 일본 큐슈를 연결하는 원거리 교역망은 이미 초기철기시대에 형성되어 있었다. 그러나 낙랑군의

설치 이후 김해를 비롯한 동남부가 동북아시아 교섭의 중요한 거점으로 부각되고 마한-백제권역과 일본 열도의 교섭은 뜸해지는 양상을 보인다.

　그러다가 3-4세기 무렵부터 변화가 나타났다. 충청-전라지역 출신 주민들이 전개한 해상활동의 흔적이 확인된 것이다. 九州 후쿠오카(福岡)시 니시진마치(西新町) 유적은 그 지역의 주민과 외부에서 이주한 주민들이 공존한 취락이다.[4] 그런데 이주민들이 거처하던 가옥의 형태와 취사용기를 볼 때 그들은 충청-전라 출신임이 분명하다. 백제의 지방인, 혹은 마한계 주민 집단이 무리를 이루어 큐슈 북부에 정착한 셈인데 그 배경에는 한반도와 일본열도를 연결하는 해상 무역의 발전이란 현상이 있다.

〈그림 4〉 일본 기내지역의 충청-전라계 토기

---

4)　重藤輝行, 2012, 「큐슈에 형성된 마한 · 백제인의 집락」, 『마한 · 백제 사람들의 일본열도 이주와 교류』, 중앙문화재연구원

마한-백제계 주민의 흔적은 큐슈와 긴키(近畿)를 잇는 효고(兵庫)현 데아이(出合) 유적에서도 확인된다. 3-4세기 무렵에 토기를 굽던 가마가 발견되었는데, 그 구조와 생산하던 토기의 형태가 진천 산수리, 삼룡리 가마에서 확인된 마한 토기와 많이 닮아 있다. 따라서 이 유적도 마한, 혹은 백제 지방인이 일본열도로 나아간 흔적의 하나로 평가된다.

고대 일본의 심장부인 오사카, 나라, 교토(京都) 등 키나이(畿內) 지역에는 한반도계 이주민의 이주와 정착을 보여주는 유적이 매우 많다. 오사카 남부의 대표적인 이주민계 유적인 나가하라(長原)유적은 취락과 고분군으로 구성되었다. 주거지에서 발견된 토기는 재지적인 모습을 보이는 것도 있고, 충청-전라지역에 그 계보를 둔 토기도 매우 많다. 특히 심발형토기, 장란형토기, 시루, 동이 등으로 구성된 조리용기는 그 종류와 형태가 충청-전라 지역의 그것을 그대로 닮아 있기 때문에 이 지역 주민들이 오사카에 이주, 정착한 흔적을 여실히 보여준다(그림 4). 주변에 분포하는 고분 중에는 평면 방형의 분구를 쌓고 그 내부에 목관을 안치하거나 충청지역 토기가 부장된 경우가 있어서 위의 추정을 뒷받침해준다.

오사카 북부의 시토미야키타(蔀屋北) 유적은 말을 키우던 집단의 취락이다.[5] 평면 방형의 가옥과 벽주건물이 확인된다. 조리용기는 백제 토기와 구분하기 어려울 정도로 닮은 것들이 많이 있어 백제에서 이주한 목마(牧馬) 집단의 거주지로 판명되었다. 특징적인 것은 토제 아궁이 테가 300점 이상 출토되었는데 이 양은 한반도와 일본열도 출토품 모두를 합한 것보다 많다. 문제는 그 형태와 제작 기법이 영산강유역의 그것과 가장 유사하다는 점이다(그림 5). 이 유적 주변에서는 많은 무덤이 발견 되

---

5) 미야자키 타이지, 2012, 「키나이(畿內)에 정착한 백제계 마사집단 -오사카 시토미야키타유적을 중심으로-」, 『마한·백제 사람들의 일본열도 이주와 교류』, 중앙문화재연구원

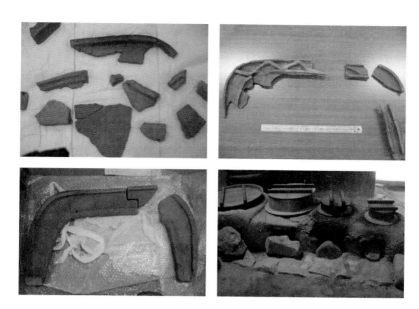

〈그림 5〉 한일 양지역의 토제 부뚜막테

었는데 역시 충청-전라지역의 무덤과 닮은 것들이 많다.

　나라에서는 난고(南鄕) 유적이 대표적인 마한-백제계 이주민 취락이다. 이 유적은 취락과 공방, 제사터 등으로 구성되어 있는데 5세기에 전성기를 누리던 호족 카츠라기(葛城) 씨 직속의 이주민집단 거주지로 추정된다. 주거지는 4개의 기둥이 배치된 방형의 수혈식 가옥, 그리고 벽주건물로 구성되어 있는데 전자는 백제 지방, 후자는 백제 중앙과 관련된 가옥구조이다. 산에서 흘러내리는 물을 여과, 정수시켜 성스러운 물을 만들고 제의를 치르던 제사터도 발견되었는데 유사한 형태의 흔적이 광주 동림동유적에서도 발견된 바 있다(그림 6).

Ⅲ구역 목조물(N4E5)

〈그림 6〉 나라현 난고유적과 광주 동림동유적의 "성스러운 물의 제사" 유적 비교

Ⅲ. 동북아시아와 동남아시아의 연결

황해를 무대로 한 백제의 교류 활동은 점차 동북아시아를 벗어나 동남아시아와 연결되기에 이른다. 그 결정적인 계기는 3세기에 전개된 동오(東吳)와 푸난(Punan, 扶南)의 통교이다. 이후 동아시아 해양교섭사에서 큰 변화가 일어나게 된다.

푸난은 메콩강 하류를 무대로 1세기 무렵부터 흥기한 고대 해상왕국으로서 인도의 영향을 강하게 받았다.[6] 선박 제조술과 항해술을 바탕으로

---

6) 石澤良昭・生田滋, 1998, 『東南アジアの傳統と發展』世界の歷史13, 中央公論社

삼아 강력한 왕국으로 발전하여[7] 3세기 전반, 4代 왕인 범사만(范師蔓)은
부남대왕(扶南大王)을 칭하며 베트남 남부와 캄보디아, 타일랜드 일부,
말레이반도까지 세력을 뻗쳤다.

  동오의 손권(孫權)은 229년에 주응(朱應)과 강태(康泰)를 통상사절로
서 푸난에 파견하였고 이후 양국 간 본격적인 교섭이 전개되었다. 푸난의
외항인 옥 에오(Oc Eo)에서 출토된 유물 중에는 로마 황제와 관련된 금
화, 청동불상, 힌두교 신상, 산스크리트어 刻文 錫板, 반지, 한경 등이 포
함되어 있어서,[8] 원거리 동서 교섭의 양상을 잘 보여준다(그림 7).

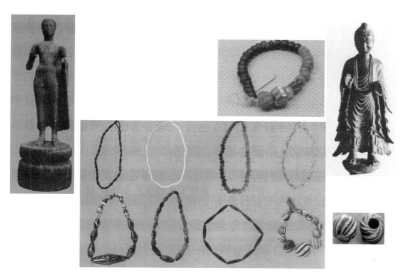

〈그림 7〉 옥 에오와 백제, 일본 유물의 비교

---

7) John N. Miksic, 2003, "The Beginning of Trade and in Ancient Southeast Asia:
   The Role of Oc Eo and the lower Mekong River" *Art & Archaeology of Fu
   Nan*(Edited by James C. M. Khoo)
8) Anne-Valérie Schweyer, 2011, Ancient Vietnam -History, Art and Archaeology-,
   RIVER BOOKS

중국에서 서진이 들어선 이후에도 푸난이 268 · 285 · 286 · 287년에 사신을 파견한 사실이『晉書』에 기록되어 있다. 그런데 이 시점은 마한의 여러 國이 서진에 사신을 보내던 시점과 일치한다. 특히 286년에는 "이 해에 扶南 등 21국, 馬韓 등 11국이 사신을 보내어 왔다."[9]고 하여 중국 외교무대에서 푸난과 마한의 사절단이 조우하였을 가능성이 있다. 이 과정에서 푸난에서 생산하거나 푸난을 경유한 인도-동남아시아 물품이 마한지역에 전해지고 일부는 진변한과 일본으로 유통되었을 것이다. 왜냐하면 3세기 후반부터 한국과 중국, 일본 모두 전 단계의 포타쉬 유리를 대신하여 새로운 동남아시아 계통의 高알루미나 소다유리가 급격히 확산되기 때문이다.

〈그림 8〉 임읍(참파)의 종교 유적인 미썬 유적의 힌두교 조상(참조각박물관)과 각종 구슬

9)『晉書』武帝紀 太康7年條

357년에 푸난은 동진의 목제(穆帝)에게 순상(馴象)을 공헌하였고, 송문제 대에도 특산물을 공헌하였다(434년, 435년, 438년). 484년에는 인도 승려(나가세나, 那伽仙)를 제에 파견하였고, 제에 의해 안남장군부남왕(安南將軍扶南王)에 봉해졌다. 양과 푸난의 교섭은 더욱 긴밀하여져서 503년 양에 산호와 불상을 공헌하였고, 511 · 514 · 517 · 519 · 520 · 530 · 535 · 539년에도 사신을 보냈다.

한편 푸난의 북측, 즉 현재의 베트남 중부 해안지대에서 성장한 참파(Champa, 林邑)도 주목된다. 참파는 3세기 중엽 경 베트남 중부를 거점으로 삼아 중국, 말레이반도, 인도를 연결하는 항시국가로 성장하고(그림 8), 4세기 이후에는 동진과 화전 양면의 교섭을 전개하였다. 372년 백제의 근초고왕이 동진과 공식적인 국교를 개시한 바로 그 해에 林邑王도 동진에 사신을 보내고 있다.[10] 512년에는 참파국이 푸난, 백제와 함께 양에 사신을 보냈다고『양서』에 기록되어 있다.

그 결과 동남아시아의 문물이 중국을 통하여 한반도와 일본열도로 대거 유통되었다. 이에 대한 문헌적인 증거는『일본서기』에도 그 흔적이 남아 있다.[11] 영산강유역 고분에서 출토되는 엄청난 양의 구슬류(유리구슬 소옥, 연주옥, 금은박구슬, 연리문구슬, 마노, 호복, 수정제 등등)는 대부분 외부에서 제작된 후 유입된 것으로 보이는데 그 산지는 인도-동남아시아의 공방들이었을 가능성이 매우 높다. 영남지역에 비해 압도적으로 많은 양이

---

10) 『晉書』券9, 簡文帝紀.
   　"二年春正月 辛丑, 百濟、林邑王各遣使貢方物."
11) 『일본서기』에는 641년 곤륜(崑崙) 사신과 백제 사신 사이에서 벌어진 분쟁이 소개되어 있다. 곤륜은 동남아시아를 지칭하는데 여기에서는 참파일 가능성이 있다. 이 시기에 푸난은 이미 멸망하였고 스리비자야는 아직 전성기를 맞지 아니하였다. 736년 임읍 출신의 佛哲(佛徹)이 나라의 大安寺에 거주하면서 일본인들에게 범어와 참파 음악(林邑樂)을 가르친 사실, 그리고『續日本紀』에 전하는 견당사 平群廣成이 표착한 곤륜이 바로 임읍일 가능성이 크다는 점이 참고된다.

출토되고 종류도 다양한 구슬류의 존재는 영산강유역이 인도-태평양 유리 구슬이 가장 많이 사용되고 교류된 지역이었음을 입증한다. 한반도 서남부 를 경유한 인도-태평양 유리구슬은 일본열도 곳곳으로 퍼져 나갔다.

웅진, 사비기에 걸쳐 서역산, 인도산, 동남아시아산 물품과 모티브가 계 속 백제에 들어오고 구법승이 동남아시아를 거쳐 인도로 가는 등 광역의 교류가 진행되면서 다양한 외부인들이 이주, 정착하였다. 함평 창서유적에 서[12] 발견된 사비기 토기 저부에는 민머리, 큰 코, 뾰족한 턱 등의 특징을 지닌 인물이 새겨져 있는데 서역출신 승려를 묘사한 것으로 보인다.[13] 지 방사회에서도 서역인의 얼굴을 한 승려를 인식하고 있었음을 보여준다.[14]

IV. 유네스코 세계유산 등재를 위한 장거리 로드맵

1. 동북아시아의 고대 고분이 대상이 된 세계유산

최근 세계 각지에서는 유네스코 세계유산 등재 운동이 활발히 전개되 고 있다. 2019년에 일본이 모즈-후루이치고분군이 등재되면서 2015년도 의 백제역사유적지구에 이어 동북아시아의 중요 고대 유적의 등재가 잇 달아 성공한 셈이다.

"백제역사유적지구"는 공주, 부여, 익산 등 3개 지자체에 속해 있는 웅 진-사비기의 유산으로 구성되어 있다. 공주시에서는 공산성과 무령왕릉

---

12) 호남문화재연구원, 2003, 『함평 창서유적』.
13) 합포를 비롯한 해상실크로드의 중요 항시에서 호인의 모습을 표현한 기물이 자주 등장하는 현상(山東省博物館 編, 2017, 『歸航 -海上絲綢之路特展-』)과 대비된다.
14) 권오영, 2017, 「고대 동아시아의 항시국가와 김해」, 『가야인의 불교와 사상』, 인제 대학교 가야문화연구소, 김해시.

능산리고분군과 능사

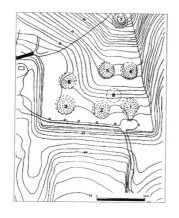

〈그림 9〉 부여 능산리고분군

등 2개소, 부여군에서는 관북리-부소산성, 정림사지, 나성, 능산리고분군 (그림 9) 등 4개소, 익산시에서는 왕궁리유적, 미륵사지 등 총 8개소의 연속유산으로 구성되어 있다.

　백제라는 공통분모로 묶여 있는 이 유산들은 왕궁, 성, 사찰, 무덤 등 다양한 성격을 띠고 있다. 왕궁과 성, 사찰과 무덤을 관통하는 키워드는 도성이다. 이 점에 착안하여 "백제역사유적지구"는 백제 웅진기와 사비기의 도성제를 대표하는 유적으로 정리할 수 있다.

　이와 유사한 유산이 "경주역사유적지구"이다. 이 유산은 신라가 대형 고분을 축조한 4세기 이후부터 이후부터 935년 신라가 멸망할 때까지 조성된 것이 중심이다. 다시 세분되어 남산지구(불교유적 중심), 월성지구 (왕궁), 대릉원지구(왕, 왕족의 능역), 황룡사지구, 그리고 산성지구(왕경 방어용) 등 5개의 지구로 나뉜다.

한편 "고대 고구려 왕국의 수도와 묘지(Capital Cities and Tombs of the Ancient Koguryo Kingdom)"도 중요한 유산이다. 고구려의 도성은 세 군데에 걸쳐 있어서 최초의 졸본(현재의 중국 요령성 환인: 기원전 37년 - 기원후 22년)을 지나 국내성(현재의 중국 길림성 집안 : 22년-427년), 최후에 평양에 자리잡았다. "고대 고구려 왕국의 수도와 묘지"는 졸본과 국내성 시기의 유산으로 구성되어 있어서 오녀산성, 국내성, 환도산성 등 3개의 왕성, 태왕릉을 비롯한 40기의 능묘로 이루어져 있다. 유적의 성격, 형성된 시기 면에서 한성백제 유산과 공통점이 많다.

고구려고분은 초기에는 돌을 피라미드처럼 쌓아서 만든 적석총이었는데 점차 변화하여 돌방무덤으로 변한다. 돌방무덤 중에는 화려한 벽화를 그린 무덤이 있는데 현재까지 중국과 북한지역을 포함하여 90기 정도가 발견되었다.

"고구려고분군(The Complex of the Koguryo Tombs)"은 고구려 마지

〈그림 10〉 경남 창녕의 대형 고분

막 도읍지인 평양에 소재하는 고분들로 구성되어 있다. 대부분 횡혈식 석실묘이며 그 안에 벽화를 그린 것도 있다. 전체적으로 "고대 고구려 왕국의 수도와 묘지"보다 늦은 단계에 해당된다.

최근에는 경남과 경북, 전북에 소재하는 8개의 고분군을 대상으로 삼은 "가야고분군"(그림 10) 등재를 위한 운동이 여러 지자체와 학계를 중심으로 전개되고 있다.

일본의 "모즈-후루이치고분군(Mozu-Furuichi Kofungun, Ancient Tumulus Clusters)"은 오사카 남부에 소재하는 모즈고분군과 후루이치고분군을 합한 것인데(그림 11), 고대 야마토정권의 왕릉과 귀족의 무덤으로서 시간적으로는 4-6세기에 해당된다. 2010년에 잠정 등재되었다가 2019년에 정식으로 등재되었다. 시간적으로는 유적의 성격으로는 영산강유역 고분군과 직접적인 비교의 대상이 된다.

〈그림 11〉 일본의 전방후원분과 모즈-후루이치고분군

2. 영산강유역 고분군의 세계유산적 가치

인류가 남긴 다양한 문화유산은 모두 나름의 가치를 지니고 있지만 유네스코 세계문화유산에 등재되기 위해서는 "탁월한 세계 보편적 가치(Outstanding Universal Value)"를 지녀야 한다. 영산강유역 고분군은 이러한 조건을 충족시킬 수 있는가? 그렇다면 그 가치는 무엇일까? 여기에서 참고 되는 것이 유사한 성격의 "백제역사유적지구"이다. 이 유산은 OUV(Outstanding Universal Value)로서 ii번, iii번, iv번을 선택하였다.

> (ii) 오랜 시간 동안 또는 세계의 어떤 문화지역 안에서 일어난 건축, 기술, 기념비적 예술, 도시계획 또는 조경설계의 발전에 관한 인간적 가치의 중요한 교류를 보여주는 유산
>
> (iii) 문화적 전통 또는 살아있거나 소멸된 문명에 관하여 독보적이거나 적어도 특출한 증거가 있는 유산
>
> (iv) 인류 역사의 중요한 단계를 잘 보여주는 건조물의 유형, 건축적 또는 기술적 총체, 또는 경관의 탁월한 사례

"백제역사유적지구"가 이상의 3가지 기준에 어떻게 부합하는지에 대해서는 다음과 같이 설명할 수 있다.

> ii번 ==> 백제 후기의 도성 유적은 고대 동아시아 국가 사이에 이루어진 도성 구조, 도성 건설 원리, 도성 축조 기술의 교류와 고대 동아시아공유(共有)문화권 형성에서 백제가 중심적인 역할을 하였음을 잘 보여준다.
>
> iii번 ==> 백제는 두 차례의 천도에 따라 각각의 시대마다 특색 있는 왕성, 사찰, 왕릉을 만들었다.

iv번 ==〉 백제의 왕성과 왕릉 및 사찰은 자연지형에 조화를 이루도록 입지가 선택되어 탁월한 경관을 보여준다. 또 왕궁과 사찰 건축, 고분과 산성의 축조는 고대 동아시아 토목 기술의 총체를 보여준다.

이런 점에서 영산강유역 고분군 역시 동아시아의 교류란 측면에서 세계유산적 가치를 추출할 수 있을 것으로 판단된다.

유네스코 세계유산위원회는 여러 나라에 걸친 동일 성격의 문화재를 통일된 명칭으로 유산 등록하는 것을 국제 협조사항으로 추천하였다고 하는데[15] 그럴 경우 동아시아 고대문화의 보편성과 평화교류라는 주제로 등재를 시도할 수 있을 것이다.[16]

아니면 동남아시아를 잇는 광역의 연속유산 등재도 고려해 볼 만 하다. 영산강유역이 지닌 바닷길에서의 중요도를 고려할 때 베트남-중국-한국-일본의 중요 항시들을 엮은 "고대 동아시아 해상 실크로드(가제)"는 매력적인 유산이다. 구체적으로는 푸난의 옥 에오, 참파의 호이안, 중국의 합포, 광주, 한국의 영산강 하류역과 김해, 일본의 후쿠오카와 오사카를 연결하는 교류의 네트워크를 고려해 볼 만 하다.

Ⅴ. 맺음말

기원전 4-3세기 무렵 한반도 중부 이남에서 초기철기문화가 가장 먼저 발전한 곳은 금강-동진강유역이었으며 점차 한반도 서남해안지역으로

---

15) 朝倉敏夫, 2009, 「일본의 세계문화유산 추진전략」, 『百濟文化』40, 공주대학교 백제문화연구소, p.19
16) 이러한 형태는 이미 일본의 工樂善通선생이 주장한 바 있다.

확장되었다. 이로써 당시 이미 중국과 일본의 큐슈를 연결하는 원거리 교역망이 형성되었다. 기원후 3세기 이후 동남아시아의 문물과 정보가 밀물처럼 동북아시아로 들어오고 일본으로 전래되는데 이 과정에서 마한, 백제가 중요한 역할을 담당하였다.

백제가 멸망한 후 동북아시아 교섭의 중심 역할은 신라로 넘어갔다. 남중국해를 거쳐 들어온 아라비아, 동남아시아의 물산은 동중국해를 거쳐 한반도와 일본열도로 유통되었다. 9세기 전반 장보고집단에 의해 중국해안-한반도-일본열도를 잇는 원거리 교역은 절정기에 이르렀다. 삼국시대 백제의 역할은 한반도 서남부를 무대로 장보고집단으로 계승되었던 셈이다.

이런 측면을 고려할 때 영산강유역이 지닌 동아시아 교류사에서의 중요성을 부각시키면서 대형 고분군을 대상으로, 혹은 광역의 해상 교역망(그림 12)을 집중적으로 연구하고 보존, 복원, 활용하는 방안을 적극적으로 고려할 때이다.

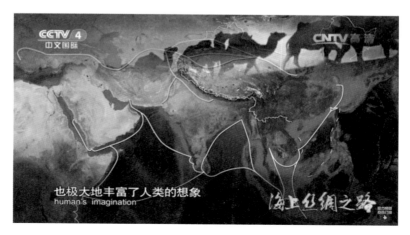

〈그림 12〉 중국의 해상실크로드 전략

마한역사문화권 논의의 현실과 과제

노형석 (한겨레신문 문화재 · 미술전문기자)

요사이 남도에서는 마한 재조명론을 외치며 국가 지원을 요구하는 목소리가 높다. 호남의 역사적 뿌리로 영산강 유역과 전남 해안 일대에 흩어진 고대 마한 유적의 정비와 보존, 복원을 정부 정책으로 밀어주어야 한다는 주장이다.

무엇보다 지역 정치권 움직임이 주목된다. 서삼석 더불어민주당 의원 (영암 무안 신안)은 지난 6월 '마한역사문화권 조사 연구와 정비 등에 관한 특별법' 제정안을 대표발의했다. 김영록 전남도지사는 지난 7월 금동관 영락 잔편들과 큰칼, 토기 등이 발견된 전남 영암 내동리 쌍무덤 발굴 현장에서 학계, 지자체 관계자들이 참석한 가운데 현장 간담회까지 열었다. 김 지사는 간담회에서 400군데 넘는 마한 유적을 역사관광자원으로 개발하고 국회에 계류중인 고대문화권특별법에 마한을 꼭 포함시키겠다는 의지를 밝혔다. 문재인 대통령의 호남권 대선 공약인 마한역사테마파크(마한촌) 조성 사업도 본궤도에 올려야한다는 여론이 일고 있고, 호남 출신 정치권 인사들이 정부 고위 인사들을 상대로 물밑 작업을 벌인다는 풍문도 들린다. 영남과 호남 동부권에 걸친 가야 유적의 연구조사와 정비가 문재인 정부의 국정과제에 포함돼 사업이 본격화하는 시점에서 호남권 고대사도 배려해줘야 하지않느냐는 인식이 배경에 깔린 것으로 보인다.

마한은 모호한 명칭이다. 기원전 1~2세기부터 기원후 3세기까지 한반도 서남쪽에 존속했다는 소국 54개를 뭉뚱그려 그렇게 불렀다. 국호가 될 수 없고, 구체적인 사실을 채워담은 의미도 아니다. 연관된 새 유적 유물이 나올 때마다 학계, 언론 사이에서 논란이 되풀이 된다. 고분의 경우 묻힌 주체가 누구냐, 어떤 정체성을 지녔느냐를 놓고서 입씨름이 이어졌다.

마한수장층, 백제귀족, 왜인 등 여러 이견들이 존재한다. 금속공예품, 토기 따위의 유물은 양식과 전래 경위를 놓고 자체 제작인지, 사여품이나 전래품인지 등을 놓고 숱한 갈래로 분기된 억측과 단정이 난무한다.

2016년 용머리 달린 역대 가장 완벽한 형태의 금동신발이 발견되어 국민적 화제를 모았던 전남 나주 정촌고분과 최근 발굴을 통해 품격이 엿보이는 백제계 은제관식, 요대 등이 나온 나주 송제리 고분의 경우도 마한 정체성을 둘러싼 논란은 어김없이 재연되었다. 지자체, 지역학계와 언론은 마한 최고 수장층의 무덤이라고 강조했지만, 국내 주류 고고학계는 백제의 지방 지배를 보여주는 물증이 나온 쪽에 더 관심을 갖고 지켜보는 양상이었다. 학계의 견해는 정촌고분의 금동신발이나 송제리 고분의 은제 관식은 백제의 일류 장인 말고는 만들기 어려운 수준의 고급 제품이란 점에서 백제 조정과 인연을 맺고 주종 관계를 맺은 지역 지배자라는 분석이 타당하다는 것이다. 전남지사까지 발굴현장에 찾아와 마한 재지 세력의 실체를 강조했던 내동리 쌍무덤에 대한 시선도 다르다. 학계는 화려한 금공유물 말고도 일본 고대 고분에서 흔히 출토되는 동물 모양의 원통형 토기(하니와)가 국내 유적에서는 처음으로 출토됐다는데 주목했다. 명백한 일본제 토기가 나왔으니 무덤 주체는 왜인이 확실하다는 분석이 나왔다.

이처럼 호남권 마한유적에 대한 논란을 가중시키는 핵심 요인은 호남에 진출했던 고대 일본세력 '왜' 다. 고대에 한반도를 찾아온 왜인들이 남도의 내륙과 해변에 남긴 숱한 역사적 흔적은 백제와는 별개로 호남권 마한 유적의 논의에서 빼놓고 생각할 수 없는 부분이 된다. 해남, 영암, 광주 등 전남 해안과 내륙 일대에는 수십여기의 5~6세기 장고형 무덤, 그러니까 앞쪽은 사각지고 뒤쪽은 원형의 봉분이 있는 전방후원분이란 왜계 무덤이 곳곳에 흩어져 있기 때문이다. 이 무덤 양식은 3~6세기 일본 고훈시대 전역에서 유행한 전방후원분의 직접적 영향으로 만들어졌다. 출토품 또한 명백히 왜계의 토기인 나팔병(유공광구소호) 같은 스에키와 하니와 등이 나오므로 무덤의 주인은 왜인일 가능성이 높다. 무덤을 조성한 왜인 집단이 백제가 고용한 용병이나 관료인지, 일본 야마토 정권의 지시를 받고 파견된 무인세력인지는 임나일본부설과 얽혀 첨예한 논쟁거리다. 호남권의 마한유적은 필연적으로 왜계 유적의 역사적 비밀, 더 나아가면 임나일본부의 잔영 극복과 겹쳐서 생각할 수밖에 없는 숙명을 안고 있는 셈이다.

1990년대 이래 상당한 변화의 계기가 생긴 건 사실이다. 고고학계에서는 호남권의 마한 유적을 백제와는 정체성이 구별되는 유적으로 간주하는 흐름이 자리를 잡기 시작했다. 문헌사학계는 여전히 4세기 중엽 근초고왕 때 마한 잔여 지역에 대한 백제의 평정이 이뤄졌다는 학설을 견지하는 편이지만, 과거와 같은 막강한 권위와 영향력을 발휘하지는 못하는 형국이다.

근초고왕의 정벌설은 1950년대 한국 강단사학의 태두였던 이병도와 1960~70년대 언론인이자 역사학자였던 천관우가 제기하고 팩트처럼 근거를 다진 학설이다. 〈일본서기〉의 '신공기 49년조'에 목라근자 등의 왜 장군이 신라, 가야를 치고 남도의 침미다례까지 도륙해 백제에 주었다는 내용의 기사를, 왜에서 백제를 주체로 바꿔 '다시 읽기'하면서 4세기 중엽 근초고왕 때 마한의 남쪽 영역 해안 일대까지 쳐서 아울렀다는 결론을 도출했다. 이 학설이 여전히 50년 이상 유효한 학설로 남아있는 건 몇 안되는 한중일 사서의 내용을 뒤져 백제, 마한의 관계사에 문헌적 근거를 부여한 거의 유일한 성과였기 때문이었다. 하지만, 90년대 이후 나주 영암 일대 고분의 발굴 성과들은 기존 학설의 논지에 의문을 낳게 했다. 5~6세기까지 백제계 석실과 다른 영산강 유역 특유의 옹관 매납 문화와 차별적인 고분 얼개, 부장품 양상 등이 드러났기 때문이었다. 고대 영산강일대 세력 특유의 생활 문화 양상이 사서의 기록보다 오랫동안 이어졌다는 것은 부인할 수 없게 되었다.

이런 변화에 힘입어 지자체는 물론 학계에서도 적지않은 이들이 새로운 맥락과 관점에서 영산강 세력과 전남 해안 세력의 역사적 실체를 바라볼 필요성이 생겨났다고 말하고 있다. 이들은 여전히 사용되는 마한이란 명칭이 낡고 헐거운 개념틀이란 점을 입을 모아 지적한다. 마한은 지역적으로 경기 충청은 물론 강원 경상도 영역까지 포괄하므로 주목도가 떨어진다. 역사적으로도 조선시대에 선비학자들 사이에서 논의된 마한은 지금 호남권의 마한과 달랐다. 연나라의 유민 위만 세력에 쫓겨 한반도 남부로 온 뒤 삼한을 다스렸다는 기자조선의 왕 준왕의 근거지로서 주로 논의되었다. 일제강점기에도 마한 논의의 중심은 충청권이었다. 준왕의 근거지, 마한의 애초 중심이었던 목지국의 위치가 어디인지를 놓고 충청권의 직산, 천안, 전북 익산 등을 둘러싼 논란이 있었고, 실제로 일본인 학자 세키노 다다시와 야쓰이 세이이쓰가 익산의 무덤들과 유적들을 애초 처음 발굴하게 된 계기도 이런 마한 중심지에 대한 궁금증 때문이었다. 요즘 학계에서 주목받는 영산강유역의 나주, 영암 지역 고분들은 일제강점기엔 마한의 근거지가 아니라, 고대 한반도에 진출한 왜 세력의 역사적 흔적으로서 의미가 부여돼 발굴이 시작됐다.

지금 남도에서 강조하는 재조명 대상은 마한 소국들 중에서도 백제에 의한 통합에 저항하며 5~6세기까지 존속한 전남권 영산강, 해안 일대의 잔여 세력을 지칭하는 것으로 보인다. 대표적인 세력이 중국 〈진서〉에 3세기 20개 소국들과 함께 중국에 조공사절을 보낸 '신미국', 〈일본서기〉에 왜장 목라근자에 의해 도륙당한 것으로 나오는 '침미다례'다. 이 소국의 위치가 어딘지는 명확하게 알려진 것이 없다. 신촌리 9호분, 복암리 3호분 발굴 등을 통해 실체가 드러난 영산강 일대 마한 세력들도 사서에는 〈삼국지〉 위지동이전에 나오는 불미국, 신운신국, 임소반국, 내비리국 따위의 어렴풋한 소국 명칭을 작위적으로 연관시켜 가야 같은 연맹국가가 아니었나하는 추정으로 흔적을 더듬어볼 수밖에 없는 상황이다. 영산강 일대 고대 세력들의 활동상은 사실상 사서의 기록이 없고, 명문기록은 2008년 복암리 고분군 일대에서 나온 목간 60여점이 유일하다. 이 목간엔 백제의 관등명과 촌락명, 호구명 등이 기록돼 백제의 지배를 확증하는 근거로 학계는 받아들이고 있다.

역사적으로 보면, 나주 일대 영산강 유역의 유적들은 국내 학계에 이른바 임나일본부설의 실증적인 근거로 악용된 전사가 있다. 1917~18년에 걸쳐 나주 반남면 신촌리고분군을 발굴해 국내 고분사상 처음 금동관을 발굴했던 식민사학자 야쓰이 세이이쓰는 무덤의 정상부와 가장자리에서 일본식 원통형 토기 하나와가 열을 이어 출토된 것을 확인한 뒤 왜인들의 고분이라고 단정했다. 그는 보고서를 남기지 않았지만 2년간 한반도의 왜 고토 회복을 꿈꾸면서 조사한 신촌리고분의 발굴 내용은 그뒤 일본학계에서 임나일본부설의 고고학적 기반을 마련하는 단초가 되었다.

영산강 유역에서는 적지않은 일본식 전방후원분, 이른바 장고분이라는 것이 발견되고 최근 들어서는 지자체의 지원 아래 발굴작업과 보고서 간행과 학술회의를 통한 재조명 평가 작업도 여기저기서 벌어지고 있다. 과거 왜색 유적, 친일 유적이라고 하여 노출을 꺼리고 보고서 발간조차 기피하던 관행에 비하면 훨씬 열린 자세로 고대사를 돌아보려는 노력이라 할 수 있다. 과거 영남권 가야유적을 찾던 일본인학자들이 최근 대거 전남 해안 지역의 장고분 발굴현장으로 발길을 돌리고 있는 것도 눈길을 끈다. 임나일본부설을 추종했다고 볼 수는 없으나 임나의 잔영을 보여주는 전라도의 왜계유적에 대해 보여주는 그들의 뜨거운 관심은 의구심도 일으킨다. 지금 호남 지역학계와는 전혀 다른 그들만의 민족주의적 맥락, 심지어 국수주의 맥락에서 접근하고 있다는 심증을 지울 수 없는 까닭이다.

이런 상황에서, 마한 세력의 옹관고분과 더불어 왜계 고분과 유적들까지 하나의 근거로 묶어서 영산강 유역권의 독립왕조설, 고대연맹체 국가설까지 단정적으로 치고 나가는 주장들이 최근 남도 학계와 언론계 일각에서 제기되는 중이다. 기존 학계 전문가들은 공식적으로 언급을 하지 않고 있지만, 마한 재조명에 역효과를 낳을 것이라며 우려하는 반응을 보이는 이들이 상당수다. 자칫 일본 학자들의 신임나일본부 주장이나 신식민사관에 근거를 제공하거나 이용당하는 결과로 나타날 수 있다는 얘기다. 이런 이견은 피할 수 없고 단번에 넘어설 수도 없다. 결국 마한 역사 살리기는 여러 오해와 이견이 도사린 '일본 리스크'를 직시하고 풀지 않고서는 달성할 수 없는 난제라고 할 수 있다.

일부 지역 연구자들이 요즘 호남 지중해라고 명명해서 쓰고있는, 한반도 서남쪽 끝자락의 전남 해안의 다도해와 영산강이 바다와 만나는 하구의 만 일대는 고대 동아시아의 유력한 교역거점중 하나였다. 이 풍요로운 뭍과 바다가 삼한의 문물과 중국과 왜의 문물, 해상실크로드로 들어온 남방의 문물이 만나는 집산지이자 해양 문화의 용광로였음을 누구도 부인하지 않는다.

마한이란 명칭만 내세우는 건 다른 지역의 학계나 일반인들의 공명을 얻기 힘들다. 마한 잔여세력의 역사를 다시 보자고 말하는 것도 권위가 서지 않는다. 명칭에 얽매이는 것보다는 21세기에 맞는 새 프레임과 담론이 필요하다는 지적들이 많다. 반도와 열도가 민족 구분 없이 지금보다 더 밀접하고 친숙하게 삶과 문화를 공유했던 국제성 강한 복합문화 지대로서의 당대 의미와 시대상을 되살리는 것이 더 긴요한 과제일 터다.

지역에서 바라는 마한역사문화권 법령제정의 필요성

이영철 (대한문화재연구원 원장)

Ⅰ. 머리말

마한은 삼한의 시작을 알리는 주체로 지금의 서울경기, 충청, 전라지역에 걸쳐 54개의 소국이 어우러져 형성된 역사적 실체이다. 다만 관련 문헌 기록의 빈곤함으로 인해 중국 역사서에 기록된 내용을 토대로 마한의 문화와 풍습 등을 일부 복원해 낼 수 있었다. 마한의 시작과 끝이 불명하다는 일부 학자들의 지적도 있으나, 해방 이후 진행된 수많은 고고학 발굴조사 자료를 통해 베일에 가려졌던 마한의 실체가 점점 선명해지고 있다.

특히나 마한 역사의 마지막 모습을 담고 있는 전라남도 지역은 마한 시기의 독특한 문화적 전통을 간직하고 있어, 마한 사람들의 삶과 문화를 이해하는데 최고의 보고지(寶庫地)로 주목받아 오고 있다. 그럼에도 불구하고 고구려 · 백제 · 신라라는 삼국시대의 도래 속에서 마한의 역사적 가치는 저평가되어 우리 민족의 뿌리를 찾아가는데 어려움을 겪는 결과를 초래하였다.

반면, 한민족 역사 속에서 마한과 유사한 길을 걸었던 변 · 진한 지역은 현재 가야문화권으로 계승 보존되고 있다. 가야 문화권을 정부 차원에서 관심을 갖기 시작한 것은 2000년 김대중 정부에서 추진된 가야사 복원사업(가야사 1 · 2단계 복원사업)부터이다. 2010년에는 다시 '가야문화권 특정지역 지정 및 개발계획'이 지정되어 추진되기도 하였다. 2015년「가야문화권의 체계적인 정비를 위한 특별법(안)」이 제출되고, 2016년「가야문화권 개발 및 지원에 관한 특별법(안)」법안에서 가야문화권의 문화유산을 발굴 · 복원 · 정비하고, 가야문화권을 통합적 광역 기반으로 조성함으로써 문화융성을 통한 소통 · 교류와 지역경제 활성화에 기여하여 국가균형발전에 이바지하는 것을 목표로 제시하였다. 이후 2017년에는 가야문화권 조사연구 및 정비사업을 통한 지역 인프라 확대, 지역 경제 활성화, 지역 문화유산 확충, 지역 문화유산 향유권 확대, 동서 화합 등을 목표로 「가야역사문화권 연구·조사 및 정비와 지역발전에 관한 특별법(안)」이 상정되었다.

2017년 6월 1일 문재인 대통령은 수석비서관·보좌관회의에서 가야사 복원에 대해 직접 언급하였으며, 2017년 7월 발표된 국정운영 5개년 계획에서는 가야역사문화권 조사연구 및 정비를 주요 국정 과제(67)로 포함시켜 가야사 연구와 가야역사문화권 발전을 촉진시킬 수 있는 정책적 발판이 마련되었다. 문헌 기록이 부족한 우리 민족의 고대사를 복원한다는 측면에서 국가적 관심과 행정적 조치는 매우 다행이 아닐 수 없다.

서두에서 이렇듯 가야사 관련 정황들을 언급한 것은 최근의 상황이 우려스럽기 때문이다. 특히 우리 전남도민의 입장에서 보면 매우 우려스러운 정황들이 펼쳐지고 있어 본 발표에서는 마한역사문화권 관련 법령의 제정의 필요성을 재점검해보고 이와 관련된 몇 가지 생각을 제안해보고자 한다.

Ⅱ. 마한문화권 개발 경과 검토

전라남도는 마한문화권 개발 추진 방안 수립과 관련해 2017년 8월 전문가 자문을 거친 후 영산강유역 마한문화권 조사·연구 지원을 동년 10월 국회 예결위와 BH 등에 건의하였다. 이후, 본격적인 활동을 전개하기 위하여 15명의 마한문화권 개발 자문위원을 위촉하고 동년 12월에 「영산강유역 마한문화권 개발 기본 계획」수립과 개발자문위원회 개최하였다. 그리고 2018년 4월 「전라남도 영산강유역 마한문화권 개발 및 지원 조례」

를 제정하여 법적 근거를 마련한 후, 마한 중요유적에 대한 학술발굴조사와 연구총서 발간을 지속적으로 추진해오고 있다.

비교적 짧은 시간에 마한문화권 개발 추진과 관련한 도 관계자들의 행정 추진이 발 빠르게 진행되었다고 볼 수 있다. 또한 광역적 범위에서 과거에 축적되었던 고대의 문화권을 복원하기 위해서는 국가 차원의 법령 제정과 예산 지원을 위한 특별법 제정이 불가피하다는 도민의 소리가 높아졌고, 2017년 12월 15일 윤영일 의원이 「고대역사문화권 연구·조사 및 발전에 관한 특별법안」을 국회의원 10인을 대표해 발의하게 되었다. (참고자료 1)

법안 발의 제안 이유를 잠시 살펴보면 아래와 같다.

'문화적 가치가 지역 경쟁력을 좌우하는 시대를 맞아 국토의 품격을 높이는 방법의 하나로 문화권 조성사업에 대한 관심이 증대하고 있음. 현행 문화권조성사업은 지역의 역사문화자원을 관광자원화하고 지역경제를 활성화하는데 초점을 맞추고 있으나, 여러 부처가 개별적으로 사업을 추진함에 따라 정책효과 달성이 저조함.

문화권조성사업의 최초 추진 사례는 백제문화권(2010년 종료)으로 공주·부여를 중심으로 지역의 역사문화브래드를 확립하는데 기여한 것으로 평가되고 있음. 그러나 2000년대 중반 이후 지정개발 중인 8개 문화권 조성사업의 경우 사업집행실적이 저조해 계획이 유명무실화될 가능성이 있음. 또한 문화권에 따라 사업유형별 추진실적도 매우 상이해 개선이 필요하다는 지적이 있음.

이에 「고대역사문화권 연구·조사 및 발전에 관한 특별법」을 제정함으로써 고대의 역사와 문화유산을 연구·조사 및 발굴·복원하여 역사적으로 재조명하고, 이를 토대로 고대역사문화권을 계획적으로 정비하여 문

<u>화권별 고른 개발 및 발전은</u> 물론 국제적 광역관광명소로 발전시킴으로써 <u>지역 간 연계 · 협력을 강화하고 지역경제활성화 등 지역발전에 이바지하려는 것임.'</u>

이 법안 발의 내용 중 제1장 총칙 제2조(정의)에서 언급한 용어의 뜻을 잠시 살펴보겠다. "고대역사문화권"은 문헌기록과 유적유물을 통해 고대 독자적인 역사와 문화를 영위하였음이 밝혀진 권역으로서 4개 권역으로 구분할 수 있다.

가. 백제문화권 : 서울경기, 충청, 전북지역으로서 백제 시대의 도읍지 공주, 부여, 익산, 인근과 백제 유적 · 유물이 집중되어 있는 지역

나. 신라문화권 : 경북이 중심을 이루었던 지역으로서 신라와 통일신라 시기의 도읍지 경주를 중심으로 경북, 강원 등 신라 유적 · 유물이 집중되어 있는 지역

다. 가야문화권 : 경남이 중심을 이루었던 지역으로 김해, 고령 등 가야 제국의 도읍지를 중심으로 가야 유적 · 유물이 집중되어 있는 지역

라. 마한문화권 : 전남이 중심을 이루었던 지역으로서 나주, 영암 등 마한 제국의 도읍지를 중심으로 유적 · 유물이 집중되어 있는 지역

이상의 4개 문화권역 설정은 법안 발의 사유에도 언급되어 있듯이 문화권별 고른 개발 및 발전이라는 취지를 반영하였다고 볼 수 있다. 분단의 아픔 속에서 지금의 대한민국 영토에 자리하였던 백제, 신라, 가야, 마한의 역사를 올바르게 인식하고 균형 있게 복원하여 지역 간 협력 또한 강화하자는 큰 의미가 내포되었다. 참으로 올바른 역사인식이 바탕에 깔려 발의된 법안이 아니었나 싶다.

이후로 2개의 법안이 발의 제안되었다. 2018년 제안된 「고대역사문화권 지정 및 연구 · 조사 등에 관한 법률(안)」은 문화재청장으로 하여금 고

대역사문화권을 지정할 수 있도록 하고, 이에 대한 종합적인 연구 · 조사 및 발굴 · 정비 계획을 수립하도록 하려는 것이 중심 내용이다. 2016년부터 2018년까지 발의된 법안은 현재 소관 상임위원회에서 심사 계류 중에 있다.

2019년 4월에는 2017년 8월 가야문화유산 연구조사 및 정비와 지역발전에 관한 특별법안을 발의한 바 있는 경남 김해갑 소속의 민홍철 의원에 의해 「역사문화권 정비에 관한 특별법」이 발의되었는데, 시대별 역사문화권과 문화유산을 연구 · 조사하고 발굴 · 복원하여 그 역사적 가치를 조명하고, 역사문화권을 체계적으로 정비하여 그 가치를 세계적으로 알리고 지역 발전을 도모하고자 하는 목적으로 현재 문헌기록과 유적 · 유물을 통해 밝혀진 4개 역사문화권(고구려, 백제, 신라, 가야)에 대한 지원을 골자로 한다.

여기에서 문제가 확인된다. 2017년 발의되었던 4개 역사문화권 설정에서 마한문화권은 사라지고 고구려 역사문화권이 대신한 점이다. 이 부분은 뒤에서 다시 다루어보도록 하겠다.

다시 본 취지로 돌아와 마한문화권 관련 사항을 정리하도록 하겠다. 마한문화권과 관련한 2017년 언급 이후 다시 관련 법안이 발의된 것은 2019년 6월 27일이었다. 서삼석의원이 10인 의원을 대신하여 대표 발의한 이 법안은 「마한역사문화권 조사 · 연구 및 정비 등에 관한 특별법」이다. (참고자료 2) 제안이유와 주요내용 부분은 다음과 같다.

제안이유
마한은 진한, 변한과 더불어 고조선 이후에 생긴 삼한 중의 하나로서 현재 영산강 유역에 마한과 관련된 수많은 유물 · 유적이 분포되어 문화자원으로서의 잠재적 가치가 높음.

그러나 지금까지 마한에 대한 인식은 독자적인 문화자원이 아닌 백제의 병합대상으로서만 연구가 진행되고 있어 그 연구성과가 미흡한 실정임.

이에 특별법을 제정하여 마한의 역사와 문화에 대한 체계적인 조사와 연구를 통하여 마한역사문화권을 정비하고 이를 활용할 수 있도록 하고자 함.

주요내용

가. 이 법은 마한역사문화권에 대한 체계적인 조사ㆍ연구 및 정비를 추진하고, 이의 활용 등에 이바지함을 목적으로 함(안 제1조).

나. 문화재청장은 관계 지방자치단체의 장과 협의한 후 마한역사문화권심의위원회의 심의를 거쳐 마한역사문화권 종합계획을 5년마다 수립하고, 이에 따라 매년 시행계획을 수립ㆍ시행하도록 함(안 제5조 및 제7조).

다. 마한역사문화권의 지정, 종합계획의 수립 등에 관한 사항을 심의하기 위하여 문화재청에 마한역사문화권심의위원회를 둠(안 제8조).

라. 문화재청장 및 관계 지방자치단체의 장은 마한역사문화권으로 지정하는 것을 검토할 필요가 있는 지역에 대하여 타당성조사를 하거나 마한역사문화권 내에 현존하는 문화재의 현황ㆍ관리 실태 등을 확인하거나 종합계획을 수립ㆍ변경하기 위하여 필요한 사항에 대하여 기초조사를 할 수 있도록 함(안 제9조).

마. 문화재청장은 관계 지방자치단체의 장과 협의한 후 위원회의 심의를 거쳐 마한역사문화권을 지정할 수 있도록 함(안 제10조).

바. 국가 및 지방자치단체는 마한역사문화권에 대한 연구를 수행하는 기관을 설립 또는 지정할 수 있도록 함(안 제12조).

사. 마한역사문화권에 소재한 지방자치단체는 이 법에서 정한 목적을 달성하기 위하여 지방자치단체 간 협의체를 구성할 수 있도록 함(안 제13조).

아. 국가는 마한역사문화권에 관한 조사 · 연구 및 정비를 위하여 「문화재보호기금법」에서 정하는 바에 따라 문화재보호기금을 지원할 수 있도록 함(안 제14조).

이 특별법안의 주요 내용을 살피면 영산강유역 마한역사문화에 포커스가 맞춰져 있음을 알 수 있다. 앞서 살핀 역사문화권 관련 발의안이 대한민국 전역을 대상으로 한 것과는 대조적이다. 자세한 이유는 알 수 없지만, 약 2개월 전 마한권역이 제외되고 고구려가 대신한 민홍철의원 대표발의안과 관련이 있어 보인다. 지역 국회의원으로써 관련 지역이 배제된 선 발의 법안의 문제점을 인식하고 특별 법안의 취지를 살려야한다는 의지가 담겨져 있다고 볼 수 있다.

그러나 일각에서는 「마한역사문화권 조사 · 연구 및 정비 등에 관한 특별법」발의에 관해 부정적인 입장을 표명하기도 하였다. 000 포털 사이트에 올라와있는 반대 이유가 눈에 띤다.

"본 법안의 근본 목적이 무엇인지 의문이다. 현재 영산강 유역을 세금으로 개발하고자 하는 것 아닌지 생각해 보게 된다. 그 이유는 다음과 같다.

(1) "마한역사문화권 발전 방향과 목표 및 기본 정책"을 세운다는 것이 무슨 뜻인지 의문이다. 이미 마한 문화는 없어진지가 천년이 더 되었는데 발전이라는 것이 우습다. 따라서, "마한역사문화권 발전"이라는 것은 다른 목적임을 시사하는 것 아닌가 한다. 특히, 마한역사문화권 "활용"이라

하니 말이다. 이것은 영산강 유역 지역의 개발이라는 뜻 아닌가 한다.

(2) 이미 그 지역은 백제 문화권인데, 그 이전에 있었던 마한을 따로 조사한다는 것이 얼마나 타당한지 의문이다. 본 법에 의해 땅을 파면 마한 유물만 나오는 것도 아닌데 말이다. 어떤 유물이 발견되면 시대에 따라 분류만 하면 되는 것이지, 같은 지역을 다른 문화권 이름으로 따로 조사하는 것이 타당한지 의문이다.

(3) 설사 마한 문화권을 조사한다고 해도, 국가개입주의로 해야 할 필요가 있는지 의문이고, 이를 위해 엄청난 숫자의 위원회과 기구를 세금으로 지원하는 것이 타당한지 의문이다. "

일부 오해가 있는 지적이 있다. 아니 오해를 살만하다고 생각한다. 어찌 보면 마한의 역사가 일반 국민들에게 제대로 알려져 있지 못한 역사교육의 현실이 아닌가 싶다. 마한의 역사는 영역의 축소 변화와 함께 1,000년에 가까운 세월을 지속해왔다. 고구려, 백제, 신라, 가야의 역사보다도 더 많은 역사의 시간을 담고 있었다. 그럼에도 불구하고 우리 역사교육에서는 이러한 사실을 제대로 연구 · 정리하지 못함으로써 위와 같은 오해를 불러일으키게 되었다. 마한역사문화권 관련 법안 발의는 고대역사문화권 혹은 역사문화권 발의 법안에서 공히 표명했던 균형 있는 역사문화권 개발 취지의 문제점을 지적한 법안인 것이다.

Ⅲ. 대한민국 역사문화권 관련 법안은 국가균형발전을 지향하는가?

국회의원 19인을 대표하여 민홍철의원이 대표발의 한 역사문화권 정비 등에 관한 특별법안 내용을 살펴보자.

제1장 총칙

제1조(목적) 이 법은 우리나라의 시대별 역사문화권과 문화유산을 연구·조사하고 발굴·복원하여 그 역사적 가치를 조명하고, 역사문화권을 체계적으로 정비하여 그 가치를 세계적으로 알리고 지역 발전을 도모하는 것을 목적으로 한다.

제2조(정의) 이 법에서 사용하는 용어의 뜻은 다음과 같다.

1. "역사문화권"이란 역사적으로 중요한 유형·무형 유산의 생산 및 축적을 통해 고유한 정체성을 형성·발전시켜 온 권역으로 현재 문헌기록과 유적·유물을 통해 밝혀진 다음의 각 목 및 제10조에 따라 지정된 권역을 말한다.

가. 고구려역사문화권: 한반도 중북부 및 만주지역을 중심으로 고구려 시대의 유적·유물이 집중되어 있는 지역(대한민국의 실효적 지배가 미치는 지역에 한정한다)

나. 백제역사문화권: 서울, 경기, 충청, 전북지역을 중심으로 백제 시대의 도읍지 공주, 부여, 익산과 백제 유적·유물이 집중되어 있는 지역

다. 신라역사문화권: 경북지역을 중심으로 신라와 통일 신라 시대의 도읍지 경주와 인근 신라 유적·유물이 집중되어 있는 지역

라. 가야역사문화권: 기원 전후부터 6세기 중엽까지 존속한 고대 가야국이 위치한 김해, 고령 등 가야 제국의 도읍지를 중심으로 경남·경북·전남·전북 등 가야 유적·유물이 분포되어 있는 지역

2. "역사문화환경"이란 역사문화권의 생성·발전의 배경이 되는 자연환경과 고유한 정체성을 형성하는 유형·무형 유산 등의 인문환경을 말한다.

3. "역사문화권정비사업"이란 역사문화환경을 조사·연구·발굴·복원·보존·정비하기 위한 사업을 말한다.

4. "역사문화권정비구역"이란 역사문화권정비사업을 시행하기 위하여 제16조에 따라 지정·고시된 지역을 말한다.

제3조(국가 등의 책무) ① 국가와 지방자치단체는 역사문화권정비사업을 원활하고 효율적으로 추진하기 위한 정책을 수립·추진하여야 한다.

② 국가와 지방자치단체는 역사문화권정비사업을 통하여 지역 간 연계·협력을 강화할 수 있도록 노력하여야 한다.

③ 국가와 지방자치단체는 역사문화권정비사업을 실시하기 위한 행정적·재정적 지원을 할 수 있다.

제4조(다른 법률 및 계획과의 관계) ① 이 법은 역사문화권 정비에 관하여 다른 법률에 우선하여 적용한다.

② 이 법에 따른 기본계획을 수립하거나 제16조에 따른 역사문화권정비구역을 지정하는 경우에는 「국토기본법」 제9조에 따른 국토종합계획, 「국가균형발전 특별법」 제4조에 따른 국가균형발전 5개년 계획, 「지역 개발 및 지원에 관한 법률」 제7조에 따른 지역개발계획 및 「문화재보호법」 제6조에 따른 문화재기본계획 등 다른 법령에 따른 계획을 충분히 고려하여야 하며, 서로 조화와 균형을 이루도록 하여야 한다.

제2조에서 언급한 4개 권역의 지역을 살피면 고구려역사문화권은 환반도 중북부와 만주지역을, 백제역사문화권은 서울, 경기, 충청, 전북지역을, 신라역사문화권은 경북지역을, 가야문화권은 경남, 경북, 전남, 전북지역으로 언급하였다. 여기에서 한 가지 이상한 점이 발견된다. 백제역사문화권에도 전남은 포함되지 않아 이상한데, 가야역사문화권에 전남이 포함된 점 또한 더욱 이상한 지역권 설정이다. 이 문구대로 이해하지면 전남은 백제가 아닌 가야역사문화권에 포함되는 꼴이 된다.

백제역사문화권에는 언급조차 되지 않는다. 지역 설정의 역사적 근거가 무엇인지 묻고 싶다. 아마도 가야역사문화권에 전남을 포함한 것은 법안 내용에도 있듯이 가야 유적유물이 분포되어 있는 지역이기 때문이라 생각된다. 그런 논리라면 경상도 지역과 서울, 경기, 충청지역에서 출토 보고된 영산강유역 마한 유물을 기준할 시 마한역사문화권에 포함되지 않는 지역은 강원, 충북, 경북 정도로 볼 수 있으며, 제주도를 포함한 나머지 지역은 모두 마한역사문화권에 포함됨으로써 가장 넓은 역사문화권이라 할 수 있다.

서삼석 의원 대표발의 법안의 제안이유에도 마한에 대한 인식은 독자적인 문화자원이 아닌 백제의 병합대상으로서만 연구가 진행되고 있다는 학계의 의견을 민홍철의원 발의 법안에서는 찾을 수 없을 뿐만 아니라 가야역사문화권을 강조하는 과정에서 과도한 오류를 범하게 된 것이 아닌가 싶다.

제1조 목적에 언급되었듯이 역사문화권 설정은 우리나라의 시대별 역사문화권과 문화유산을 연구·조사하고 발굴·복원하여 그 역사적 가치를 조명하고, 역사문화권을 체계적으로 정비하여 그 가치를 세계적으로 알리고(균형있는) 지역 발전을 도모하는 것을 목적으로 하여야 할 것이다. 대한민국의 역사적 정체성을 찾기 위한 역사문화권 특별법안이 균형있는 지역 발전과 상생을 전제로 한다면, 고구려, 백제, 신라, 가야라는 역사적 주체가 존재하였던 시기에 병존하고 있었던 영산강유역 중심의 마한역사문화 또한 동등한 하나의 문화권으로 인식하고 수정발의하는 것이 필요하다고 본다. 마한역사문화권이 언급되지 않는 이유는 여러 원인이 있을 것이다. 마한 역사에 대한 학계의 무관심과 연구자의 부족, 백제의 성장에 따른 마한 영역의 축소 변화라는 역사적 사실과 현실의 괴리-서울경기, 충청, 전라북·남도라는 지금의 지방사회마다의

입장 차이, 지역주민에 대한 역사교육과 홍보 미비 등이 주요 원인이라 할 수 있다.

Ⅳ. 법령개정의 필요성과 인식 제고 - 맺음말을 대신하여

마한역사문화권 관련 특별법안은 반드시 필요한 역사문화권 관련 법안이다. 서삼석의원이 대표 발의한「마한역사문화권 조사연구 및 정비 등에 관한 특별법」이나 혹은 민홍철 의원이 대표 발의한「역사문화권 정비에 관한 특별법」이 수정 조정되어 진행되는 것이 가장 바람직하다고 본다. 물론 지역 균형 발전이라는 측면에서 보면 후자의 역사문화권 관련 법안이 수정되어 4개 역사문화권이 아닌 5개 역사문화권으로 수정되는 것이 요구된다.

마한역사문화에 관심을 갖고 있는 연구자의 한 사람으로써 마한의 역사문화는 단순히 한반도 내에서의 문제가 아니라 중국-일본열도를 잇는 동북아고대교류사에서도 중요한 지정학적 위치를 점하였다는 점을 잊어서는 안된다. 또한 다문화사회로 진입한 현재 대한민국의 국제적 포용성을 역사적으로 표방하기 위해서는 고대 해상실크로드의 중요 국제 항시(港市)가 자리하였던 한반도 서남부지역 마한사회의 역사를 좌시해서는 안 될 것이다.

관련 법령 개정에서도 마한의 최후 보루였던 전남지역의 역사 부재 인식은 어찌 보면 우리 지역도민의 잘못이 가장 크다고 할 수 있다. 이웃한 가야문화권 관련 법안 내용을 보아도 우리의 준비 기간은 아직 짧다.(표 1 참조)

표 1. 가야문화권 관련 법(안) 제안 이유(하승철 2019)

구분	제안 이유
신라 · 가야 · 유교문화권 조성 및 지원에 관한 특별법안(2012)	· 국가 광역경제권 선도프로젝트의 일환으로 신라 · 가야 · 유교문화의 역사 · 생태자원의 활용을 통해 지역경제를 활성화하고 국가 관광정책기조에 부응할 수 있는 통합적 관광기반 조성사업이 필요 · 신라 · 가야 · 유교문화권을 조성하여 전통문화를 계승하고 국민의 의질 향상에 이바지
가야문화권 개발 및 지원에 관한 특별법안 (2015)	· 가야제국(伽倻諸國)은 신라, 고구려, 백제와 달리 전체 역사를 서술한 정사가 없으나, 최근 철기, 토기, 가야금, 순장문화 등 가야제국의 실체가 확인되고 이를 발굴 · 복원 · 정비하면서 그동안 알려지지 않았던 가야제국의 역사와 문화가 새롭게 밝혀지고 있음 · 가야문화권의 문화유산을 발굴 · 복원 · 정비하고, 가야문화권을 통합적 광역 관광기반으로 조성함으로써 문화융성을 통한 소통 · 교류와 지역경제 활성화에 기여하여 국가균형발전에 이바지
가야문화권 개발 및 지원에 관한 특별법안 (2016)	· 가야제국(伽倻諸國)은 신라, 고구려, 백제와 달리 전체 역사를 서술한 정사가 없으나, 최근 철기, 토기, 가야금, 순장문화 등 가야제국의 실체가 확인되고 이를 발굴 · 복원 · 정비하면서 그동안 알려지지 않았던 가야제국의 역사와 문화가 새롭게 밝혀지고 있음 · 가야문화권의 문화유산을 발굴 · 복원 · 정비하고, 가야문화권을 통합적 광역 관광기반으로 조성함으로써 문화융성을 통한 소통 · 교류와 지역경제 활성화에 기여하여 국가균형발전에 이바지
가야역사문화권 연구 · 조사 및 정비와 지역발전에 관한 특별법안(2017)	· 가야(伽倻)는 무관심과 이해 부족으로 지금까지 잊힌 역사로 남아 있음. 가야역사문화권의 역사는 신라나 백제와는 달리 국가적 지원과 관심에서도 소외되어 왔으며 일본이 가야국을 임나일본부라고 주장하는 등 역사왜곡의 대상으로 전락해 있는 실정 · 최근 철기, 토기, 가야금, 순장문화 등 가야의 실체가 확인되고 이를 발굴 · 복원 · 정비하면서 알려지지 않았던 가야의 역사와 문화가 새롭게 조명되고 있으며, 가야의 역사와 문화가 경상남 · 북도 뿐만 아니라 전라남 · 북도까지 널리 퍼져있는 것으로 알려짐 · 가야의 역사와 문화유산을 연구 · 조사 및 발굴 · 복원하여 역사적으로 재조명하고, 가야역사문화권을 계획적으로 정비하여 국제적 광역관광명소로 발전시킴으로써 지역 간 연계 · 협력을 강화하고 지역경제활성화 등 지역발전에 이바지

구분	제안 이유
고대역사문화권 연구·조사 및 발전에 관한 특별법안(2017)	· 현행 문화권조성사업은 지역의 역사문화자원을 관광자원화하고 지역경제를 활성화하는데 초점을 맞추고 있으나 여러 부처가 개별적으로 사업을 추진함에 따라 정책효과 달성이 저조함 · 문화권조성사업의 최초 추진사례는 백제문화권(2010년 종료)으로 공주·부여를 중심으로 지역의 역사문화브랜드를 확립하는데 기여한 것으로 평가되고 있음. 그러나 2000년대 중반 이후 지정·개발 중인 8개 문화권조성사업의 경우 사업 집행실적이 저조해 계획이 유명무실화될 가능성이 있음. 또한 문화권에 따라 사업유형별 추진실적도 매우 상이해 개선이 필요하다는 지적이 있음 · 고대의 역사와 문화유산을 연구·조사 및 발굴·복원하여 역사적으로 재조명하고, 이를 토대로 고대역사문화권을 계획적으로 정비하여 문화권별 고른 개발 및 발전은 물론, 국제적 광역관광명소로 발전시킴으로써 지역 간 연계·협력을 강화하고 지역경제활성화 등 지역발전에 이바지하려는 것임
고대역사문화권 지정 및 연구·조사 등에 관한 법률(2018)	· 고대역사문화권에 대한 연구·조사 및 발굴·정비와 이를 통한 관광자원화 및 지역개발의 필요성이 제기되고 있음. 하지만, 고대역사문화권에 대한 관광자원화 및 개발사업을 추진하기 위해서는 종합적이고 체계적인 연구조사와 발굴·정비가 선행되고 그 결과를 바탕으로 연계 개발사업이 추진되어야 할 것임 · 고대역사문화권 지정 여부의 판단 및 결정은 충분한 고증을 바탕으로 문화재 소관 부처에서 하여야 하며, 지정된 고대역사문화권 지역에 대한 연구·조사 및 발굴·정비의 종합계획 역시 기존 문화재기본계획 등과의 조화와 균형을 고려하면서 문화재 소관 부처에서 수립하는 것이 타당하다고 할 것임 · 문화재청장으로 하여금 고대역사문화권을 지정할 수 있도록 하고, 이에 대한 종합적인 연구·조사 및 발굴·정비 계획을 수립하도록 하려는 것임. 또한, 국가 및 지방자치단체가 고대역사문화권에 대한 전문 연구기관을 설립 또는 지정하고 지원할 수 있도록 하여 고대역사문화권에 대한 학문적 연구가 활성화 되도록 하려는 것임

김대중정부 이후로부터 20년 가까이 지속되고 있는 가야사 복원 사업 관련 행정 및 법률 마련과 관련한 노력의 결실은 문화체육관광부 자료(하승철 2019 인용)에서도 확인할 수 있다.

구분	가야사 1단계 복원사업	가야사 2단계 조성사업	가야문화권 특정지역 지정 및 개발계획
발굴 사업	16개 사업	가야문화관, 가야체험관, 종합관광안내소, 주차장 등	3개 분야 37개 사업
사업비	1,297억원 -국 929억원(71.6%) 지 368억원(28.4%)	710억원 -국 124.5억원(17.5%) 지 585.5억원(82.5%)	9,062.21억원
사업 기간	1999~2007년(9년)	2006~2022년(17년)	2010~2019년(10년)

지난 20여 년 동안 3,000억에 가까운 예산이 투입되었다. 매년 150억에 가까운 평균 예산이 가야사 복원을 위한 사업으로 책정 지원된 것이다. 이에 비해 마한 관련 예산이 얼마 정도인지 궁금하다.

그럼 우리 도내의 현실은 어떠한가를 생각해보자. 5시 17개군의 관계자들이 마한역사문화권 관련 법안에 어느 정도의 공감대를 가지고 있는지 궁금하다. 행정관련 담당자들의 인식이 부족하다면, 해당 지자체의 지역민들 사정은 말할 필요가 없을 것이다. 도민이 관심을 가지지 않는 특별법이 무슨 의미가 있을지 생각해보아야 한다. 행정 주도의 마한역사문화권 추진은 현실에 맞지 않는 것이다. 민·관·학이 모두 공감해야 한다. 관은 특별법의 의미를 도민들에게 충실히 홍보·교육하고 이해를 구해야 한다. 물론 그러기위해서는 지자체 담당자들의 선이해가 필수적이다. 또한 전남도에서는 전담팀을 구성할 필요가 있다. 물론 전남문화재연구소가 현재는 관련 업무를 수행한다고도 볼 수 있으나 분명한 한계가 있다. 마한역사문화와 관련된 조사연구를 병행하고 있는 대학과 국공립연구소, 발굴조사법인 등과 연계된 네트워크를 공식적으로 구성하는 것이 바람직하다.

얼마 전 우리 지역사회에서는 마한문화와 관련한 대표적 축제가 두 지자체에서 열렸다. 가을 코스모스가 핀 들녘에서 마한유적과 어우러진 공간을 무대로 많은 방문객이 찾아온 축제로 자평하였다. 일부 시민단체와 언론에서는 이 두 축제를 두고 우려의 목소리를 내기도 하였다. 마한문화를 기본 바탕으로 매년 진행되고 있는 역사문화 축제가 거의 같은 날 이웃 시군에서 병행된다는 부분에 대한 우려이다. 나주의 마한과 영암의 마한이 구분될 필요도 있겠지만, 지금은 하나의 마한을 지자체 모두가 동의해야 하는 시점이다. 금년에 두 축제에 소요된 비용이 7억에 가까웠다.

우리가 마한역사문화권의 교육적 필요성과 법적 정당성을 확보하기 위해서는 도 차원에서의 컨트롤타워가 마련될 필요가 있다고 제안한다. 가야역사문화권의 경우 역사문화권 특별법 개정과 더불어 현재 유네스코지정 세계유산등재 추진을 위한 추진단을 5개 지자체와 2개의 출연기관이 협심하여 구성 진행하고 있다. 5개 지자체가 8억원씩의 예산을 공동 부담하여 총사업비 40억원 규모의 세계유산등재 추진 사업을 진행하고 있는 것이다. 최근 전라북도와 전라남도 일부 지역이 이 사업 범위에 포함되어 동참하고 있는 것으로 안다. 마한이나 백제의 고토로 알려진 지역이 이젠 가야의 역사 속에서 언급되고 있는 것이다. 2019년 4월 발의된 「역사문화권 정비에 관한 특별법」에서 정한 4개고대문화권의 설정 배경을 이해할 수 있는 대목이기도 하다.

마한역사문화권 관련해서도 여러 가지 준비가 병행되어 추진되어야 한다. 15명으로 구성된 마한문화권개발자문위원단만으로 할 수 있는 것은 없다. 행정적인 전담 팀을 구성하여 중장기적인 계획 속에서 특별법안 추진을 지속해야 한다. 이번 발의된 법안이 국회 문턱을 통과한다면 더할 나위 없이 좋을 것이다. 그 법에 근거한 행정 뒷받침과 예산지원을 바탕으로 마한역사문화권을 정비 연구하면 될 것이다. 그러나 그 기대로 인해 만약에 대한 준비를 게을리 한다면 소외되고 있는 마한역사문화권 회생은 점점 더 멀어질 것이다.

법적 근거를 가진 조직과 전문 인력을 마련하고 체계적인 중장기적 목표를 전남 지자체 모두가 모여 논의 결정해야 할 것이다. 현재에도 적잖은 지자체가 각기 관련 사업을 소규모로 진행하고 있다. 가성비가 낮은 도전이다.

마한제국이 54개의 소국으로 구성되었듯이 마한사회는 다양성과 포용성을 전제로 역사에 실존하였다. 다양성이라는 역사적 사실이 자칫 현대사회에서 지자체마다의 목소리만을 내는 이기적 모습으로 변모되지 않도록 노력해야 한다. 이를 토대로 지자체마다의 역사적 특성을 추출하여 마한역사문화권을 완성하는데 일조해야 할 것이다. 무안, 신안, 영암, 나주, 해남, 함평, 영광, 화순, 담양, 장성, 강진, 장흥, 보성, 순천 등이 보유하고 있는 마한역사유적은 저마다의 마한 소국의 역사를 담고 있으며, 그러한 지역사회 역사가 영산강이라는 자연의 젓줄을 매개로 서로 이어져 기원 후 6세기까지도 마한의 문화와 역사적 전통이 유지되었던 것이다. 전라남도가 말이다.

<u>참고자료 1</u>

고대역사문화권 연구 · 조사 및 발전에 관한 특별법안

(윤영일의원 대표발의)

의 안 번 호	10889

발의연월일 : 2017. 12. 15.
발 의 자 : 윤영일 · 주승용 · 황주홍
　　　　　　윤한홍 · 박주현 · 박선숙
　　　　　　위성곤 · 송기석 · 변재일
　　　　　　박준영 의원(10인)

법률 제　　호

고대역사문화권 연구 · 조사 및 발전에 관한 특별법안

제1장 총칙

제1조(목적) 이 법은 우리나라 고대국가 형성 시기에 성립한 고대의 역사와 문화유산
　　을 연구 · 조사 및 발굴 · 복원하여 역사적으로 재조명하고, 이를 토대로 고대역사
　　문화권을 계획적으로 정비하여 국제적 광역관광명소로 발전시킴으로써 지역 간 연
　　계 · 협력을 강화하고 지역경제활성화 등 지역발전에 이바지함을 목적으로 한다.
제2조(정의) 이 법에서 사용하는 용어의 뜻은 다음과 같다.
　1. "고대역사문화권"이란 '문헌기록과 유적 · 유물을 통해 고대 독자적인 역사와 문화
　　　를 영위하였음이 밝혀진 권역'으로서 4개 권역으로 구분할 수 있다.
　　가. 백제문화권: 서울경기, 충청, 전북지역으로서 백제 시대의 도읍지 공주, 부여, 익
　　　　산, 인근과 백제 유적 · 유물이 집중되어 있는 지역
　　나. 신라문화권: 경북이 중심을 이루었던 지역으로서 신라와 통일신라 시기의 도읍
　　　　지 경주를 중심으로 경북, 강원 등 신라 유적 · 유물이 집중되어 있는 지역
　　다. 가야문화권: 경남이 중심을 이루었던 지역으로 김해, 고령 등 가야 제국의 도읍
　　　　지를 중심으로 가야 유적 · 유물이 집중되어 있는 지역
　　라. 마한문화권: 전남이 중심을 이루었던 지역으로서 나주, 영암 등 마한 제국의 도

읍지를 중심으로 유적 · 유물이 집중되어 있는 지역

2. "고대역사문화권 발전기본계획"(이하 "기본계획"이라 한다)이란 제1조의 목적을 달성하기 위하여 제7조 및 제8조에 따라 고대역사문화권을 관할하는 광역시장, 도지사(이하 "시 · 도지사"라 한다)가 공동 입안하여 국토교통부장관이 결정한 종합적이며 기본적인 계획을 말한다.

3. "고대역사문화권 역사문화환경"이란 고대역사문화권의 생성 · 발전 과정의 배경이 되는 자연환경과 고대시대에 형성된 것으로서「문화재보호법」제2조제1항에 따른 문화재 등 유형 · 무형의 문화유산 일체의 요소를 말한다.

4. "고대역사문화권 정비구역"(이하 "정비구역"이라 한다)이란 고대역사문화권 내에서 제3호에 따른 고대역사문화권 역사문화환경을 연구 · 조사, 발굴 · 복원하고 계획적으로 정비하기 위해 필요한 사업을 시행하기 위하여 제16조에 따라 지정 · 고시된 지역을 말한다.

5. "고대역사문화권 정비사업"(이하 "정비사업"이라 한다)이란 제19조에 따른 고대역사문화권 정비계획에 근거하여 정비구역에서 시행하는 사업을 말한다.

제3조(국가 등의 책무) 국가와 지방자치단체는 고대역사문화권을 발전시키기 위하여 종합적인 정책을 수립 · 추진하고 지역 간 연계 · 협력을 강화하며 지원 방안을 강구하여야 한다.

제4조(다른 법률과의 관계) ① 고대역사문화권의 지정, 기본계획 수립, 정비구역의 지정 및 정비사업 시행 등에 관하여 이 법으로 정하지 아니한 사항에 대해서는「지역 개발 및 지원에 관한 법률」을 적용한다.

② 이 법은 고대역사문화권의 기본계획, 정비구역, 정비사업 등에 적용되는 규제에 관하여 특례를 적용하는 경우에 다른 법률보다 우선한다. 다만, 다른 법률에서 이 법의 규제에 관한 특례보다 완화되는 규정이 있으면 그 법률에서 정하는 바에 따른다.

제5조(다른 계획과의 관계) 이 법에 따른 기본계획을 수립하거나 정비구역을 지정하는 경우에는「국토기본법」제9조에 따른 국토종합계획,「국가균형발전 특별법」제4조에 따른 지역발전 5개년계획,「지역 개발 및 지원에 관한 법률」제7조에 따른 지역개발계획,「문화재보호법」제6조에 따른 문화재기본계획 등 다른 법령에 따른 계획을 충분히 고려하여야 하며, 서로 조화와 균형을 이루도록 하여야 한다.

제2장 고대역사문화권 지정 및 기본계획 수립 등

제6조(고대역사문화권의 지정) ① 시·도지사는 국토교통부장관에게 고대역사문화권
의 지정을 요청할 수 있다. 이 경우 시·도지사는 고대역사문화권의 지정을 요청하
기 전에 해당 시장·군수·구청장의 의견을 들어야 한다.

② 국토교통부장관은 제1항에 따라 고대역사문화권으로 지정하기 위해서는 관계
중앙행정기관의 장과 협의한 후 제30조에 따른 고대역사문화권발전위원회의 심의
를 거쳐야 한다.

③ 고대역사문화권의 지정 요청의 방법·절차 등에 관해 필요한 사항은 대통령령으
로 정한다.

제7조(기본계획안의 입안) ① 고대역사문화권으로 지정된 지역의 관할 시·도지사는 연
계·협력하여 공동으로 다음 각 호의 사항을 포함하는 고대역사문화권 발전기본계
획안(이하 "기본계획안"이라 한다)을 입안하여야 한다.

1. 고대역사문화권 발전 방향과 목표 및 기본 정책에 관한 사항
2. 고대역사문화권 역사문화환경의 연구·조사에 관한 사항
3. 고대역사문화권 역사문화환경의 발굴·복원에 관한 사항
4. 고대역사문화권 역사문화환경의 계획적 정비 등에 관한 사항
5. 고대역사문화권 내 또는 인근 지역과의 연계·협력 사업에 관한 사항
6. 고대역사문화권의 관광자원화 등 지역발전에 관한 사항
7. 고대역사문화권의 홍보 및 국제교류에 관한 사항
8. 고대역사문화권 연구·조사, 발굴·복원, 계획적 정비 등에 필요한 투자재원의 조
   달에 관한 사항
9. 그 밖에 고대역사문화권과 관련된 것으로서 대통령령으로 정하는 사항

② 시·도지사는 기본계획안을 입안하는 경우에는 대통령령으로 정하는 바에 따라
미리 주민 및 전문가의 의견을 청취하고 공청회를 개최하여야 한다.

③ 기본계획안의 입안절차 및 방법 등에 필요한 사항은 대통령령으로 정한다.

제8조(기본계획의 결정 등) ① 국토교통부장관은 기본계획안을 관계 중앙행정기관의 장
과 협의한 후 제30조에 따른 고대역사문화권발전위원회의 심의를 거쳐 결정한다.
결정된 기본계획을 변경(대통령령으로 정하는 경미한 사항의 변경은 제외한다)하
는 경우에도 또한 같다.

② 제1항에 따라 협의 요청을 받은 관계 중앙행정기관의 장은 특별한 사유가 없으면 그 요청을 받은 날부터 20일 이내에 의견을 제출하여야 하되, 10일의 범위에서 한 차례만 연장 할 수 있다. 이 경우 그 기간 내에 의견을 제출하지 아니하면 협의가 이루어진 것으로 본다.

③ 국토교통부장관은 제1항에 따라 결정·변경된 기본계획을 대통령령으로 정하는 바에 따라 고시하고, 이를 관계 행정기관의 장 및 지방자치단체의 장에게 통보하여야 한다.

제3장 연구·조사 및 발굴·복원

제9조(고대역사문화 연구) ① 국가 및 지방자치단체는 고대의 역사적 의의를 재조명하고, 고대의 문화유산을 발굴·보존하며 계획적으로 관리·활용하기 위해 고대역사문화권의 역사문화환경에 대한 연구를 추진하고 지원하여야 한다.

② 고대역사문화권의 역사문화환경에 대한 연구는 지역 간, 학제 간 연계·협력을 기반으로 수행되어야 한다.

③ 국가 및 지방자치단체는 제1항에 따른 연구의 수행에 필요한 비용의 전부 또는 일부를 예산의 범위에서 출연하거나 지원할 수 있다.

제10조(타당성조사 및 기초조사) ① 국토교통부장관 및 시·도지사는 제6조에 따라 고대역사문화권으로 지정하는 것을 검토할 필요가 있는 지역에 대하여 타당성조사를 할 수 있다.

② 시·도지사는 고대역사문화권내 현존하는 문화재의 현황, 관리실태 등을 확인하거나 제7조 및 제8조에 따라 기본계획을 수립·변경하기 위해 필요한 사항에 대하여 기초조사를 하여야 한다.

③ 기초조사의 세부절차 및 내용 등에 필요한 사항은 대통령령으로 정한다.

④ 국가 및 지방자치단체는 제1항 및 제2항에 따른 조사의 수행에 필요한 비용의 전부 또는 일부를 예산의 범위에서 출연하거나 지원할 수 있다.

제11조(고대역사문화권 내 매장문화재 발굴) ① 시장·군수·구청장은 제8조에 따른 기본계획에 따라 고대의 역사 연구와 문화유산의 발굴·복원 및 계획적 정비 등을 위하여 발굴이 필요하다고 판단되는 지역을 「매장문화재 보호 및 조사에 관한 법률」 제11조제1항에 따라 발굴할 수 있다.

② 제1항에 따라 매장문화재 유존지역을 발굴하는 경우 시장·군수·구청장은「매장문화재 보호 및 조사에 관한 법률」제24조에 따른 매장문화재 조사기관으로 하여금 발굴하게 할 수 있다.

③ 시장·군수·구청장은 제1항과 제2항에 따라 발굴할 경우 매장문화재 유존지역의 소유자, 관리자 또는 점유자에게 대통령령으로 정하는 바에 따라 발굴의 목적, 방법 및 착수 시기 등을 미리 알려 주어야 하며, 발굴이 완료된 경우에는 완료된 날부터 30일 이내에 출토 유물 현황 등 발굴의 결과를 알려주어야 한다.

④ 제3항에 따른 통보를 받은 매장문화재 유존지역의 소유자, 관리자 또는 점유자는 제1항과 제2항에 따른 발굴을 거부하거나 방해 또는 기피하여서는 아니 된다.

⑤ 시장·군수·구청장은 제1항과 제2항에 따른 발굴로 손실을 받은 자에게 그 손실을 보상하여야 한다.

⑥ 시장·군수·구청장과 손실을 받은 자는 제5항에 따른 손실보상에 대하여 협의하여야 하며, 협의가 성립되지 아니하거나 협의를 할 수 없는 때에는 관할 토지수용위원회에 재결을 신청할 수 있다.

⑦ 관할 토지수용위원회의 재결에 관하여는「공익사업을 위한 토지 등의 취득 및 보상에 관한 법률」제83조부터 제87조까지의 규정을 준용한다.

⑧ 국가 및 지방자치단체는 제1항의 매장문화재 발굴을 위하여 필요한 비용의 전부 또는 일부를 예산의 범위에서 출연하거나 지원할 수 있다.

제12조(발굴된 매장문화재의 보존조치) ① 시장·군수·구청장은 발굴된 매장문화재 중 역사적·예술적 또는 학술적으로 가치가 큰 문화재에 대해서「매장문화재 보호 및 조사에 관한 법률」제14조에 따라 보존조치를 하여야 한다. 이 경우 문화재청장의 지시에 따라야 한다.

② 제1항에 따른 보존조치의 절차 등 기타 보존조치에 필요한 사항은 대통령령으로 정한다.

제13조(고대역사문화 복원) ① 시장·군수·구청장은 고대역사문화권의 역사문화환경을 원형 상태로 유지하거나 원형 상태에 가깝게 유지하기 위해 역사적·예술적 또는 학술적으로 가치가 큰 문화재에 대해서 제30조에 따른 고대역사문화권발전위원회 심의를 거쳐 복원할 수 있다.

② 국가 및 지방자치단체는 제1항의 역사문화환경 복원을 위하여 필요한 비용의 전부 또는 일부를 예산의 범위에서 출연하거나 지원할 수 있다.

③ 제1항에 따른 복원의 절차 등 기타 복원에 필요한 사항은 대통령령으로 정한다.

제14조(고대역사문화연구기관의 설립 등) ① 국가 및 지방자치단체는 제9조 및 제10조에 따른 고대역사문화권의 역사문화환경에 대한 연구 및 조사, 제11조 및 제12조에 따른 매장문화재 발굴 및 보존조치, 제13조에 따른 복원 등을 수행하는 기관(이하 "고대역사문화연구기관"이라 한다)을 설립 또는 지정할 수 있다.

② 국가 또는 지방자치단체는 고대역사문화연구기관에 대하여 필요한 비용의 전부 또는 일부를 출연하거나 지원할 수 있다.

③ 국가는 고대역사문화연구기관을 「문화재보호법」 제34조제1항에 따른 관리단체로 지정할 수 있다.

④ 고대역사문화연구기관은 「매장문화재 보호 및 조사에 관한 법률」 제24조제1항에 따른 매장문화재 조사기관으로 등록된 것으로 본다.

⑤ 제1항부터 제4항에 따른 연구기관의 설립 또는 지정 및 비용 지원 등에 필요한 사항은 대통령령으로 정한다.

제15조(전문인력의 양성) ① 국가 및 지방자치단체는 고대사 연구와 문화유산의 발굴·보존 및 관리·활용 등을 위한 전문인력을 양성할 수 있다.

② 국가 및 지방자치단체는 제1항의 전문인력 양성을 위하여 필요하다고 인정하면 장학금을 지급할 수 있다.

③ 제2항에 따른 장학금(이하 "장학금"이라 한다)의 지급, 실적 확인, 중지 또는 반환 등에 관한 사항은 「문화재보호법」 제16조제3항부터 제6항까지를 준용한다.

제4장 계획적 정비 등

제1절 정비구역 지정 등

제16조(정비구역의 지정 등) ① 국토교통부장관은 기본계획에 반영된 정비사업의 시행을 위하여 시·도지사의 요청에 따라 관계 중앙행정기관의 장과 협의한 후 제30조에 따른 고대역사문화권발전위원회의 심의를 거쳐 정비구역을 지정할 수 있다. 정비구역의 지정을 변경(대통령령으로 정하는 경미한 사항의 변경은 제외한다)하려는 경우에도 또한 같다.

② 제1항에 따라 정비구역을 지정하는 경우에는 다음 각 호의 사항을 고려하여야

한다.

1. 정비사업이 고대역사문화권의 역사문화환경에 대한 연구·조사 및 발굴·복원 결과를 토대로 이루어질 것

2. 정비사업이 해당 지역의 역사문화적 특수성을 극대화할 것

3. 정비사업이 고용 증대, 지역경제 활성화 등 지역 발전에 이바지하는 공익성을 갖출 것

4. 정비사업이 고대역사문화권의 화합을 선도하고 연계·협력에 기여할 것

5. 정비사업이 고대역사문화권의 국제적 명소화에 기여할 수 있도록 품격을 갖출 것

6. 정비사업이 환경적으로 지속가능한 사업일 것

7. 정비사업의 재원 조달 및 투자계획 등이 실현 가능할 것

8. 그 밖에 대통령령으로 정하는 요건에 부합할 것

③ 제1항에 따른 협의기간은 20일로 하되, 10일의 범위에서 한 차례만 연장할 수 있다. 이 경우 그 기간 내에 의견을 제출하지 아니하면 협의가 이루어진 것으로 본다. 다만, 전략환경영향평가 협의기간은 「환경영향평가법」에 따른다.

④ 시·도지사는 제1항에 따라 정비구역의 지정을 요청하고자 하는 때에는 고대역사문화권 정비계획(이하 "정비계획"이라 한다)을 작성하여 제출하여야 한다. 다만, 대통령령으로 정하는 지역에 대하여 정비구역을 지정하는 때에는 정비구역 지정 후에 정비계획을 작성 할 수 있다.

⑤ 제1항에 따른 시·도지사의 정비구역 지정 요청은 시장·군수·구청장 및 「지역개발 및 지원에 관한 법률」 제19조제1항제2호부터 제6호까지의 어느 하나에 해당하는 자의 제안에 따라 할 수 있다. 이 경우 정비구역 지정을 제안하는 자는 국토교통부령으로 정하는 서류를 제출하여야 한다.

⑥ 시·도지사는 제1항에 따라 정비구역의 지정·변경 요청을 할 경우에는 대통령령으로 정하는 바에 따라 미리 주민 및 시장·군수·구청장의 의견을 충분히 들어야 한다. 다만, 대통령령으로 정하는 경미한 사항의 변경은 그러하지 아니하다.

⑦ 국토교통부장관은 제1항에 따라 정비구역을 지정 또는 변경하는 경우에는 대통령령으로 정하는 바에 따라 이를 고시하고, 관계 행정기관의 장 및 지방자치단체의 장에게 이를 통보하여야 한다. 이 경우 정비구역을 지정·고시하는 때에는 「토지이용규제 기본법」 제8조에 따른 지형도면 등의 고시를 하여야 한다.

⑧ 제1항부터 제4항까지에 따른 정비구역의 지정 또는 변경에 있어서 지정대상구역이 2 이상의 시·도에 걸치는 경우에는 해당 시·도지사가 공동으로 요청하여야 한다.

⑨ 시·도지사가 제1항에 따라 정비구역의 지정을 요청하고자 하는 때에는 「건축법」 제71조제1항 각 호의 자료 중 대통령령으로 정하는 자료를 갖추어 요청하여야 하고, 정비구역이 지정된 경우 「건축법」 제69조에 따른 특별건축구역으로 지정된 것으로 본다.

⑩ 그 밖에 정비구역의 지정 등에 관하여 필요한 사항은 대통령령으로 정한다.

제17조(정비구역 지정의 해제) ① 제16조에 따라 지정된 정비구역이 다음 각 호의 어느 하나에 해당될 경우에는 제30조에 따른 고대역사문화권발전위원회의 심의를 거쳐 정비구역 지정을 해제할 수 있다. 다만, 제4호의 경우에는 심의를 생략할 수 있다.

1. 정비계획이 수립·고시된 날부터 3년이 되는 날까지 제22조에 따른 실시계획의 승인을 신청하지 아니한 경우

2. 제22조에 따른 실시계획이 승인·고시된 날부터 2년이 되는 날까지 공사 또는 사업에 착수하지 아니한 경우

3. 정비사업의 지정 목적을 달성할 수 없다고 인정되는 경우

4. 정비사업의 공사완료를 공고한 경우

② 제1항제1호부터 제3호까지에 따라 정비구역의 지정이 해제된 경우로서 제19조제6항 각 호에 따른 승인·결정등 또는 제23조에 따른 인·허가등이 있는 경우에는 해당 정비구역 지정 전의 상태로 각각 환원되거나 폐지된 것으로 본다.

③ 제1항에 따라 정비구역의 지정이 해제된 경우 국토교통부장관은 대통령령으로 정하는 바에 따라 이를 고시하고 관계 행정기관의 장에게 통보하여야 한다.

제18조(행위 등의 제한) 정비구역에서의 행위 제한 등에 관한 사항은 「지역 개발 및 지원에 관한 법률」 제17조를 준용한다.

제19조(정비계획의 승인 등) ① 시·도지사는 정비계획을 작성하여 국토교통부장관의 승인을 받아야 하며, 국토교통부장관은 관계 중앙행정기관의 장과 협의한 후 제30조에 따른 고대역사문화권발전위원회의 심의를 거쳐 정비계획을 승인해야 한다. 승인된 정비계획을 변경(대통령령으로 정하는 경미한 사항의 변경은 제외한다)하려는 경우에도 또한 같다.

② 정비계획에는 다음 각 호의 사항이 포함되어야 한다.

1. 정비구역의 명칭·위치 및 면적

2. 정비구역의 지정 목적 및 정비사업의 내용, 시행기간

3. 정비사업의 시행자 및 시행 방식에 관한 사항

4. 고대역사문화권 역사문화환경에 대한 연구 · 조사, 발굴 · 복원 결과의 활용 및 연계에 관한 사항

5. 정비구역 내 관련 지방자치단체 간 연계 · 협력에 관한 사항

6. 환경보전계획 및 오염방지계획

7. 인구수용 · 교통처리 및 토지이용계획

8. 도로, 상하수도 등 주요 기반시설의 설치계획

9. 재원조달계획 및 연도별 투자계획

10. 보상계획 및 조성토지 공급에 관한 사항

11. 제24조에 따라 토지 등을 수용 또는 사용하려는 경우에는 그 세부 목록

12. 정비구역 밖의 지역에 기반시설을 설치하여야 하는 경우에는 그 시설 설치에 필요한 비용의 부담계획

13. 정비사업의 사업성에 관한 사항

14. 그 밖에 대통령령으로 정하는 사항

③ 제1항에 따른 협의기간은 20일로 하되, 10일의 범위에서 한 차례만 연장할 수 있다. 이 경우 그 기간 내에 의견을 제출하지 아니하면 협의가 이루어진 것으로 본다.

④ 국토교통부장관은 제1항에 따라 정비계획을 승인 또는 변경하는 경우에는 대통령령으로 정하는 바에 따라 이를 고시하고, 관계 행정기관의 장 및 지방자치단체의 장에게 이를 통보하여야 한다.

⑤ 국토교통부장관은 제1항에 따라 승인을 신청한 시 · 도지사에게 국토교통부령으로 정하는 바에 따라 정비계획의 필요성 및 적절성 등에 관한 검증보고서를 제출하게 할 수 있다.

⑥ 정비계획이 승인 · 고시되거나 정비구역으로 지정 · 고시된 때에는 다음 각 호의 승인 · 결정 · 지정 · 수립 등(이하 "승인 · 결정등"이라 한다)에 관하여 미리 관계 중앙행정기관의 장과 협의한 사항에 대해서는 그 고시일에 다음 각 호에 해당하는 승인 · 결정등이 있은 것으로 본다.

1. 「국토의 계획 및 이용에 관한 법률」 제6조제1호에 따른 도시지역으로 변경하는 같은 법 제30조에 따른 도시 · 군관리계획의 결정

2. 「국토의 계획 및 이용에 관한 법률」 제40조에 따라 수산자원보호구역을 변경하여 해제하는 같은 법 제30조에 따른 도시 · 군관리계획의 결정

3. 「국토의 계획 및 이용에 관한 법률」 제51조에 따른 지구단위계획구역으로 지정하

는 같은 법 제30조에 따른 도시·군관리계획의 결정

4. 「관광진흥법」 제52조에 따른 관광지 및 관광단지의 지정

5. 「연안관리법」 제6조에 따른 연안통합관리계획의 수립, 같은 법 제9조에 따른 연안 관리지역계획의 수립, 같은 법 제12조에 따른 연안통합관리계획·연안관리지역계획의 변경

6. 「공유수면 관리 및 매립에 관한 법률」 제22조 및 제27조에 따른 공유수면매립 기본계획의 수립 및 변경

7. 「도서개발 촉진법」 제6조에 따른 사업계획의 수립, 같은 법 제7조에 따른 사업계획의 확정

8. 「도시개발법」 제3조에 따른 도시개발구역의 지정 및 같은 법 제4조에 따른 도시개발사업계획의 수립

9. 「물류시설의 개발 및 운영에 관한 법률」 제22조에 따른 물류단지의 지정

10. 「산업입지 및 개발에 관한 법률」 제6조, 제7조, 제7조의2 및 제8조에 따른 국가산업단지, 일반산업단지, 도시첨단산업단지 및 농공단지의 지정

11. 「소하천정비법」 제6조에 따른 소하천정비종합계획의 수립·변경 및 승인

12. 「하천법」 제25조에 따른 하천기본계획의 수립 및 변경

13. 「수도법」 제4조에 따른 수도정비기본계획의 수립 및 변경

14. 「하수도법」 제5조 및 제6조에 따른 하수도정비기본계획의 수립 및 변경

15. 「택지개발촉진법」 제3조에 따른 택지개발지구의 지정 및 같은 법 제8조에 따른 택지개발계획의 수립

16. 「지역 개발 및 지원에 관한 법률」 제7조 및 제11조에 따른 지역개발계획의 수립 및 지역개발사업구역의 지정

17. 「지역문화진흥법」 제15조에 따른 문화도시의 지정 및 문화도시 조성계획의 수립

18. 「도시재생 활성화 및 지원에 관한 특별법」 제19조 및 제20조에 따른 도시재생활성화지역의 지정 및 도시재생활성화계획의 수립

제2절 정비사업의 시행 등

제20조(시행자의 지정 등) 정비사업을 시행할 사업시행자(이하 "시행자"라 한다)의 지정 및 지정 취소, 대체 지정 등에 관해서는 「지역 개발 및 지원에 관한 법률」 제19조 및

제20조를 준용한다.

제21조(정비사업 시행의 위탁) 정비사업의 위탁 시행에 관해서는 「지역 개발 및 지원에 관한 법률」 제21조를 준용한다.

제22조(실시계획의 승인 등) ① 시행자는 다음 각 호의 사항이 포함된 실시계획을 작성하여 시·도지사의 승인을 받아야 한다. 다만, 시행자가 국가인 경우에는 시·도지사의 의견을 들어야 한다. 승인받은 실시계획을 변경(대통령령으로 정하는 경미한 사항의 변경은 제외한다)하려는 경우에도 또한 같다.

1. 시행자의 성명(법인인 경우에는 법인의 명칭 및 대표자의 성명) 및 주소

2. 사업의 명칭·목적, 사업시행지의 위치·면적 및 사업 시행기간

3. 사업시행지의 위치도

4. 계획평면도 및 개략 설계도서

5. 조성 토지 등의 사용 및 처분 계획서

6. 연차별 자금 투입계획 및 재원 조달계획

7. 그 밖에 대통령령으로 정하는 사항

② 2 이상의 시·도에 정비구역이 걸치는 경우 제1항에 따른 실시계획의 승인권자 또는 의견제시권자는 정비구역 면적의 2분의 1을 초과하는 행정구역이 포함된 시·도지사가 된다. 이 경우 관계 시·도지사와 협의하여야 한다.

③ 시·도지사가 실시계획을 승인할 때 또는 국가가 시·도지사의 의견을 들어 실시계획을 확정할 때에는 미리 관계 행정기관의 장과 협의하여야 하며, 승인 또는 확정한 때에는 대통령령으로 정하는 바에 따라 고시하고 관계 행정기관의 장 및 지방자치단체의 장에게 통보하여야 한다.

제23조(인·허가 등의 의제) 제22조에 따른 실시계획의 승인 또는 변경승인에 대한 허가·승인·심사·면허·등록·협의·지정·해제 또는 처분 등(이하 "인·허가등"이라 한다)의 의제는 처리에 관해서는 「지역 개발 및 지원에 관한 법률」 제24조를 준용한다.

제24조(토지 등의 수용 등) 토지 등의 수용 등에 관해서는 「지역 개발 및 지원에 관한 법률」 제27조를 준용한다.

제25조(이주대책 등) 이주대책 등에 대해서는 「지역 개발 및 지원에 관한 법률」 제29조를 준용한다.

제26조(공공시설의 귀속 등) 공공시설의 귀속 등에 관해서는 「지역 개발 및 지원에 관한

법률」제36조를 준용한다.

제27조(국유지 · 공유지의 처분 제한) 국유지 · 공유지의 처분 제한에 관해서는 「지역 개발 및 지원에 관한 법률」제37조를 준용한다.

제28조(정비사업의 시행 등) 정비사업의 시행 등에 대하여 이 법으로 규정한 것 외에는 「지역 개발 및 지원에 관한 법률」제28조 및 제30조부터 제35조까지를 준용한다.

제29조(준공검사 등) 준공검사 등에 관해서는 「지역 개발 및 지원에 관한 법률」제38조부터 제41조까지를 준용한다.

제5장 추진체계 및 지원시책 등

제1절 고대역사문화권발전위원회 등

제30조(고대역사문화권발전위원회) ① 고대역사문화권의 지정, 기본계획의 수립 및 정비사업에 관한 정책을 효율적으로 추진하고 주요사항을 심의하기 위하여 국무총리 소속으로 고대역사문화권발전위원회(이하 "위원회"라 한다)를 둔다.

② 위원회는 다음 각 호의 사항을 심의한다.

1. 고대역사문화권에 관한 주요 정책과 제도에 관한 사항
2. 제6조에 따른 고대역사문화권 지정에 관한 사항
3. 제8조에 따른 기본계획의 결정 등에 관한 사항
4. 제13조에 따른 고대역사문화권 역사문화환경의 복원에 관한 사항
5. 제16조 및 제17조에 따른 정비구역의 지정 · 변경 및 지정해제에 관한 사항
6. 제19조에 따른 정비계획의 승인 · 변경승인에 관한 사항
7. 제33조에 따른 고대역사문화권발전협약의 체결에 관한 사항
8. 고대역사문화권 발전과 관련하여 행정기관의 장과 지방자치단체의 장과의 의견 조정에 관한 사항
9. 그 밖에 고대역사문화권 발전 등에 필요한 사항으로서 대통령령으로 정하는 사항

③ 위원회의 위원장은 국무총리가 되고, 위원은 다음 각 호의 자로 하되, 10명 이상 30명 이하로 구성한다.

1. 정부위원: 대통령령으로 정하는 관계 중앙행정기관의 장
2. 민간위원: 고대역사문화, 문화재, 지역개발, 도시계획, 경관, 관광 등에 관한 학식

과 경험이 풍부한 자 중에서 위원장이 위촉하는 자

④ 제2항 각 호의 사항에 관하여 업무를 효율적으로 추진하기 위하여 분과위원회를 둘 수 있다.

⑤ 위원회의 업무를 효율적으로 지원하고 전문적인 조사·연구업무를 수행하기 위하여 필요하다고 인정되는 때에는 전문위원을 둘 수 있다.

⑥ 그 밖에 위원회의 구성 및 운영 등에 필요한 사항은 대통령령으로 정한다.

제31조(고대역사문화권발전기획단) ① 고대역사문화권 발전과 관련된 업무를 수행하기 위하여 국토교통부장관 소속으로 고대역사문화권발전기획단(이하 "기획단"이라 한다)을 둔다.

② 기획단은 다음 각 호의 업무를 수행한다.

1. 고대역사문화권 발전에 관한 정책 및 제도의 입안·기획

2. 고대역사문화권 역사문화환경의 연구·조사, 발굴·복원 및 계획적 정비에 관한 사항의 협의 및 조정

3. 제33조에 따른 고대역사문화권발전협약안의 협의 및 조정, 성과평가 등에 관한 사항

4. 위원회의 심의 사항에 대한 의안 작성 등의 보좌

5. 그 밖의 고대역사문화권 발전에 필요한 사항

③ 국토교통부장관은 기획단의 원활한 업무수행을 위하여 필요한 때에는 중앙행정기관 또는 지방자치단체의 장, 관련 연구기관의 장, 시행자에게 소속 공무원 또는 직원의 파견을 요청할 수 있다.

④ 그 밖에 기획단의 구성 및 운영 등에 필요한 사항은 대통령령으로 정한다.

제32조(고대역사문화권발전협의회의 설립) ① 시·도지사는 고대역사문화권 발전에 관한 다음 각 호의 사항을 협의·조정 및 결정하기 위하여 고대역사문화권발전협의회(이하 "협의회"라 한다)를 둔다.

1. 기본계획안의 입안에 관한 사항

2. 기본계획에 반영된 연구·조사의 시행에 관한 사항

3. 기본계획에 반영된 발굴·복원의 시행에 관한 사항

4. 기본계획에 반영된 정비사업의 시행에 관한 사항

5. 정비계획의 협의 및 조정

6. 제33조에 따른 고대역사문화권발전협약안의 입안에 관한 사항

7. 고대역사문화권 발전에 관한 주요 정책 개발

8. 고대역사문화권 공동정비사업 발굴 및 협의

9. 그 밖에 고대역사문화권 발전에 필요한 사항

　② 국가는 협의회의 운영에 소요되는 경비의 일부를 대통령령으로 정하는 바에 따라 지원할 수 있다.

　③ 그 밖에 협의회의 구성 및 운영 등에 필요한 사항은 대통령령으로 정한다.

제33조(고대역사문화권발전협약의 체결 등) ① 국토교통부장관과 고대역사문화권으로 지정된 지역의 관할 시 · 도지사는 제8조에 따른 기본계획에 포함된 고대역사문화권 발전을 위한 사업을 공동으로 추진하기 위하여 사업내용, 중장기 투자 분담 및 성과 평가 등이 포함된 고대역사문화권발전협약(이하 "발전협약"이라 한다)을 체결한다.

　② 국토교통부장관은 제1항에 따른 발전협약을 체결하기 전에 관계 중앙행정기관의 장과 협의한 후 위원회의 심의를 받아야 한다.

　③ 국가와 지방자치단체는 발전협약에 따른 사업을 추진하기 위하여 필요한 예산의 편성, 성과 평가 등 협약을 이행하기 위한 조치를 하여야 한다.

　④ 그 밖에 발전협약의 체결, 예산의 지원, 성과평가 등에 필요한 사항은 대통령령으로 정한다.

제2절 지원 시책

제34조(국고보조금의 지원 등) ① 국가와 지방자치단체는 제33조에 따른 발전협약을 이행하기 위하여 필요한 시설을 직접 설치하거나 설치비용을 지원할 수 있다.

　② 정비사업 중 대통령령으로 정하는 사업에 대한 국가의 보조금은 「보조금 관리에 관한 법률」 제10조에 따른 차등보조율과 다른 법률에 따른 보조율에도 불구하고 대통령령으로 정하는 보조율에 따라 이를 인상 지원할 수 있다.

　③ 국가는 고대역사문화권 내 문화관광산업의 발전을 위하여 지방자치단체 또는 시행자에게 「관광진흥개발기금법」에 따른 관광진흥개발기금을 대여 · 보조할 수 있다. 이 경우 국가는 관광진흥개발기금을 우선 배정하는 것을 고려하여야 한다.

　④ 국가는 고대역사문화권 내 문화재보존관리를 위해 「문화재보호기금법」이 정하는 바에 따라 문화재보호기금을 지원할 수 있다. 이 경우 국가는 문화재보호기금을 우선 배정하는 것을 고려하여야 한다.

⑤ 제1항부터 제4항까지의 국가의 지원 대상 및 범위 등에 필요한 사항은 대통령령으로 정한다.

제35조(고대역사문화권특별회계의 설치 등) ① 시·도지사 또는 시장·군수·구청장은 고대역사문화권의 역사문화환경을 연구·조사, 발굴·복원하고, 계획적으로 정비하기 위하여 지방자치단체에 고대역사문화권특별회계(이하 "특별회계"라 한다)를 설치할 수 있다.

② 특별회계는 다음 각 호의 재원으로 조성한다.

1. 일반회계로부터의 전입금

2. 정부의 보조금

3. 「개발이익 환수에 관한 법률」 제4조제1항에 따라 지방자치단체에 귀속되는 개발부담금 중 해당 지방자치단체의 조례로 정하는 비율의 금액

4. 「국토의 계획 및 이용에 관한 법률」 제65조제8항에 따른 수익금

5. 「지방세법」 제112조(같은 조 제1항제1호는 제외한다)에 따라 부과·징수되는 재산세의 징수액 중 대통령령으로 정하는 비율의 금액

6. 차입금

7. 고대역사문화권으로 지정된 지방자치단체를 지원할 목적으로 모집된 기부금

8. 해당 특별회계자금의 융자회수금·이자수입금 및 그 밖의 수입금

③ 특별회계는 다음 각 호의 용도로 사용한다.

1. 제7조제1항 각 호의 업무 수행에 필요한 경비

2. 정비사업의 시행자에 대한 보조 및 융자

3. 정비구역의 지정, 계획수립 및 제도발전을 위한 조사·연구비

4. 차입금의 원리금 상환

5. 특별회계의 조성·운용 및 관리를 위한 경비

6. 그 밖에 대통령령으로 정하는 사항

제36조(지방자치단체의 채무보증) ① 지방자치단체는 시행자가 금융회사와 금융협약을 체결한 경우 해당 정비사업과 관련하여 시행자가 해당 금융회사에 부담하는 채무의 일부를 지방의회의 의결을 받아 보증할 수 있다.

② 제1항에 따른 채무보증의 절차와 방법에 관하여는 「지방재정법」 제13조를 준용한다.

제37조(조세·부담금 등의 감면) ① 국가 및 지방자치단체는 정비구역 내의 정비사업

의 원활한 시행을 위하여 해당 시행자 및 해당 정비구역에 입주하는 국내외 기업(이하 "입주기업"이라 한다)에 대하여 「조세특례제한법」, 「지방세특례제한법」, 「관세법」 및 「농어촌특별세법」에서 정하는 바에 따라 법인세·소득세·관세·종합부동산세·부가가치세·취득세·재산세 등의 조세를 감면할 수 있다.

② 국가 및 지방자치단체는 정비구역 내의 정비사업의 원활한 시행을 위하여 필요하면 시행자에 대하여 다음 각 호의 부담금 등을 해당 근거법률에서 정하는 바에 따라 감면하거나 부과하지 아니할 수 있다.

1. 「개발이익 환수에 관한 법률」에 따른 개발부담금

2. 「농지법」에 따른 농지보전부담금

3. 「대도시권 광역교통 관리에 관한 특별법」에 따른 광역교통시설 부담금

4. 「산지관리법」에 따른 대체산림자원조성비

5. 「초지법」에 따른 대체초지조성비

6. 「공유수면 관리 및 매립에 관한 법률」에 따른 공유수면 점용료·사용료

7. 「하천법」에 따른 하천 점용료 및 하천수 사용료

제38조(국유·공유재산의 임대·매각) ① 국가 또는 지방자치단체는 「국유재산법」 및 「공유재산 및 물품 관리법」에도 불구하고 입주기업에게 국유·공유재산을 수의계약의 방법에 의하여 사용·수익 또는 대부(이하 "임대"라 한다)하거나 매각할 수 있다.

② 국가 또는 지방자치단체는 제1항에 따른 임대 또는 매각계약을 체결할 때에는 입주기업이 해당 국유·공유재산을 대통령령으로 정하는 기간 내에 사용하지 아니하는 경우 계약을 해지할 수 있다.

③ 제1항에 따라 국유·공유재산을 임대하는 경우 그 기간은 「국유재산법」 제35조제1항·제46조제1항 및 「공유재산 및 물품 관리법」 제21조제1항·제31조제1항에도 불구하고 50년의 범위 이내로 할 수 있다. 이 경우 그 기간은 갱신할 수 있으며, 갱신기간은 갱신할 때마다 50년을 초과할 수 없다.

④ 제1항에 따라 국가 또는 지방자치단체가 소유하는 토지를 임대하는 경우에는 「국유재산법」 제18조제1항 및 「공유재산 및 물품 관리법」 제13조에도 불구하고 그 토지 위에 공장이나 그 밖의 영구시설물을 축조하게 할 수 있다. 이 경우 그 시설물의 종류 등을 고려하여 그 기간이 끝나는 때에 이를 국가 또는 지방자치단체에 기부하거나 원상으로 회복하여 반환하는 조건을 붙여야 한다.

⑤ 제1항에 따라 임대하는 국유·공유재산의 임대료는 「국유재산법」 제32조제1항·제33조(같은 법 제47조에 따라 준용하는 경우를 포함한다) 및 「공유재산 및 물품 관리법」 제22조제1항·제23조·제32조·제33조에도 불구하고 국유재산은 대통령령으로 정하는 바에 따라, 공유재산은 조례로 정하는 바에 따라 감면할 수 있다.

제39조(입주기업에 대한 자금 지원) ① 국가와 지방자치단체는 관계 법령에서 정하는 바에 따라 정비구역에 입주하는 기업에 용지매입비 융자, 토지 등의 임대료 감면, 그 밖의 정비사업에 사용되는 자금을 지원할 수 있다.

② 국가와 지방자치단체는 입주기업에 의료시설, 교육시설, 주택 등의 편의시설 설치에 필요한 자금을 지원할 수 있다.

제40조(개발이익의 재투자) ① 둘 이상의 정비사업을 시행하는 시행자는 정비사업으로 인하여 발생한 개발이익(「개발이익 환수에 관한 법률」 제3조에 따라 부과하는 개발부담금을 제외한 개발이익을 말한다)의 전부 또는 일부를 다른 정비사업에 재투자할 수 있다.

② 제1항에 따라 재투자하려는 시행자는 그 재투자가 차질 없이 이루어질 수 있도록 발생한 개발이익을 구분하여 회계처리하는 등 필요한 조치를 하여야 한다.

③ 제1항에 따른 개발이익의 재투자 대상 및 범위, 그 밖에 필요한 사항은 대통령령으로 정한다.

제41조(「대도시권 광역교통 관리에 관한 특별법」 적용 특례) ① 제16조제1항에 따라 국토교통부장관이 지정하거나 변경한 정비구역이 「대도시권 광역교통 관리에 관한 특별법」 제7조의2제1항에 따른 대규모 개발사업에 해당하는 경우에는 같은 항에도 불구하고 국토교통부장관이 광역교통개선대책을 수립할 수 있다. 이 경우 시행자로부터 광역교통개선대책 수립에 관한 의견을 제출받을 수 있다.

② 국토교통부장관이 제1항에 따른 광역교통개선대책을 수립할 때에는 「대도시권 광역교통 관리에 관한 특별법」 제7조의2제3항에도 불구하고 시·도지사의 의견을 들은 후 제22조에 따른 실시계획의 승인 이전까지 그 대책을 확정하여 시·도지사에게 통보하여야 한다.

③ 시·도지사는 제2항에 따른 의견을 요청받은 날부터 20일 이내에 의견을 제출하여야 하되 10일의 범위에서 한 차례만 연장 할 수 있다. 이 경우 그 기간 내에 의견을 제출하지 아니하면 의견이 없는 것으로 본다.

제42조(「체육시설의 설치·이용에 관한 법률」 적용 특례) 시행자는 정비사업을 위하여

필요한 경우에는「체육시설의 설치·이용에 관한 법률」제11조에도 불구하고 실시계획에서 정한 시설물의 설치 및 부지면적에 따라 정비사업을 시행할 수 있다.

제43조(국가지정문화재의 지정 요청 등) ① 시·도지사는 그 관할구역에 있는 문화재로서 고대역사문화권의 문화유산으로 보존가치가 있다고 인정되는 문화재를「문화재보호법」제2조제2항제1호에 따른 국가지정문화재로 지정해 줄 것을 문화재청장에게 요청할 수 있다.

② 시·도지사는 제1항에 따른 국가지정문화재 지정을 요청하는 경우「문화재보호법」제71조에 따른 시·도문화재위원회의 사전 심의를 거쳐야 한다.

제44조(고대역사문화권 관광축제의 지정 등) ① 국가 및 지방자치단체는 고대역사문화권의 다양한 지역관광자원을 개발·육성하기 위하여 우수한 지역축제를 고대역사문화권 관광축제로 지정하고 지원할 수 있다.

② 제1항에 따른 고대역사문화권 관광축제의 지정 기준 및 지원 방법 등에 필요한 사항은 대통령령으로 정한다.

제45조(국제교류 지원 등) ① 국가는 국제기구 및 다른 국가와의 협력을 통하여 고대의 전통공연·예술분야에 대한 해외공연 및 전통공예품의 해외 전시·판매 등 고대역사문화 홍보를 위한 국제교류를 적극 추진하여야 한다.

② 국가는 고대역사문화권 내 문화유산이 유네스코에 세계유산 또는 세계기록유산 등으로 등재될 수 있도록 유지·관리 및 적극 지원하여야 한다.

② 국가는 예산의 범위에서 제1항에 따른 국제교류에 필요한 비용의 전부 또는 일부를 지원할 수 있다.

제6장 보칙

제46조(부동산가격 안정 및 난개발 방지에 관한 조치) ① 국토교통부장관 및 시·도지사는 정비구역 및 인근지역의 부동산가격 안정을 위하여 필요한 조치를 하여야 한다.

② 국토교통부장관 및 시·도지사는 정비구역 지정으로 인하여 부동산투기 또는 부동산가격의 급등이 우려되는 지역에 대하여 관계 중앙행정기관의 장에게 다음 각 호의 조치를 요청하여야 한다.

1.「소득세법」제104조의2제1항에 따른 지정지역의 지정
2.「주택법」제63조에 따른 투기과열지구의 지정

3. 「부동산 거래신고 등에 관한 법률」 제10조에 따른 토지거래계약에 관한 허가구역의 지정

4. 그 밖에 부동산가격 안정을 위하여 필요한 조치

③ 시·도지사는 정비구역 주변지역의 무분별한 개발을 방지하기 위하여 「국토의 계획 및 이용에 관한 법률」 제30조에 따른 도시·군관리계획의 변경 등 필요한 조치를 하여야 한다.

제47조(지정취소 등) ① 국토교통부장관 및 시·도지사는 시행자가 다음 각 호의 어느 하나에 해당하는 경우에는 이 법에 따른 인가·승인·허가 또는 지정을 취소하거나 그 효력의 정지, 공사의 중지·변경, 건축물 등의 개축 또는 이전, 그 밖에 필요한 처분을 하거나 조치를 명할 수 있다.

1. 거짓이나 그 밖의 부정한 방법으로 이 법에 따른 인가·승인·허가 또는 지정을 받은 경우

2. 실시계획의 승인을 받지 아니하거나 승인 내용과 다르게 정비사업을 시행한 경우

3. 제18조(「지역 개발 및 지원에 관한 법률」 제17조제4항)에 따른 원상회복 명령을 이행하지 아니한 경우

4. 사정의 변경으로 인하여 정비사업을 계속 시행할 수 없거나 공익을 크게 해칠 우려가 있다고 인정되는 경우

5. 위법한 정비사업의 공사를 시공하는 경우

② 국토교통부장관 및 시·도지사는 제1항에 따른 처분 또는 명령을 하였을 때에는 대통령령으로 정하는 바에 따라 그 사실을 고시하여야 한다.

제48조(보고·검사 등) ① 국토교통부장관 또는 시·도지사는 이 법을 시행하기 위하여 필요한 경우에는 시행자에게 필요한 보고를 하게 하거나 자료 제출을 명할 수 있으며, 소속 공무원으로 하여금 시행자의 사무실·사업장, 그 밖에 필요한 장소에 출입하여 정비사업에 관한 업무를 검사하게 할 수 있다.

② 제1항에 따른 정비사업에 관한 업무를 검사하는 공무원은 그 권한을 표시하는 증표를 지니고 이를 관계인에게 보여주어야 한다.

③ 제2항에 따른 증표에 관하여 필요한 사항은 국토교통부령으로 정한다.

제49조(청문) 국토교통부장관, 시·도지사는 이 법에 따른 인가·승인·허가 또는 지정을 취소하려는 경우에는 청문을 하여야 한다.

제50조(권한의 위임 또는 위탁) 국토교통부장관 또는 시·도지사는 이 법에 따른 권한

의 일부를 대통령령으로 정하는 바에 따라 해당 지역의 지방자치단체의 장 또는 시행자에게 위임하거나 위탁할 수 있다.

제7장 벌칙

제51조(벌칙) 다음 각 호의 어느 하나에 해당하는 자는 3년 이하의 징역 또는 3천만원 이하의 벌금에 처한다.

1. 제18조(「지역 개발 및 지원에 관한 법률」 제17조제1항)에 따른 허가 또는 변경허가를 받지 아니하고 같은 항에 규정된 행위를 한 자

2. 제20조(「지역 개발 및 지원에 관한 법률」 제19조제1항)에 따른 시행자 지정을 받지 아니하고 정비사업을 시행한 자

3. 제20조(「지역 개발 및 지원에 관한 법률」 제20조제6항)에 따른 토지 매도명령을 정당한 사유 없이 이행하지 아니한 자

4. 거짓이나 그 밖의 부정한 방법으로 제22조에 따른 실시계획의 승인 또는 변경승인을 받거나 같은 조에 따른 실시계획의 승인을 받지 아니하고 정비사업을 시행한 자

제52조(양벌규정) 법인의 대표자나 법인 또는 개인의 대리인, 사용인, 그 밖의 종업원이 그 법인 또는 개인의 업무에 관하여 제51조에 따른 위반행위를 한 경우에는 행위자를 벌하는 외에 그 법인 또는 개인에게도 해당 조문의 벌금형을 과(科)한다. 다만, 법인 또는 개인이 그 위반행위를 방지하기 위하여 해당 업무에 관하여 상당한 주의와 감독을 게을리 하지 아니한 경우에는 그러하지 아니한다.

제53조(과태료) ① 다음 각 호의 어느 하나에 해당하는 자에게는 1천만원 이하의 과태료를 부과한다.

1. 제18조(「지역 개발 및 지원에 관한 법률」 제17조제4항)에 따른 시장·군수·구청장의 명령을 이행하지 아니한 자

2. 제29조에 따른 준공검사를 거부·방해 또는 기피한 자

3. 제47조제1항에 따른 국토교통부장관 또는 시·도지사의 처분 또는 명령을 이행하지 아니한 자

4. 제48조에 따른 보고 및 검사를 거부·방해 또는 기피한 자

② 제1항에 따른 과태료는 대통령령으로 정하는 바에 따라 국토교통부장관, 시·도지사 또는 시장·군수·구청장이 부과·징수한다.

부   칙

제1조(시행일) 이 법은 공포한 날부터 시행한다.

제2조(기존 사업에 관한 경과조치) 이 법 시행 당시 「지역 개발 및 지원에 관한 법률」에 따른 지역개발계획으로 경과조치 된 종전의 「지역균형개발 및 지방중소기업 육성에 관한 법률」에 따라 수립된 특정지역개발계획 중 "고대문화권 특정지역 개발계획"의 경우 이 법 제8조에 따른 고대역사문화권 발전기본계획에 포함되어 결정·고시된 경우에는 이 법에 따른 고대역사문화권 정비계획 및 정비구역으로 수립·지정 및 고시된 것으로 본다.

제3조(다른 법률의 개정) 토지이용규제 기본법 일부를 다음과 같이 개정한다.

고대역사문화권 연구 · 조사 및 발전에 관한 특별법안참고자료 2

마한역사문화권 조사 · 연구 및 정비 등에 관한 특별법안

(서삼석의원 대표발의)

의안 번호	21156

발의연월일 : 2019. 6. 27.

발 의 자 : 서삼석 · 김현권 · 이규희 · 신창현 · 김정호 · 윤일규
맹성규 · 김철민 · 박정 · 송갑석 의원(10인)

법률 제   호

마한역사문화권 조사 · 연구 및 정비 등에 관한 특별법안

제1조(목적) 이 법은 마한역사문화권에 대한 체계적인 조사 · 연구 및 정비를 추진하고,
이의 활용 등에 이바지함을 목적으로 한다.

제2조(정의) "마한역사문화권"이란 기원전 2세기부터 서기 4세기까지 마한이 존재하였
던 지역으로서 나주, 담양, 화순, 영암, 무안, 함평, 장성, 해남, 그 밖에 제10조의 절
차를 거쳐 대통령령으로 정하는 지역을 말한다.

제3조(국가와 지방자치단체의 책무) 국가와 지방자치단체는 마한역사문화권에 대한 체
계적인 조사 · 연구 및 정비를 위하여 종합적인 정책을 수립 · 추진하고 지원 방안을
강구하여야 한다.

제4조(다른 법률과의 관계) ① 이 법은 마한역사문화권 조사 · 연구 및 정비에 관하여 다
른 법률에 우선하여 적용한다.

② 마한역사문화권 조사 · 연구 및 정비에 관하여 이 법에 규정한 것을 제외하고는
「문화재보호법」, 「매장문화재 보호 및 조사에 관한 법률」 및 「고도 보존 및 육성에 관
한 특별법」에 따른다.

제5조(마한역사문화권 종합계획의 수립) ① 문화재청장은 마한역사문화권과 관계있는
광역시장 · 도지사 및 시장 · 군수 · 구청장(이하 "관계 지방자치단체의 장"이라 한
다)과 협의한 후 제8조에 따른 마한역사문화권심의위원회의 심의를 거쳐 마한역사
문화권에 대한 조사 · 연구 및 정비를 위한 마한역사문화권 종합계획(이하 "종합계

획"이라 한다)을 5년마다 수립하여야 한다. 종합계획을 변경하려는 경우에도 또한 같다.

② 종합계획에는 다음 각 호의 사항이 포함되어야 한다.

1. 마한역사문화권 발전 방향과 목표 및 기본 정책에 관한 사항
2. 마한역사문화권 내 문화재의 조사·연구에 관한 사항
3. 마한역사문화권 내 문화재의 정비에 관한 사항
4. 마한역사문화권의 관광자원화 등 지역발전에 관한 사항
5. 마한역사문화권의 홍보 및 국내외 교류에 관한 사항
6. 마한역사문화권의 조사·연구 및 정비 등에 필요한 재원 조달에 관한 사항
7. 그 밖에 마한역사문화권과 관련된 것으로서 대통령령으로 정하는 사항

③ 문화재청장은 종합계획을 수립 또는 변경하면 이를 관계 지방자치단체의 장에게 알려야 한다.

④ 문화재청장은 종합계획을 수립 또는 변경하기 위하여 필요한 경우 관계 지방자치단체의 장에게 자료의 제출을 요구할 수 있다.

제6조(다른 계획과의 관계) 문화재청장은 종합계획을 수립하는 경우 「국토기본법」 제9조에 따른 국토종합계획, 「국가균형발전 특별법」 제4조에 따른 국가균형발전 5개년계획, 「지역 개발 및 지원에 관한 법률」 제7조에 따른 지역개발계획, 「문화재보호법」 제6조에 따른 문화재기본계획, 「고도 보존 및 육성에 관한 특별법」 제8조에 따른 고도보존육성기본계획 등 다른 법령에 따른 계획을 충분히 고려하여야 하며, 서로 조화와 균형을 이루도록 하여야 한다.

제7조(시행계획의 수립 및 시행) ① 문화재청장은 종합계획에 따라 관계 지방자치단체의 장과 협의하여 매년 시행계획을 수립·시행하여야 한다.

② 문화재청장은 전년도 시행계획의 추진 실적을 평가하고 그 결과를 다음 연도 시행계획에 반영하여야 한다.

③ 그 밖에 시행계획의 수립·시행 및 평가 등에 필요한 사항은 대통령령으로 정한다.

제8조(마한역사문화권심의위원회) ① 마한역사문화권의 지정, 종합계획의 수립 등에 관한 다음 각 호의 사항을 심의하기 위하여 문화재청에 마한역사문화권심의위원회(이하 "위원회"라 한다)를 둔다.

1. 종합계획의 수립·변경에 관한 사항
2. 제10조에 따른 마한역사문화권 지정에 관한 사항

3. 그 밖에 마한역사문화권 조사·연구 및 정비 등에 필요한 사항으로서 대통령령으로 정하는 사항

② 위원회의 위원은 다음 각 호의 어느 하나에 해당하는 사람 중에서 문화재청장이 위촉한다.

1. 「고등교육법」에 따른 대학에서 문화재의 조사·연구 등과 관련된 학과의 부교수 이상의 직에 재직하거나 재직하였던 사람

2. 문화재의 조사·연구와 관련된 업무에 10년 이상 종사한 사람

3. 건축·도시계획·관광·환경 등의 업무에 10년 이상 종사한 사람으로서 문화재에 관한 지식과 경험이 풍부한 사람

③ 제1항 각 호의 사항에 관한 업무를 효율적으로 추진하기 위하여 위원회에 분과위원회를 둘 수 있다.

④ 위원회의 업무를 효율적으로 지원하고 전문적인 조사·연구 업무를 수행하기 위하여 필요하다고 인정되는 때에는 위원회에 전문위원을 둘 수 있다.

⑤ 그 밖에 위원회의 구성 및 운영 등에 필요한 사항은 대통령령으로 정한다.

제9조(타당성조사 및 기초조사) ① 문화재청장, 관계 지방자치단체의 장은 제10조에 따른 마한역사문화권으로 지정하는 것을 검토할 필요가 있는 지역에 대하여 타당성조사를 할 수 있다.

② 문화재청장, 관계 지방자치단체의 장은 마한역사문화권 내에 현존하는 문화재의 현황·관리 실태 등을 확인하거나 종합계획을 수립·변경하기 위하여 필요한 사항에 대하여 기초조사를 할 수 있다.

③ 그 밖에 조사에 관한 계획의 수립과 방법·절차 등에 필요한 사항은 대통령령으로 정한다.

제10조(마한역사문화권의 지정) ① 문화재청장은 관계 지방자치단체의 장과 협의한 후 위원회의 심의를 거쳐 마한역사문화권을 지정할 수 있다.

② 관계 지방자치단체의 장은 문화재청장에게 마한역사문화권의 지정을 요청할 수 있다. 이 경우 시장·군수·구청장은 마한역사문화권의 지정을 요청하기 전에 관할 광역시장·도지사와 협의하여야 하고, 광역시장·도지사는 마한역사문화권의 지정을 요청하기 전에 해당 시장·군수·구청장의 의견을 들어야 한다.

③ 마한역사문화권의 지정 및 지정요청의 방법, 절차 및 협의 등에 필요한 사항은 대통령령으로 정한다.

제11조(추진단의 설치 및 운영) ① 마한역사문화권에 대한 조사·연구 및 정비에 관한 업무를 효율적으로 추진하기 위하여 문화재청에 마한역사문화권 사업추진단(이하 "추진단"이라 한다)을 둔다.

② 추진단의 업무, 구성 및 운영 등에 필요한 사항은 대통령령으로 정한다.

제12조(마한역사문화권 연구기관) ① 국가 및 지방자치단체는 마한역사문화권에 대한 연구를 수행하는 기관(이하 "연구기관"이라 한다)을 설립 또는 지정할 수 있다.

② 국가 및 지방자치단체는 연구기관의 설립 및 운영에 필요한 비용의 전부 또는 일부를 출연하거나 보조할 수 있다.

③ 연구기관의 설립·지정 및 운영 등에 필요한 사항은 대통령령으로 정한다.

제13조(지방자치단체 협의체의 구성) ① 마한역사문화권에 소재한 지방자치단체는 이 법에서 정한 목적을 달성하기 위하여 지방자치단체 간 협의체를 구성할 수 있다.

② 제1항에 따른 협의체의 구성 및 운영 등에 필요한 사항은 대통령령으로 정한다.

제14조(비용지원) 국가는 마한역사문화권에 관한 조사·연구 및 정비를 위하여 「문화재보호기금법」에서 정하는 바에 따라 문화재보호기금을 지원할 수 있다.

부   칙

이 법은 공포 후 1년이 경과한 날부터 시행한다.

'마한역사문화권의 진흥과 발전'
학술대회 종합토론

< 역사문화권 정비 등에 관한 특별법 제정('20. 5. 20.) >

- (목   적) 문화권별 문화유산의 가치를 알리고 지역 발전을 견인

- (주요내용) 문화권별 연구조사 · 발굴 · 복원해 이를 체계적으로 정비 · 육성하는 국가
  또는 지자체에 비용을 지원

- (세부내용)
  - 고구려 · 백제 · 신라 · 가야 · 마한 · 탐라 역사문화권 정의
  - 역사문화권 정비사업 추진 위한 문화재청에 역사문화권정비위원회 설치
  - 국가 또는 지자체의 정비사업 비용의 전부 또는 일부 지원
  - 역사문화권 정비 · 역사문화환경 조성 위한 연구재단 등 지원시책 마련 · 추진 등

※ 역사문화권 정비 등에 관한 특별법(대표발의 : 민홍철(김해 갑) / '19. 4. 11.) 발의하여,
  제378회 국회(임시회)제1차 전체회의('20. 5. 20.)에서 의결.

이청규 : 오늘 토론좌장을 맡은 영남대학교 이청규입니다. 학술포럼의
주제는 '마한 역사문화권의 진흥과 지역발전' 입니다. 그동안 마
한에 관한 학술대회가 많았지만 이번 학술포럼은 마한문화에
대한 이해를 높이고 앞으로의 발전방향을 제시하는 한편, 고대
문화권특별법 제정에 대한 공감대를 형성하고자 하는 것이 이
번 학술포럼의 취지인 것 같습니다.

　　오늘 발표는 한 분의 특별강연과 두 분의 주제발표를 하셨습
니다.

　　그럼 임영진 선생님부터 토론을 시작하도록 하겠습니다.

임영진 : 네, 전남대학교 임영진입니다. 발표자들께서 중요한 과제들을
새롭게 언급 해주셨습니다. 먼저, 권오영 선생님께서는 베트남
에서 중국-한국-일본으로 연결되는 고대 해상 실크로드를 주제
로 큰 시각에서 유네스코 세계문화유산 지정을 추진할 필요가
있다고 말씀해주셨습니다. 그러나 유네스코 세계문화유산 지정
을 위해서는 특별한 아이템이 있어야 하고, 그것이 중심이 되는
지역, 유적과 유물이 집중된 지역에서 주도해 나갈 필요가 있다
고 생각합니다. 핵심이 되는 주제와 지역을 구체적으로 어디로
보시는지 말씀해주시길 부탁드립니다.

　　두 번째로 말씀드리고자 하는 것은 노형석 한겨레신문 문화
재 전문기자의 발표에 대한 것입니다. 전문 연구자 못지않은 관
심과 공부 속에서 오늘 중요한 논의를 할 수 있는 발표가 이루어
졌다고 봅니다. 크게 3가지를 말씀해주셨습니다.

　　첫 번째는 전남지역의 마지막 마한세력이 백제에 편입된 시
기가 언제인가? 두 번째는 영산강유역 장고분의 피장자는 과

연 누구인가? 세 번째는 마한문화권이라는 명칭이 옳은지에 대한 것입니다. 세 가지 모두 중요한 문제인데 먼저 첫 번째 문제는 마한 문화권 특별법의 토대를 이루고 있습니다. 기존 통설은 369년 근초고왕 때 전남지역의 마한세력까지 백제에 병합됨으로서 백제가 본격적인 영역국가로 발전할 수 있었다고 보고 있습니다. 그러나 90년대 중엽 이후 역사고고학 자료가 축적되어 6세기 초중엽설이 학계에서 거론이 되면서 논란이 계속되고 있습니다.

역사학계도 이견이 있었고 고고학계에서도 나주 복암리 조사 성과를 통해서 새로운 견해가 제시되었습니다. 늘 지적되었던 문제는 전남지역 마지막 마한세력이 백제에 병합된 시기를 정확히 잡을 수 있는 문헌자료가 있느냐는 것입니다. 양직공도라는 것이 있습니다. 6세기 초, 중엽 중국 남조 양나라 시기 양나라와 교류하는 각국 사신들의 모습을 그림으로 그리고, 사신이 이야기 하는 것을 기록해서 두루마리 그림으로 남겨둔 것입니다. 여기에 보면 백제국 사신이 있으며 그 내용은 백제 주변 방소국 가운데 마한 소국들이 있다는 것입니다.

521년, 6세기 초에 우리 한국에 고구려, 신라, 백제, 가야 외에 다른 나라가 있었다는 것에 대해 들어본 바가 있습니까? 전혀 교육되지 않습니다. 양직공도에 그 내용이 전하고 있는데 물론 가야도 섞여 있지만 지미, 마련 등은 전남지역이 아니면 국내 다른 지역에 위치 비정이 어렵다는 게 중론입니다. 이 중론을 토대로 보면 521년에 전남지역에는 아직까지 마한이 잔존하고 있다고 볼 수 있습니다.

이병도 박사께서 제시한 4세기 중엽설은 1959년에 나왔는데 양직공도가 남경박물관에서 확인된 것은 1960년입니다. 이병도 박사께서 양직공도를 아셨다면 일본서기를 토대로 369년 설을 내셨겠습니까? 여러분이 판단해 보시길 바랍니다.

두 번째 영산강유역 장고분의 피장자에 대해서는 학계에서도 많은 관심을 가지고 있습니다. 그 주체와 배경에 대해서는 여러 가지 견해가 있습니다만 어느 견해도 모든 걸 설명하기는 어렵습니다. 그러나 여러 견해 중 가장 합리적인 것은 그 시기가 일본 내에서도 야마토 왕권에 의해 전국이 통합되는 시기였기 때문에 그 과정에서 새로운 삶은 택한 사람이 많았고, 그들이 영산강유역으로 망명 온 결과일 가능성이 높다고 보는 것입니다. 일본이나 백제의 영향만 이야기 할 것이 아니라, 야마토에 쫓겨 들어온 왜인들을 마한이 수용하였다는 견해에도 관심을 기울여볼 필요가 있다고 생각됩니다.

세 번째는 전남지역을 마한으로 볼 수 있느냐는 것입니다. 노형석 기자께서는 근초고왕 때 마지막 마한이 병합되었다는 것으로 발표하셨습니다. 이병도 박사께서 369년에 병합되었다고 하지만 고고학 자료와 양직공도를 통해 볼 때 6세기 초에 백제에 편입되었다고 할 수 있습니다. 일본서기보다 200년, 우리의 삼국사기보다 500년 이상 먼저 만들어진 양직공도 자료를 무시할 수는 없습니다. 이상입니다.

이청규 : 2가지 문제가 권오영 선생님, 노형석 기자님께 주어졌습니다. 각각 답변 부탁드립니다.

권오영 : 예, 감사합니다. 저는 머릿속에 그림이 있지만 구체적으로 말씀

을 못 드렸습니다. 사막과 오아시스의 길을 낙타의 대상들이 교류하고 바다를 통한 것을 해양으로 보지만, 사실 사막과 오아시스의 길은 오아시스에서 교류가 이어지고 바닷길은 바다가 아니라 항구에서 줄여서 항시에서 교류가 이루어집니다. 중요한 항시들을 엮는 것이 어떤가 하는 생각을 해보았고, 제가 자세히 모르지만 유네스코의 입장에서 보면 한·중·일이 손을 잡고 베트남까지 간다면 가산점이 있을 것으로 생각됩니다. 베트남의 옥에오, 중국의 광저우, 산동 일대, 한반도에서는 경기도 화성, 전남 무안, 나주, 영암, 경남의 김해, 일본의 항시를 엮는다면 참 매력적이지 않을까 생각합니다. 또 하나의 중요한 장점은 이 지역이 옹관, 벼농사, 난생설화 이러한 공통점을 가지고 있기 때문에 같이 엮을 수 있다고 생각합니다.

이청규 : 지금 포괄적으로 말씀해주셨습니다. 지금 임영진 교수께서 질문한 것은 세계문화유산의 가치로 보면 어떠한 것이 독보적인 것인지, 어떤 점을 중심으로 할 수 있는지 잡아 달라하시는 말씀입니다.

앞서 이영철 선생님께서 말씀한 가야의 세계문화유산 지정사업 건을 보셨으니 다들 어느 정도 이해를 하셨다고 생각합니다. 이를 보면 상당히 많은 작업이 이루어져야합니다. 특별법과 세계문화유산은 관련이 있는 듯 하지만 별개로 진행되어야 할 것입니다.

이청규 : 노형석 기자님. 답변 부탁드립니다.

노형석 : 지금 임영진 선생님 말씀은 내용과 형식인데 방법론적인 측면에서 마한을 생각할 수도 있지만, 실질적인 마한을 버릴 수 없지 않나라는 생각을 합니다. 마한의 남아있는 잔여세력이고, 독자적인 문화에 들어가는 것인데, 마한의 범주가 넓기 때문에 학계나 다른 지역이 주민들, 정치권들을 공유한다는 것은 다른 관점입니다. 이러한 다른 관점이 문제적인 상황입니다. 이러한 것을 함께 엮으면서 남도의 마한의 쌓아나갈 수 있는 콘셉트로 무엇이 있을지 말씀을 드렸습니다.

이청규 : 전남의 마한이 가야와 백제와 관련되고, 어떻게 정리하면 좋을지 말씀을 해주시는 걸로 일단 마한의 기본 이해는 정리하도록 하겠습니다.

이영철 : 오늘 영암과 나주에 오신 분들은 마한하면 흔히 유적·유물 중에 떠오르시는 것이 무엇입니까? 옹관이시죠? 아주 큰 항아리 2개를 겹친 옹관을 대표적이라 할 수 있습니다. 나주 복암리 96석실 내부에서 4기의 옹관이 나왔습니다, 석실이 등장함에서 6세기 중반까지 옹관이 등장하고 있습니다. 옹관고분의 분포권은 직경 30km라고 합니다. 이를 벗어나면 다른 묘제들입니다. 그럼 고고학적으로 마한을 설명하려면 우리가 조금 더 고민해볼 필요가 있습니다. 옹관만 가지고 이야기하기에는 외부에서 이해하기가 어렵다는 이야기를 드리고 싶습니다.

이청규 : 옹관만 집중하면 다른 전남지역의 왜계 고분, 가야의 석실분을 어떻게 정리해야할지, 고고학적으로만 봐도 아마 조금 논의해

야하지 않을까 생각합니다. 하지만 여기서 더 길게 할 수 없기에 다음 토론으로 넘어가겠습니다. 특별법제정과 관련하여 논의를 맞췄으면 좋겠습니다.

먼저 도의 우승희 의원님 특별법 자체는 국회차원이야기지만 도에서도 하실 말씀 있으십니까?

우승희 : 법적으로는 국회에서 할 일이고, 저희는 특별법을 국회에 건의하고 관련된 부분을 진행하는 것이 제 할 일이라고 봅니다. 학술적인 부분에서는 제가 전문적인 연구자가 아니기 때문에 이를 제외하고 몇 가지만 말씀드리겠습니다. 우리 마한에 대해서 그동안 이렇게 발굴되지 못하고 조명 받지 못했던 것은 단순히 관심부족이었습니다. 관심부족이 저희들의 관심부족도 있지만, 특히 정치적이고, 정책적인 과정 속에서 관심부족이었다고 생각이 듭니다.

예를 들면 김대중 정부에서 가야 쪽으로 지원이 되고 노무현 정부에서도 지원 발표가 있었습니다. 문재인 정부 때 공약을 할 수 있었던 것은 그때 당시부터 꾸준히 해왔던 발굴된 연구 성과들이 모여서 공약이 되고 국정과제가 된 것입니다.

그러나 우리 마한은 없었습니다. 많이 못한 부분도 있지만, 2017년 이후 지속적으로 도청에서 진행을 하는 중이며 영암 내동리 쌍무덤의 좋은 성과도 있었습니다. 그래서 저는 연구 발굴 성과가 있었고, 해오고 있지만 이것으론 부족하고 앞으로 꾸준히, 지속적으로 해야겠다는 생각이 들었습니다.

역사학계의 문제 등은 제가 말할 사항은 아니지만, 전남지역에 사는 사람으로서 향토사학적 입장에서 준비와 논의를 하고 이것이 좋은 성과로 쌓이고 역사적으로 주요 학계에 논의를 진행하는 과정 속에서 성과들이 나올 수 있다고 답을 해봅니다.

예를 들어보면 나주·영암지역 고분들이 605기 정도인데 발굴된 것은 30여기입니다. 가야지역은 2017년 자료로 494개, 국가 지정 사적이 14개입니다. 그만큼 많이 준비가 된 것이라는 말씀을 드리고 싶습니다.

노형석, 권오영 선생님께서는 정책적으로 동아시아 해양교류의 중심의 관점에서 말씀해 주셨습니다. 이 부분은 저도 동의하고 마한역사의 재조명은 앞으로 개발성 등의 관점에서 접근해볼 수 있다고 생각합니다. 개발이라는 것이 새로 짓는 것이 아니라 복원해서 보존시킬 것은 보존하고 교육 등 여러 가지 측면으로 활용하자는 이야기입니다.

나주와 영암에서 하는 축제도 마찬가지입니다. 따로 진행하고 있지만 이를 통합시켜야 한다고 생각합니다. 물리적인 통합이 아니라 마한이 가지고 있었던 54개국처럼 축제 또한 이러한 방법으로 이루어진다면 지역경제 효과뿐만 아니라 마한을 재조명하고 우리나라 전체적으로 관심을 가질 수 있는 효과를 낼 수 있다고 봅니다.

아시다시피 백제문화재 축제는 예산이 55억 정도이며 도에서 15억, 공주와 부여에서 각각 20억씩 지원하고 있습니다. 우리 도에서도 충분히 해나갈 수 있다고 생각하고 경주나 백제 역사문화축제처럼 우리도 해나가야 한다고 생각합니다.

마지막으로 특별법과 관련해서 누구도 반대하시는 분은 없다고 생각합니다. 우리가 국가 차원에서 지원을 위한 특별법을 요구하는 것은 지방분권이 이루어지지 않기 때문입니다.

경남의 경우 가야문화권에 대해 1조 700억 계획을 세웠는데 우리 도는 6600억 밖에 되지 않습니다. 물론 우리가 준비해왔던 연구·발표되었던 자원들이 그것밖에 되지 않기도 하지만 정부와의 관계들, 정부에서 지원해 줄 수 있는 근거들이 없기 때문에 저는 당연히 특별법 제정이 되어야 된다고 봅니다. 특별법 속에서 전남에 대한 마한에 대한 여러 가지 이야기들이 충분히 가능하다고 보며 여기에 더해 전남도가 이야기한 블루 이코노미, 해상실크로드와 엮어서 종합적으로 계획을 만들어 내야 합니다. 이상입니다.

이청규 : 특별법을 당연히 적극 지지하시겠지만, 사실은 다른 지역의 사례를 보면 특별법만 제정된다고 해서 다 되는 것은 아닙니다. 그동안 많은 시행착오가 있었습니다. 성과도 있었지만 저는 혹시 도의 이해 차원에서 이 사업을 위한 마한역사문화사업권 사업을 위한 논의나 조직이 활성화될 필요가 있지 않나 생각합니다. 혹시 무슨 조직이 있습니까?

우승희 : 만들어 가야 합니다.

이청규 : 좀 만들었으면 합니다. 이 자리에도 전문가들이 계십니다. 그렇고 보니 제가 70년대 전남지역 발굴조사에 참여 했을 때 전석홍 도지사이셨습니다. 굉장히 열성적이셨다고 기억합니다. 발굴유적 하나하나 찾아다니시고, 지금 정치인이나 단체장분들도 그런 노력을 하시는 것 같은데 사실은 지자체나 장들의 열의가 중요하지 않나 싶습니다. 말이 길어졌습니다.

다음 토론은 윤진호 전라남도 관광문화체육과장님 말씀 부탁 드립니다.

윤진호 : 도가 어떻게 보면 마한 문화에 관심을 갖자, 관심을 받자는 부분은 사실상 2017년 이영철 원장님이 말씀하신 영산강유역 마한 문화권 개발 계획 수립 기점으로 마한이 전라도 역사성으로 인식하면서 처음이자 본격적으로 시작하게 되었습니다. 2018년도부터 고분발굴이나 학술대회 등의 공감대 형성 작업을 진행하고 있습니다.

2018년부터 도에서 파악한 조사가 필요한 고분은 400기 이상으로 현재 2기만 조사가 진행 되었습니다. 사실상 이 추세라면 200년 정도 걸리지 않겠나 싶습니다. 그렇기 때문에 특별법이 필요하다고 생각하고 있습니다. 그래서 도는 마한문화권 개발사업 중에서 특별법을 핵심 사업으로 쫓아다니면서 요구하고 있습니다.

앞서 발제하신 분들이 말씀하셨지만 문헌이 부족한 부분은 어떻게 보면 발굴조사를 통해서 충분히 해소 되어야 한다고 생각합니다. 이 부분에서 도 예산만으로는 한계가 있기 때문에 추가적으로 국비를 받아서 발굴을 진행, 마한에 대해 밝히고 이를 통해 마한문화 특별법제정이 필요하다고 생각합니다. 또한, 나주나 영암 외에도 전남지역 내 마한유적을 가지고 있는 시·군이 많은데 시·군과의 공동체, 같이 개발할 수 있는 공동의 모임을 만드는 부분들은 조만간 시·군들과 협력체를 만들려고 진행 중입니다.

현재 발굴을 전담하는 기관이 있는데 인원이 10명 내외이기 때문에 사실상 아직까지 마한사업에 대해 본격적으로 도에서 뛰어들었다고 말하기는 어렵습니다. 마한문화에 대해 주변에 물어봐도 '왜 그것이 전라도 역사의 뿌리인가?' 라고 의문을 가집니다. 그것은 아직 마한문화에 대해 널리 알려지지 않았기에 정통성을 인정받지 못하고 있기 때문입니다. 저도 마찬가지고 도민들의 '마한문화가 전라도 역사의 뿌리다.' 라는 인식 전환에 대해서는 도에서 꾸준히 노력해야 할 부분이라고 생각합니다.

말씀하신 것처럼 타 지자제와의 협력 사업은 현재 도에서 고민하고 있습니다. 저희가 한계가 있다는 부분을 알고 있기 때문에 이런 부분들에 대해서는 같이 나갈 수 있는 네트워킹 조직을 만들고자 추진 중에 있다고 말씀드리고 싶습니다.

이영철 : 여기에서 진짜 중요한건 저의 기억으로 1999년에 가야사 개발 1단계사업이 시작되지 않았습니까? 그럼 호남지역에서는 아무것도 하지 않았느냐? 아닙니다. 영산강유역 수질 개선, 고대 문화권 관련 청사진에 대해 추진을 대대적으로 했습니다. 그런데 가야는 구체적이고 실질적으로 파고들기 시작했고, 저희는 안타깝지만 지금도 협의체입니다. 정말 부탁드리고 싶은 게 협의체를 진보 시킨 실질적인 전담부서를 만들어 주셔야 합니다.

이 말씀을 드리는 이유는 특별 법안이 통과되어 예산이 들어오면 어떻게 사용할 것입니까? 아직 계획이 없습니다. 조직을 만들고 체계를 만들어 예산이 지원되면 사용해야 합니다.

이청규 : 예. 좋은 말씀해주셨습니다. 경주시에서도 발굴해서 빨리 궁궐 짓자고 엄청 많은 지원이 왔지만 사용할 기반이 갖추어지지 않

았기 때문에 불가능했습니다. 그래서 조사·연구 후에 어떻게 할 것인지, 쪽샘지구 고분 발굴처럼 조사자체를 활용할 수 있는 등의 구체적인 방법이 절실하게 필요한 때가 아닌가 합니다.

노형석 : 제가 하나만 말씀드리면 예산이 많이 지원되고 해당되는 지자체 들이 세계문화유산으로 지정되고, 학술대회는 말씀 드릴 것도 없고 정말 많은 사업을 진행되고 있지만 잘 진척되는 건 절대 아 닙니다.

학계 쪽에서는 가야 설화의 비밀이 밝혀졌다거나, 없는 사실 을 지어내거나 애매한 추론사실을 부풀려 기정사실화시키려고 하는 시도들이 나타나고 있습니다. 이러한 시도들은 성공할 수 없을 뿐만 아니라 나중에 지자체나 지역주민들에게 고스란히 역 사적 부채나 짐으로 돌아올 수 있습니다.

그렇기 때문에 문화재 지정이나 예산을 지원받는다고 해서 역사문화권의 성향이 근본적으로 해결되지 않는다는 점은 제가 볼 때는 제도적인 부분이 먼저가 아니라 관점을 바꾸고 실제로 역사적인 고리를 파악할 수 방안을 어디서 찾는지, 콘센선스를 만들어 내는 것이 중요하다는 말씀을 드리고 싶습니다.

이청규 : 네, 고맙습니다. 지역 언론에서 나름 바라보는 관점에 대해서 이 건상본부상이 말씀 부탁드립니다.

이건상 : 네, 소개받은 전남일보 이건상 본부장입니다. 복암리 3호분 발굴 한 이후부터 학자는 아니지만 꾸준히 관심을 가지고 직간접적으 로 마한과 관련된 일들을 해오고 있습니다. 오늘 제안하셨던 권

교수님, 노 기자님의 제안과 학계에서의 논쟁점들은 지역학계뿐만 아니라 전국에 있는 고고학계나 역사문헌학계 쪽에서 학술적인 논쟁거리로 정리가 되어야 하는 점이라고 생각합니다.

제가 지금까지 마한 관련 일을 하면서, 특히 이 국회 소회의실에서 전남일보 주최로 마한세미나를 2차례 진행했습니다. 그때부터 지금까지 느꼈던 느낌을 2~3가지 이야기하고 학술적인 영역과 지역 개발의 관점에서 마한의 개념을 어떻게 볼 것인지 간단히 말씀드리고 그리고 법안의 문제에 대해서도 짧게 정리하겠습니다.

첫 번째 마한 영역 세 가지 의문이 있습니다. 영암의 내동리 고분 1호분의 경우 56m인데 백제의 무령왕릉보다 2배는 더 큰 규모입니다. 도대체 저 무덤의 주인공은 누구냐? 백제의 왕보다 더 큰 무덤을 가진 사람은 누구냐? 그런 의문이 있습니다.

두 번째로는 일본의 전방후원형, 장고형과 왜계 무덤이 영산강유역에만 14기 정도 있다고 하는데 도대체 이 무덤의 주인이 누구냐? 일본사람의 무덤인지? 한반도 남부의 신민으로 살았는지에 대한 그런 의문들이 있었습니다.

세 번째로는 나주 영암지역에만 있는 독특한 것 중의 하나가 옹관고분인데, 옹관이 대형입니다. 고분도 대형이지만 옹관도 대형인데 이 독특한 대형옹관이 도대체 어떻게 왜 만들었는지, 무슨 목적으로 만들었는지 이런 문제들이었습니다.

지금까지 호남사람들이 가지고 있던 기본 역사 상식으로 호남은 백제다. 이 근본 개념이 여기서 많이 흔들렸습니다. 결정적으로 유네스코 백제유산지구 등재를 하는 과정에서 당연히 광주·전남지역은 백제인데 전라북도 익산까지만 들어가고 광주·전남은 제외되어 있습니다. 광주·전남권의 역사적 뿌리가 뭐냐, 우리의 고유한 문화원형은 무엇이냐. 백제가 아니면 무엇이냐 는 것입니다. 지난 시간동안 고민해야할 영역이었고 그런 대안으로 학계에서 연구되었던 것이 마한이라는 영역이었습니다.

그렇다면 마한의 영역에 대해 학술적인 논쟁 외에 과연 지역 개발의 관점에서는 어떻게 볼 것이냐?

전 이 예를 들고 싶습니다. 광주·전남 왜색의 전방후원형 고분이 존재하고 있는데 과거에 우리는 발굴하다가 일본 무덤이면 덮고 보고서를 잘 안냈습니다. 그러다 보니 광주 전남지역의 연구 성과를 알리기 어려운 현상이 지속되었고 지금도 일부 영향이 있을 수 있다고 생각합니다.

일본 사람들이 한국의 영암 사람인 왕인 박사 유적지를 찾는 것처럼 학술의 영역과 지역개발의 영역은 분리가 되어야 합니다. 그런 개념에서 학술영역이 아닌, 지역 개발의 영역 속에서 마한 특별법이 필요하다고 생각합니다.

개발을 하기 위해선 특별법이 필요한 것이며, 학술적 규명이 다 끝난 뒤가 아닌 지역 개발과 학술 영역이 동시에 진행되야 합니다. 그런 측면에서 전남도의 전략도 학계의 논쟁은 논쟁대로 가고 논쟁정리를 바탕으로 지역 개발을 해야 한다고 생각합니다. 그 지역개발의 개념은 1400년 전 고대 마한으로 있었던 과정을 다시 본다거나 그런 것이 아니라 지금의 역사로서 다시 개발하는 겁니다. 그런 의미에서 전남도의 전체 국회의원 및 전남도 22개 시군이 전남도 전체의 종합개발사업의 관점에서 바라봐야지 특정 국회의원의 나주 영암 무안의 서삼석 의원을 중심으로 이렇게 바라보면 이것은 이루어질 수 없습니다.

마지막으로 한마디 덧붙이자면 마한역사특별법안을 통과시키려면 가야와 같이 가야합니다. 대구와 광주가 공동 추진하는 달구벌-빛고을 축제와 같이 가야·마한 문화권 공동심포지엄을 하자, 이런 식의 협력과 공동개발의 방식들을 검토해보는게 효율적이지 않을까 생각됩니다.

이청규 : 예, 좋은 말씀해주셨습니다. 지역개발에 대한 관점에서, 사실 우리의 입장에서 보면 문화유산의 콘텐츠 활용이죠. 그 방안에 신경을 쓰고 계획을 세워야 하지 않냐. 그리고 특별법자체는 가야와 공존해야 한다. 중요한 말씀을 해주셨습니다. 다음으로는 국립나주문화재연구소 소장으로 계시는 임승경 선생님의 말씀을 듣겠습니다.

임승경 : 세분의 말씀을 듣고 많은 생각을 하게 되었습니다. 특히 저희 같은 국가조사연구기관이 세분께서 제기하고 언급하신 사항들에 대해 어떻게 수용을 하고, 어떻게 발전방안을 잡아야 할지 고민하게 되었습니다. 저희 연구소뿐만 아니라 관련연구기관, 지역에서도 협조해 주서야 할 일을 생각하면서 저는 3가지 정도로 제안을 하겠습니다.

첫 번째는 무안과 영암 등 마한 소국의 핵심유적에 대한 다양하고 심도 깊은 조사연구와 그 연구 성과를 활용한 다양한 콘텐츠 개발을 통해 지역민과 소통하는 체험프로그램을 만들어 나아 갈 것입니다. 특히 마한의 역사를 집대성하는 총서를 발간하고 중장기 조사 연구 등의 종합 계획 수립과 다각적인 전문가 포럼과 학술대회를 개최 해야 한다고 생각합니다.

가야가 처음에 주목받기 시작했을 때 부족했던 것이 학술총서와 중장기 종합 계획의 부재였습니다. 그렇기 때문에 혼란을 많이 야기시켜 왔으며 지금까지도 힘들어 하고 있습니다. 저희는 마한을 준비하겠습니다. 마한을 준비해서 관련된 역사총서 및 장기 마스터 플랜을 저희 연구소가 추진 하겠습니다. 다행스럽게도 서삼석 의원님을 비롯하여 전라남도에서 많은 도움을 주셔서 받은 소중한 예산으로 저희가 준비를 차분히 해 나가도록 하겠습니다.

두 번째는 이미 준비된 유적들이 있습니다. 국가 문화재로 지정을 해야 됨에도 불구하고 아직 지정이 안 된 유적을 국가 차원이나 지자체, 관련기관이 모두 협조해서 보존과 관리를 해나갈 수 있는 전략적인 방안을 마련하도록 하겠습니다. 지금 전남에서는 마한과 관련된 사적이 나주 복암리 고분군, 반남 고분군, 오량동 요지, 해남 군곡리 패총 등 4개소, 전북에서는 김제 벽골제, 부안 죽막동, 고창 운곡리 고분 등 3개소로 총 7개소이지만, 가야는 영호남지역 전체를 통틀어 경남에 20개소, 부산 1개소, 경북 4개소, 전북 2개소 등 총 27개소입니다.

저희가 많이 노력을 해야 할 것으로 보이며 이미 유적들은 준비가 되어 있기 때문에 지자체에서 그리고 저희가 조금 더 노력하면 될 것 같습니다. 그래서 우선적으로 할 수 있는 신규 지정과 사적 확대 지정 유적이 있습니다. 사적 복암리 고분을 확대 지정을 해서 정촌 고분을 비롯한 신흥 고분, 영동리 고분 등을 합쳐 확대 지정이 필요하고 영암 시종면 일대 고분군이나 함평 마산리 고분군이나 주변유적, 또는 담양 태목리와 용응리 유적 등 신규 지정을 준비해 사적 지정을 이끌어 낼 필요가 있다고 봅니다. 또한 앞으로도 주요 유적인 무안 사창리 고분 등을 발굴조사하고 연구해 국가 문화재로서 지정 보존될 수 있도록 노력 하겠습니다.

세 번째로는 오늘 많은 이야기가 나왔지만, 세계사적 가치를 조명하기 위한 논의가 본격적으로 이루어져야 한다고 봅니다. 이미 오늘을 계기로 시작되었다고 볼 수 있지만 전 세계적으로 통용되는 대표성과 영산강유역의 특수성을 찾아내 영산강유역의 마한문화를 세계문화유산으로 등재하기 위한 움직임을 영산강 유역권에 위치한 국가 연구기관과 지자체 발굴법인들이 총망라해서 본격적으로 시도할 수 있는 길이 마련되었으면 좋겠습니다. 이상입니다.

이청규 : 네, 고맙습니다. 특별법과 별개이면서 국가 지원을 받을 수 있는 건 사적지입니다. 국가지정문화재. 앞서 말한 것처럼 전남도에 사적지가 총 4개소입니다. 제가 그 소리를 듣고 깜짝 놀랐습니다. 제가 제주도에 12년간 발굴조사를 진행하면서 사적지로 지정 된 게 5개소입니다. 이는 국가 사적지 지정에 아무래도 지역에서 소홀했다고 보입니다. 특별법 외에 권오영 선생님 하실 말씀 없으십니까?

권오영 : 저도 역시 지역에서의 적극성이 필요한 것 같습니다. 가야 관련해서 최근에 함안에 가야 왕성이 유례가 없을 정도로 빠른 속도로 사적 지정이 되었습니다. 이어서 기다렸다는 듯이 조사와 토지매입비 등의 예산이 쏟아졌습니다. 반면에 호남의 어느 지역

의 경우 분명히 사적 지정 후 유사한 혜택을 볼 수 있음에도 불구하고 지나치게 소극적으로 대처하고 있습니다. 이외에도 국보와 보물 등의 동산문화재도 마찬가지로 최근에 가야 관련해서 우리지역의 유물을 국보, 보물 지정 해달라는 신청이 쇄도해 문화재청이 골치 아플 정도라고 합니다. 호남지역에서도 이와 같은 적극성이 필요할 것으로 보입니다.

이청규 : 네, 국장님 이에 대해서 간단히 발언 부탁드립니다.

윤진호 : 네, 그 부분은 저희도 인지 하고 있어 국가 사적 승격관련해서 전문위원회를 열어 우선 10개소 정도 선정했으며 내년부터 본격적으로 추진 예정입니다. 열심히 하도록 하겠습니다.

이청규 : 말씀 감사드립니다. 자, 일단은 발표ㆍ토론자 외에 하실 말씀 있으시면 짧게 부탁드리겠습니다.

청　중 : 특별법 제정에 대해 말씀을 해주셨습니다. 선례를 보면 특별법 지정이 그리 쉽지 않습니다. 우선 특별법지정은 지역의 민심을 모으는 기초 작업위에서 진행되야 하며 마한 사업 총괄 컨트롤 타워가 설립되고 이를 추진하기 위한 조직도 필요합니다. 또한 이 모든 과정을 지역민과 함께 만들어 가야합니다. 하지만 현재는 이영철 원장님이 말씀하신 것처럼 마한 사업을 책임지고 진행할 총괄 컨트롤 타워조차 설립되지 않은 상태인 점이 안타깝습니다.

이청규 : 전남도에 전담부서가 마련되어야 하지 않을까란 의견인데, 이 부분은 도에서 말씀 부탁드립니다.

윤진호 : 고민을 좀 더 많이 해야 할 것 같습니다. 현재 가지고 있는 조직은 있지만 발굴 조사 위주로 진행이 되고 있습니다. 오늘 제시된 의견 중 마스터 플랜과 예산 부분을 새겨듣고 이번에 전남도와 시군이 함께 협의체를 구성 후 전담부서를 조직할 수 있도록 노력하겠습니다.

이청규 : 예정된 시간이 다 되었습니다. 더 이상 말씀하고 싶어도 시간이 없어서 끝내도록 하고 마지막으로 서삼석 의원님께서 마무리 발언 부탁드립니다.

서삼석 : 에, 서삼석입니다. 오늘 발제 토론에 참여 해주신 선생님들께 감사의 말씀 드리며, 저에게 주어진 사명, 소임을 다하도록 노력하겠습니다. 마한은 이제 시작입니다.

다음에 이러한 자리가 마련되면 진일보한 상태에서 마한을 논의를 할 수 있도록 노력을 하겠습니다. 이 시간까지 좌장과 발표 · 토론을 맡아주신 선생님들께 감사드리고 더 멀리 영암 나주 무안에서 서울까지 오신 분들, 관심을 가져주신 모든 분들께 감사의 말씀 드립니다.